Toute une vie de bonheur

*

Captive de la passion

BARBARA McCAULEY

Toute une vie de bonheur

Collection *Passion*

———

éditions Harlequin

*Cet ouvrage a été publié en langue anglaise
sous le titre :*
NAME YOUR PRICE

Traduction française de
SYLVETTE GUIRAUD

HARLEQUIN®

est une marque déposée du Groupe Harlequin
et Passion® est une marque déposée d'Harlequin S.A.

Originally published by SILHOUETTE BOOKS,
division of Harlequin Enterprises Ltd.
Toronto, Canada

*Toute représentation ou reproduction, par quelque procédé que ce soit, constituerait
une contrefaçon sanctionnée par les articles 425 et suivants du Code pénal.*
© 2005, Harlequin Books S.A. © 2006, Traduction française : Harlequin S.A.
83-85, boulevard Vincent-Auriol, 75013 PARIS — Tél. : 01 42 16 63 63
Service Lectrices — Tél. : 01 45 82 47 47
ISBN 2-280-08463-5 — ISSN 0993-443X

BARBARA McCAULEY

Barbara vit dans le sud de la Californie avec son héros de mari, qui est sa première source d'inspiration pour ses romans où la magie de l'amour règne en maître. Heureuse inspiration : toutes les histoires de Barbara ont remporté un large succès, et un certain nombre d'entre elles ont été récompensées par des prix littéraires — dont le prestigieux RITA Award. Cette reconnaissance, plus que méritée, lui donne plus que jamais envie d'imaginer pour nous des histoires qui sauront nous faire rêver et vibrer avec ses héroïnes passionnées.

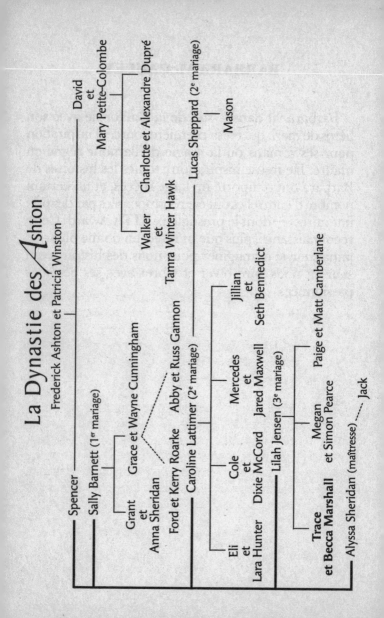

La Dynastie des Ashton

Frederick Ashton et Patricia Winston

Spencer

David et Mary Petite-Colombe

Sally Barnett (1er mariage)

Grant et Anna Sheridan

Grace et Wayne Cunningham

Charlotte et Alexandre Dupré

Walker et Tamra Winter Hawk

Lucas Sheppard (2e mariage)

Mason

Ford et Kerry Roarke

Abby et Russ Gannon

Caroline Lattimer (2e mariage)

Jillian et Seth Bennedict

Mercedes et Jared Maxwell

Cole et Dixie McCord

Eli et Lara Hunter

Lilah Jensen (3e mariage)

Megan et Simon Pearce

Paige et Matt Camberlane

Trace et Becca Marshall

Alyssa Sheridan (maîtresse) ----- Jack

PRÉSENTATION DES PERSONNAGES

Les Ashton ne forment pas vraiment une famille comme les autres : leur seul point commun, c'est **Spencer Ashton**. *Un homme sans états d'âme, qui a bâti sa fortune sur le mensonge et qui a spolié les siens.*

Mais si les enfants de Spencer, nés de trois mariages différents, ne se connaissent pas, le destin, lui, va les mettre sur le même chemin…

Ce mois-ci, faites connaissance avec :

TRACE ASHTON : Depuis la mort de son père, l'aîné des enfants que Spencer a eus de son troisième mariage n'a plus qu'un seul but : découvrir l'identité du meurtrier. Mais le retour de Becca Marshall à Napa Valley va détourner une partie de ses pensées, et de son énergie : car, à présent, il doit trouver le moyen de résister à l'attirance qu'il éprouve toujours pour la jeune femme, qui l'a quitté, sans un mot, des années plus tôt.

BECCA MARSHALL : quand elle revient à Napa, Becca tente de se convaincre qu'elle ne redoute pas du tout de revoir Trace Ashton. Leur histoire est loin derrière eux, très loin, et tels deux adultes responsables, ils devraient être capables de se croiser sans émotion particulière. Pourtant, quand elle tombe sur Trace dans un café, ce qu'elle ressent aussitôt ressemble à tout sauf à de l'indifférence…

Prologue

Spencer Ashton comprit qu'il allait mourir.

Jusqu'à ce moment, il n'avait jamais envisagé sa propre mort. Son orgueil, son arrogance lui avaient refusé d'envisager la possibilité de sa disparition. Après tout, n'était-il pas, à soixante-deux ans, toujours dans la force de l'âge, séduisant, viril, et riche, au-delà de ses rêves les plus fous ? Il possédait tout ce qu'il avait jamais désiré et plus encore. De puissantes voitures de sport, d'élégantes maisons, et toutes les femmes sur qui il jetait son dévolu.

Fils d'un petit fermier du Nebraska et de sa terne épouse, il avait brillamment réussi à la force du poignet. S'il lui était parfois arrivé de croiser la route de personnes insignifiantes, il ne leur avait jamais accordé la moindre attention.

Du moins, jusqu'à ce que la balle explose à l'intérieur de sa poitrine.

Hébété, Spencer leva les yeux vers Wayne

Cunningham, cette limace visqueuse aux cheveux gris qui avait appuyé sur la détente, puis il tourna le regard vers la femme qui se tenait à côté de lui.

Sa propre chair, son propre sang.

De ses prunelles vertes brillantes et dures comme la glace, elle lui rendit son regard.

Alors, Spencer baissa les yeux sur la main qu'il avait plaquée sur son cœur et il vit le sang sourdre entre ses doigts. Tiède, rouge foncé, il dégoulinait le long de sa cravate de soie Armani à trois cents dollars.

Il tenta de parler, mais ne put émettre qu'un murmure étranglé.

— Qu'est-ce que tu dis, papa chéri ?

La haine exsudait tel un acide de chacun des mots de sa fille. Elle se rapprocha du fauteuil de bureau en cuir où Spencer était en train de mourir. Un rictus étirait ses lèvres écarlates.

— Un chat t'a mangé la langue ?

— Grace...

Ce fut le seul mot qu'il parvint à prononcer puis il se mit à tousser, car le sang envahissait ses poumons.

— Tout ce que j'ai jamais demandé, c'était la part qui me revenait. J'y avais droit.

Du poing, Grace se frappa la poitrine avant de pivoter sur elle-même et de s'éloigner de lui.

— Ce droit, je l'ai gagné, bon sang ! Grant et moi venions à peine de naître, quand tu nous as abandonnés. Nous n'avons rien eu, *rien* !

Elle enfouit ses mains dans sa chevelure châtaine et continua à tempêter.

— A cause de toi, notre mère est morte le cœur brisé et pas une seule fois, tu n'as pensé à elle ou aux bébés que tu avais laissés derrière toi ! Pendant que nous vivions de la charité publique et étions vêtus de haillons, toi tu habitais un manoir, tu mangeais des mets choisis dans des restaurants chic avec ta nouvelle femme et les quatre rejetons qu'elle t'avait donnés !

A travers la brume de douleur qui obscurcissait ses yeux, Spencer regarda fixement sa fille. Dire que pendant des années, il avait payé cette femelle stupide et son mari pour qu'ils gardent le silence sur son premier mariage avec Sally au Nebraska ! Mais, maintenant que tout le monde savait qu'il avait été marié avec elle sans s'être jamais soucié de divorcer, Spencer n'avait plus aucune raison de donner un centime de plus au couple qui le faisait chanter. Grace et son lamentable époux pouvaient tout aussi bien louer une fanfare et la promener à travers la ville pour crier que Spencer Ashton était bigame ! Alors, quand Wayne avait sorti son arme,

Spencer n'aurait jamais imaginé que ce lamentable idiot aurait le culot de s'en servir.

Une erreur de calcul qu'il allait payer de sa vie.

Wayne s'agita nerveusement.

— Gracie, bébé, nous devrions partir avant que quelqu'un arrive.

— Les bureaux sont fermés depuis une heure et tout le monde est parti.

Un sourire lui retroussa un coin de la bouche et son regard revint se poser sur Spencer.

— Personne ne viendra.

— Je sais, bébé, reprit Wayne, mais quand…

— Nous partirons quand j'en aurai fini, tu m'entends, et pas avant ! aboya Grace, tout sourire évanoui de son visage tordu par la haine.

Spencer la vit se pencher par-dessus le bureau et le regarder dans les yeux.

Des yeux exactement de la même couleur que les siens, songea-t-il dans un brouillard.

— Et ça n'était pas encore suffisant pour toi, avide salaud au cœur froid ! Il te fallait tout, alors tu as fait avec Caroline la même chose que tu nous avais faite, tu lui as tout volé, et tu l'as jetée, elle et tes enfants, comme tu nous avais jetés ! Comme de vulgaires rebuts !

A présent, le visage de Grace était tordu par la rage.

— Et pourquoi ? ajouta Grace d'une voix hysté-
rique. Pour te marier une troisième fois !

Lilah. Sa troisième épouse. Probablement la seule
femme qui l'ait vraiment compris, songea Spencer.
La seule douée d'autant d'ambition que lui. Elle avait
été une épouse pleine de dignité et une très belle
femme dans ses jeunes années. Elle lui avait donné
un fils et deux filles et même toléré ses liaisons
— sauf la dernière, d'où était né un enfant.

Le petit Jack. Ce fils qu'il ne verrait jamais
grandir…

— Alors maintenant, tu vas payer, ordure.

La voix de Grace lui parvint comme si elle venait
de très loin. Une sensation de froid s'insinua dans
ses veines. Le temps parut ralentir tandis que des
ombres envahissaient son champ de vision, appor-
tant progressivement avec elles une conscience, une
compréhension : Grace avait raison et maintenant, il
devait rendre compte des actes qu'il avait accomplis
au cours de son existence. D'un seul coup, tous ses
péchés revinrent en foule à son esprit et il revit,
en un rapide retour en arrière, des visages, des
images…

Il y en avait tellement, songea-t-il.

Alors, dans un dernier soupir, tandis que l'obscurité
glacée se refermait sur lui, Spencer Ashton comprit
qu'il allait brûler pour toujours en enfer.

1.

Il aurait dû s'en douter.

Bien sûr, Trace avait entendu dire qu'elle était en ville. Ces derniers jours, il avait plus d'une fois entendu chuchoter son nom derrière lui. Il avait perçu les murmures et les coups d'œil fuyants dans sa direction. Becca Marshall de retour dans la Napa Valley, c'était comme une terre fertile pour les propagateurs de rumeurs, et les commérages y prenaient racine avec force.

Trace pinça les lèvres, sachant que le fruit de cette vigne-là allait sûrement lui paraître acide.

Il n'était pas encore très certain de ce qui avait attiré son attention vers la table nappée de lin à l'intérieur du petit café, dans la rue principale. Peut-être la masse de cheveux noirs comme du café retombant sur le col roulé blanc ? Peut-être le dessin familier des pommettes hautes et la ligne du petit nez droit ? Ou bien encore le mouvement plein de grâce de ses longs doigts fins tandis qu'elle s'entretenait avec une autre personne qu'il ne pouvait apercevoir.

Non, ce n'était rien de tout cela, se dit-il en contemplant Becca. Parce que, avant même de s'être arrêté le long du trottoir, avant d'avoir jeté un coup d'œil de l'autre côté de la rue, avant de l'avoir repérée à travers la vitre du restaurant, il avait su, tout simplement, qu'elle était là. Aussi sûrement qu'il sentait le parfum de cannelle et d'épices qui émanait de la boulangerie de Katie, aussi sûrement qu'il entendait le son insistant de la cloche du Père Noël au coin de la rue, aussi sûrement qu'il percevait la promesse de pluie apportée par l'air frais du soir, il avait ressenti sa présence.

Le seul fait d'en prendre conscience lui apporta un élan de colère noire, mais rapidement, il tempéra son émotion. Quelle importance si elle était revenue ?

Le passé était le passé. De l'histoire ancienne. Ils n'étaient que des gosses, en ce temps-là. Il venait d'avoir vingt et un ans et elle, à peine vingt. Il s'était moqué d'elle parce qu'elle n'avait pas encore l'âge légal de boire de l'alcool. Elle, s'était moquée de lui en le traitant de vieux.

Un petit sourire plein d'amertume se dessina sur ses lèvres. Avec tout ce qui s'était passé au cours des derniers mois, le meurtre de son père, l'arrestation de sa sœur et ses aveux, les disputes et les haines familiales, alors oui, il avait eu à maintes occasions l'impression d'être un vieillard.

Et maintenant, il y avait Becca…

Trace s'arrêta sous l'auvent de toile noire d'un magasin d'antiquités et regarda à travers la vitrine du café. Les cinq années qui venaient de s'écouler, remarqua-t-il, avaient été bonnes pour Becca. Le doux éclairage des lumières multicolores de Noël qui décoraient la vitrine conférait à sa peau une lueur éthérée et faisait briller ses grands yeux frangés de cils épais. Des yeux couleur de velours mordoré, se rappela-t-il. Encore un des nombreux éléments associés au souvenir de Becca. Il y avait aussi son rire cristallin, la chaleur de son long corps lisse se glissant sur le sien, le goût de miel de sa bouche…

Un goût que sa trahison avait rendu amer.

Une brise glacée s'infiltra sous sa veste de cuir, sans pour autant refroidir le feu qui le brûlait. Il était venu en ville pour dîner avec sa sœur, tenta-t-il de se reprendre, et non pour se lancer dans un voyage dans le temps, aussi douloureux qu'inutile !

Il contempla un instant les lèvres de Becca qui s'incurvaient dans un sourire, puis la fossette qui se creusait dans sa joue. Grinçant des dents, il tourna les talons et traversa la rue d'un pas décidé.

18

Le son des clochettes d'un traîneau et un claquement de sabots sur l'asphalte accueillirent Becca à sa sortie du restaurant, dans l'air frais de la nuit. Elle regarda passer un attelage et sourit au conducteur lorsqu'il leva son chapeau dans sa direction. Emmitouflés dans leurs manteaux et leurs chapeaux, l'homme et la femme, à l'arrière de la carriole, agitèrent la main dans sa direction et lui crièrent des vœux de fin d'année.

Noël dans la Napa Valley avait toujours été un moment magique de l'année. Les lumières qui clignotaient à la devanture de chaque magasin, le Père Noël et son renne sur le toit de la quincaillerie McIntyre, et l'arbre géant décoré au centre de la vieille ville… Becca respira à pleins poumons l'odeur des sapins et de la fumée de bois dans l'air vif de la nuit.

C'était si bon de rentrer chez soi, songea-t-elle avec une espèce de joie enfantine, tandis qu'un sentiment de plénitude l'emplissait d'une douce chaleur.

Glissant les mains dans ses poches de manteau, elle descendit le long du trottoir en observant avec attention ce qui l'entourait, curieuse de voir si elle retrouvait ses repères dans cette ville. Quelques commerces avaient changé depuis son départ, cinq ans plus tôt. Emily, la boutique de blanc, était devenue un magasin de prêt-à-porter pour mariées, celle de cadeaux était devenue une boutique de mode et le salon de thé un restaurant très chic.

Le changement était inévitable, bien sûr. On pouvait le combattre, on pouvait le nier, on pouvait même s'en éloigner mais, quoi qu'on fasse, on ne pouvait pas l'arrêter.

Elle n'en ressentit aucune tristesse. D'une certaine manière, songea-t-elle, le changement, c'était la vie. Et elle était plutôt bien placée pour le savoir.

Des notes de musique et un son argentin attirèrent Becca vers la devanture d'une minuscule échoppe de cadeaux et elle s'arrêta pour contempler un bonhomme de neige de plus d'un mètre qui dansait dans la vitrine. Vêtu d'une veste et d'un chapeau fantaisie incrusté de pierreries, il secouait une clochette en suivant l'air de « *Vive le vent d'hiver* ». A l'intérieur de la boutique, une petite fille rousse riait et, tout excitée, le montrait du doigt.

Dieu merci, nota Becca en observant les yeux animés de l'enfant, certaines choses ne changeaient pas. Elle aussi avait autrefois ressenti la même excitation, la même allégresse.

Comme elle se détournait, elle se heurta à un homme qui tendit les mains pour la remettre d'aplomb.

— Je suis…

Becca se figea sur place. C'était impossible !

Même dans la chiche lumière, elle savait que les yeux de cet homme étaient vert bouteille. Elle savait qu'il avait des cheveux châtain cendré, que la cicatrice sur son sourcil gauche était due à sa chute d'un arbre à l'âge de onze ans. Les lèvres pincées en une ligne mince et dure, il la regardait de ses prunelles soudain rétrécies.

— Bonjour, Becca.

Trace.

Elle savait bien qu'il existait une forte possibilité de le rencontrer pendant son séjour à Napa, mais elle n'avait sûrement pas imaginé lui rentrer littéralement dedans. Dire qu'elle avait passé des semaines à se préparer à cet instant, et qu'à présent elle se retrouvait aussi rougissante qu'une débutante ! Ce n'était pas du tout comme ça qu'elle avait imaginé la scène, se maudit-elle en essayant de reprendre son calme. Non, elle était bien loin de l'attitude calme et composée, très maîtresse d'elle-même, qu'elle s'était préparée à adopter… De même que les paroles qu'elle comptait lui adresser, et le sourire qui devait les accompagner, restaient curieusement bloqués au fond de sa gorge.

De fait, les seuls mots qu'elle fut capable de former en cet instant ressemblaient plutôt à un soupir étranglé.

— Trace, finit-elle par balbutier.

Il lui maintenait toujours les bras et elle lutta contre la bulle de panique qui se formait dans sa gorge. Même à travers son vêtement, elle sentait la chaleur se propager du corps de Trace à sa propre peau. Son cœur battait la chamade contre ses côtes et résonnait jusque dans sa tête. Qu'elle avait donc été ridicule de penser qu'elle aurait pu se préparer à le rencontrer de nouveau !

Quelle stupidité !

Lorsqu'il se résolut à la lâcher et à faire un pas en arrière, elle put enfin emplir ses poumons d'un oxygène dont elle avait le plus grand besoin.

— Désolée, dit-elle d'une voix entrecoupée. Je ne t'avais pas vu.

— On m'a dit que tu étais de retour.

Sa voix était si neutre, son ton si impersonnel ! nota-t-elle avec amertume, tandis qu'un sentiment de malaise s'insinuait en elle. De peur qu'il ne voie ses mains trembler, elle les enfouit tout au fond de ses poches.

— Je suis venue faire quelques photos pour les Caves Ivy Glen, parvint-elle à répondre en tentant d'adopter le même ton désinvolte.

— C'est aussi ce qu'on m'a dit.

Elle n'en fut pas trop surprise. Le commerce du vin dans la Napa Valley était quelque chose qui unissait étroitement tous ses habitants. Sans pouvoir s'en empêcher, Becca se demanda ce que Trace avait entendu d'autre… et dans quelle mesure c'était vrai.

— Comment… comment vas-tu ?

La question paraissait dérisoire et ridicule, songea-t-elle, mais c'était tout ce qu'elle était capable de formuler pour l'instant.

— Très bien. Et toi ?

— Je vais bien.

— Il y a si longtemps, Becca.

Cinq ans, faillit-elle répondre, mais elle se contenta de hocher la tête. Peu à peu, elle remarqua les rides fines au coin de ses yeux, l'arête carrée, énergique, de sa mâchoire, la ligne dure de sa bouche et elle fut surprise de constater que les années avaient mûri ses traits si séduisants. Il l'avait autrefois éblouie de son charme juvénile et de son sourire malicieux, mais il n'y avait plus rien de chaleureux dans l'expression de cet homme-là.

Un frisson la parcourut tandis qu'elle soutenait son regard. Une chose n'avait pas changé, songea-t-elle, bouleversée. Il parvenait toujours à lui mettre les jambes en coton, à faire courir plus vite son pouls, à l'emplir de nostalgie et d'une sensation de manque.

Elle était consciente du mouvement des voitures qui passaient à côté d'eux, elle entendait toujours la cloche du magasin de cadeaux, mais comme si tout cela venait de très loin, comme si tout était flou. Seul Trace restait dans son champ de vision, et c'était comme si chaque détail familier lui revenait à la mémoire avec une acuité presque douloureuse. La largeur de ses épaules, la ligne sombre de ses sourcils, la courbure légère de son nez.

Cinq ans auparavant, elle aurait sauté dans ses bras et l'aurait embrassé de tout son cœur. Cinq ans auparavant, il aurait souri et lui aurait rendu son baiser, en lui murmurant à l'oreille quelque chose de coquin qui l'aurait fait frémir et rougir.

Le bruit de la porte de la boutique qui s'ouvrait tira Becca de sa transe. Une femme chargée de paquets-cadeaux bariolés s'avança sur le trottoir et consulta sa montre au moment de les dépasser d'un pas rapide. Becca baissa les yeux, puis après avoir lentement repris sa respiration, les releva vers Trace.

— Je suis désolée pour ton père, dit-elle. J'ai voulu t'appeler quand j'ai entendu parler de ce qui s'était passé, mais…

Sept mois auparavant en effet, tous les journaux et chaînes de télévision de Los Angeles avaient relaté le meurtre de Spencer Ashton.

Becca se retourna au son des clochettes du traîneau qui revenait. L'attelage était maintenant de l'autre côté de la rue et déchargeait ses passagers. Trace ne parut même pas s'en apercevoir.

— Mais quoi ?

J'ai été lâche, songea-t-elle avant de biaiser.

— Je n'ai pas voulu être indiscrète.

— Je vois.

Le sarcasme dans la voix de Trace la frappa jusqu'au tréfonds de l'âme. Elle éprouva une brusque envie de tendre la main vers lui, de lui dire qu'il se trompait. Au lieu de cela, elle se contenta de serrer son manteau plus étroitement contre elle. L'idée qu'il puisse s'éloigner d'elle lui parut soudain insupportable.

— La vérité, c'est que je ne pensais vraiment pas que des condoléances de ma part seraient appréciées, dit-elle d'une voix calme. Surtout à cause de ce qui s'était passé entre nous.

La voix de Trace se durcit.

— Ce n'était pas nous, Becca. C'est toi seule qui es partie.

Elle eut envie de disparaître dans un trou de souris. Il avait raison, bien entendu. Mais, debout là, sur le trottoir avec des gens et des voitures qui passaient bien en vue, l'endroit paraissait très peu adapté à ce genre de conversation. Puis, Becca réalisa qu'il n'existait *aucun* endroit véritable pour cela.

— Je t'en prie, Trace, dit-elle.

Un long moment, il la contempla. Cinq ans auparavant, elle aurait pu lire au fond de ses yeux, comprendre ce qu'il pensait, ce qu'il ressentait. Plus maintenant. Les années l'avaient transformé. C'était un homme différent qu'elle reconnaissait à peine. Elle aussi, du reste, était une femme différente.

— J'ai entendu dire que ta mère avait acheté le pub, dit Trace à brûle-pourpoint.

— Elle le dirigeait déjà depuis ces quinze dernières années, répondit-elle.

Reconnaissante qu'il ait changé de sujet, elle lui sourit.

— Il était naturel que Joseph le lui vende au moment de prendre sa retraite, reprit-elle. Elle… va faire une grande fête d'ouverture, bientôt, enfin, la semaine prochaine, en fait, tu vois…

Mais qu'est-ce qui lui prenait de lui raconter tout ça, et en bégayant de surcroît ? se maudit-elle aussitôt. Trace et sa famille possédaient l'une des exploitations vinicoles les plus vastes et les plus prospères de la Napa Valley. Pourquoi devrait-il être le moins du monde intéressé par l'ouverture du bar à bière d'Elaine Marshall ?

— Tu habites chez elle ?

— Juste pour deux ou trois semaines. Le temps de travailler sur ce projet.

— Ivy Glen est un établissement vinicole de

premier choix, remarqua Trace. Tu as dû leur faire une forte impression.

Ils savaient tous deux à quel point il était difficile dans la Napa Valley de faire son trou dans la photographie industrielle. Sans compter que la société de design de Becca n'avait pas encore vraiment fait ses preuves.

— Je suis heureuse qu'ils me donnent une chance, admit-elle.

Trace ne répondit pas. Il continuait à la fixer de ces yeux verts si perçants qui n'appartenaient qu'à lui et, embarrassée, elle s'agita un peu. Ses nerfs n'allaient sûrement pas pouvoir poursuivre plus longtemps cette conversation superficielle et polie…

— Il faut que j'y aille, dit-elle.

Il hocha la tête et fit un pas de côté.

— Prends soin de toi, Becca.

— Toi aussi, Trace.

Sans trop savoir comment, sur des jambes qui avaient tout à coup l'air d'être en caoutchouc, elle réussit, en restant bien droite, à s'en aller sans avoir l'air de prendre la fuite.

Les poings dans les poches, Trace se tenait à l'extérieur du *Cask and Cleaver*, en attendant que son estomac se dénoue.

Il se traita d'idiot.

Qu'est-ce qui avait bien pu lui passer par la tête ? Qu'avait-il donc imaginé ? Que peut-être, comme par magie, s'il allait droit vers elle, la regardait dans les yeux et entamait avec elle une conversation courtoise, toute la colère qu'il portait en lui depuis qu'elle l'avait quitté disparaîtrait d'un seul coup ?

Eh bien non, cela ne s'était pas passé comme ça. C'était même pire. D'où cette impression de poing glacé qui lui vrillait de plus en plus les entrailles.

Si Becca avait fait une tentative pour s'excuser, y aurait-il attaché de l'importance ? Il réfléchit à la question et secoua la tête. Non. Sa colère en aurait peut-être été encore plus dévastatrice.

C'était elle seule qui était partie, lui avait-il rappelé et, un petit instant, avant qu'elle ne fuie son regard, il avait presque pensé voir une lueur de regrets au fond de ses yeux. Sans doute de la culpabilité, songea-t-il. Il y avait de cela cinq ans, elle l'avait quitté en lui laissant en tout et pour tout un mot et la bague de fiançailles qu'il lui avait passée au doigt un mois plus tôt. Incrédule, il avait fixé la lettre jusqu'à ce que les mots s'incrustent dans son cerveau.

Je suis désolée, Trace, mais j'ai une occasion d'aller étudier la photo à Milan et je dois suivre

28

mon rêve. J'espère qu'un jour tu trouveras au fond de ton cœur la force de me pardonner. Je te souhaite le meilleur, toujours. Quel imbécile il avait été de s'imaginer que le rêve de Becca était de devenir sa femme et la mère de ses enfants !

Même maintenant, après tout ce temps, même après ce qu'elle lui avait fait, il tenait encore à elle. Quand elle s'était heurtée à lui et qu'il l'avait retenue par le bras, il lui avait fallu chaque once d'énergie pour ne pas l'attirer contre lui.

Il aurait dû le faire, pensa-t-il, mâchoires serrées. Il aurait dû la prendre dans ses bras et l'embrasser à en perdre le souffle et puis s'en aller.

— Hé, m'sieur, vous avez l'heure ?

Deux adolescentes portant bonnet et écharpe qui passaient par là tirèrent Trace de ses pensées. Il jeta un coup d'œil à sa montre.

Déjà !

— 19 h 20, annonça-t-il.

— Merci et joyeux Noël ! dirent les filles à l'unisson avant de partir en courant et de le regarder par-dessus leur épaule en gloussant.

Trace se passa une main sur le visage. Il fallait se reprendre ou bien Paige allait se rendre compte que quelque chose n'allait pas.

— Bonsoir, monsieur Ashton. Votre sœur vous attend, lui dit l'hôtesse avec un sourire lorsqu'il pénétra à l'intérieur du restaurant aux lumières tamisées.

— Merci, Cindy.

D'un mouvement d'épaules, Trace se débarrassa de son manteau et suivit la jolie blonde vers le box en coin où Paige étudiait le menu avec attention. Une odeur de steaks grillés emplissait la salle lambrissée de chêne et la lueur tremblante des chandelles jetait des ombres sur les tables de bois massif. Une version instrumentalisée de « White Christmas » sortait de haut-parleurs invisibles. Trace déposa un petit baiser sur la joue de sa sœur et se glissa en face d'elle.

— Désolé d'être en retard.

— Inutile de t'excuser.

Paige souleva son verre de vin rouge.

— Je viens juste d'arriver. Ce n'est pas facile de faire des emplettes pour un homme qui a déjà tout.

Une femme amoureuse, songea Trace, en jetant un coup d'œil à sa sœur.

Paige, avec ses doux cheveux bruns et ses étincelants yeux noisette semblait environnée d'une lumière qu'il ne lui connaissait pas.

— Je ne croyais pas qu'il était si dur de m'acheter quelque chose, blagua-t-il.

— Tu sais très bien que je parle de Matt, dit-elle

30

en arquant un sourcil. Je n'ai aucune idée de ce qu'il désire.

— Garde ton temps et ton argent.

Trace jeta un regard sur la bague de fiançailles en diamant que portait sa sœur à l'annulaire gauche.

— Il a déjà eu ce qu'il voulait, conclut-il.

Paige contempla la bague avec un sourire.

— Parle pour nous deux. Ah ! Si tu savais comme je l'aime, Trace.

— Vous avez arrêté une date ?

— En juin, je crois, mais cela ne me donne guère de temps pour faire des projets.

— Six mois ne te suffisent pas ?

Trace secoua la tête.

— Je n'ai jamais compris pourquoi il fallait tant de temps pour préparer une cérémonie qui dure à peine dix minutes et une réception de quatre heures !

— C'est parce que tu es un homme, dit-elle en souriant. Attends de te marier et tu comprendras.

— Ça n'arrivera pas, petite sœur.

Il forma une croix avec ses deux index et, pressé de changer de sujet, lui demanda :

— Maintenant, vas-tu me dire pourquoi tu as eu d'un seul coup tellement besoin de me voir ce soir ?

— J'ai vu Jack, aujourd'hui.

Jack était leur demi-frère âgé de deux ans, le

dernier des dix enfants de Spencer Ashton. La mère
du petit Jack avait été la maîtresse de Spencer, mais
elle était morte et Anna, la tante du petit, était venue
s'installer à Napa avec son neveu.

— Paige…, commença Trace.
— Ecoute-moi.

A travers la table, Paige saisit la main de son
frère.

— Il est tellement adorable ! Son sourire ferait
fondre un iceberg. Il est exactement ce dont nous
avons tous besoin, Trace, la seule chose qui pourrait
réunir toute cette famille.

Douce Paige, songea Trace avec un soupir. Toujours
à vouloir faire la paix.

— Nous avons sept demi-frères et sœurs, Paige.
Six ont été abandonnés par notre père avant qu'il ait
épousé notre mère et nous ait élevés. Penses-tu honnê-
tement qu'un seul enfant puisse nous réunir ?

— Viens avec moi lui rendre visite, Trace.

Paige lui pressa la main.

— Viens faire sa connaissance.
— Tu parais oublier que j'ai déjà essayé, dit Trace
d'une voix amère. Si je remets les pieds aux *Vignes*,
Eli lâchera probablement les chiens sur moi.

— Et toi, tu parais oublier la dernière fois où Eli est
venu à l'exploitation, lui rappela Paige. Tu l'as accueilli
avec un coup de poing dans la mâchoire !

32

— Bon, j'y suis peut-être allé un peu fort, admit Trace à regret.

Ce jour-là, Eli lui avait rendu la pareille et tous deux s'étaient séparés contusionnés et un peu ensanglantés.

L'hôtesse arriva à cet instant avec le verre de Trace et Paige attendit qu'elle se soit éloignée pour se pencher, sourcils arqués.

— *Un peu* fort, dis-tu ?

— Oh bon, d'accord.

D'un air sombre, Trace avala une gorgée de whisky qui le brûla jusqu'au fond de l'estomac.

— J'ai réagi trop fort. Tu es contente ?

— Trace, il ne s'agit pas de ça, et tu le sais bien ! Je serai contente quand tu auras mis un terme à cette querelle.

Trace fut surpris de constater à quel point sa jeune sœur avait changé depuis qu'elle avait rencontré son fiancé. Elle était plus confiante, plus déterminée. Deux qualités qu'il admirait certes, mais pas lorsqu'elles étaient utilisées contre lui.

— Notre mère sait-elle que tu pactises avec l'ennemi ? demanda-t-il.

— Ils ne sont pas l'ennemi, Trace, répondit Paige avec douceur. Ils sont notre famille. Et que cela te plaise ou non, nous avons le même sang. Si tu leur en donnais au moins une occasion, tu pourrais vraiment les apprécier. Aussi loin que puisse aller notre mère, tu sais parfaitement bien qu'elle ferait une crise de nerfs si elle apprenait que j'allais voir Jack ou un de ces « gens » comme elle les nomme avec tant de délicatesse.

Une crise de nerfs, c'était un euphémisme, songea Trace. Lilah Ashton avait parfaitement fait comprendre à ses trois enfants qu'ils ne devaient rien à voir à faire avec leurs demi-frères et sœurs ni avec le Domaine de Louret, l'exploitation vinicole que la seconde femme de Spencer, Caroline, avait mise sur pied après leur divorce. Trace savait — bon sang, tout le monde le savait ! — que sa mère avait peur de devoir partager la fortune de son défunt mari avec les enfants de ses deux précédents mariages.

— Je t'en prie, Trace, plaida Paige, dis-moi seulement que tu y penseras.

— D'accord.

Trace poussa un soupir et but une autre gorgée d'alcool.

— Merci, dit Paige, manifestement soulagée.

Alors, elle leva son verre en direction de Trace, puis se renversa sur sa chaise et sirota son vin tout en l'examinant.

— Alors, est-ce que tu vas me le dire, maintenant ?

— Te dire quoi ?

— Me parler de Becca.

Trace resserra la main autour de son verre puis tenta de le reposer d'un geste désinvolte.

— Eh bien quoi, Becca ?

— Je t'ai vu lui parler.

Le regard noisette de Paige ne le quittait pas. Il jura intérieurement. Il aurait bien dû se douter qu'elle l'apercevrait.

— Nous nous sommes croisés. Rien d'important.

— Pour la première fois depuis cinq ans, tu viens de rencontrer la femme que tu étais sur le point d'épouser…

D'un air rêveur, Paige fit tourner le vin dans son verre.

— … et tu trouves que ce n'est pas très important ?

Trace résista à la terrible envie de vider son verre d'un seul coup.

— Non, je ne trouve pas.

— J'ai entendu dire qu'elle est en ville pour quelques semaines.

— Ah oui ? dit Trace de l'air le plus ennuyé possible.

— As-tu l'intention de la voir pendant son séjour ?

— Non.

— Tu le devrais, tu sais.

— Tu crois ? Et pourquoi donc ?

Bon sang, où donc est passée cette serveuse ? se demanda-t-il en parcourant la salle du regard.

— Pour des tas de raisons, dit Paige. D'abord, pour lui donner l'occasion d'expliquer pourquoi elle est partie comme elle l'a fait.

Trace serra les dents.

— Tu sais très bien pourquoi elle l'a fait ! répliqua-t-il d'un ton sec.

Paige considéra son vin d'un air pensif.

— Tu devrais quand même l'entendre de sa bouche.

Mauvaise idée.

— Tu as une autre raison ?

— En finir, dit-elle en haussant les épaules, ou alors prendre un nouveau départ.

Trace leva les yeux au ciel. C'était bien la dernière chose qu'il attendait de sa petite sœur : un conseil sur sa vie intime !

— Pour l'amour du ciel, Paige, ça fait cinq ans. Nous avons avancé, depuis. Fin de l'histoire. Point barre.

Par bonheur, la serveuse se manifesta à cet instant précis, et Paige, en femme élégante qu'elle était, laissa tomber le sujet.

Il n'avait nul besoin de rupture et encore moins

d'un nouveau départ, songea Trace en écoutant à peine l'énoncé des spécialités du menu.

En ce qui concernait Becca, il n'en avait plus rien à faire.

2.

Debout derrière la fenêtre de la cuisine, encore vêtue de sa robe de chambre, Becca regardait une pluie douce mouiller les buissons de genévriers et le trottoir qui bordait la pelouse, devant la maison de sa mère. Seul, le clapotis régulier de l'eau venue des larmiers du toit rompait le calme de ce début de matinée. Mais c'était un bruit sympathique, songea-t-elle. Un bruit reposant.

Et Dieu savait si elle avait besoin de calme.

Elle se détourna de la fenêtre, repoussa des deux mains ses cheveux emmêlés et alla s'occuper de la machine à café. Après une nuit d'insomnie et de rêves dérangeants, elle avait aussi grand besoin d'un peu de caféine.

Pendant que l'engin sifflait, Becca se dirigea vers la petite table ronde dans un coin de la cuisine et ses doigts glissèrent sur le dossier incurvé d'une chaise en chêne. Combien de fois s'était-elle assise sur cette même chaise avec Trace, pour parler jusqu'aux premières lueurs de l'aube ? Combien de tasses de café avaient-ils partagées, combien de rêves aussi ?

Et combien de baisers !

Elle ferma les yeux en soupirant puis laissa retomber sa main. Il y en avait eu bien trop pour les dénombrer, songea-t-elle. Mais le seul fait de penser à Trace fit passer une onde de chaleur le long de sa colonne vertébrale.

Il était le seul homme qui lui ait jamais fait ressentir cela. Le seul qui ait fait battre son cœur à coups redoublés et flageoler ses genoux. Sans doute, supposait-elle, les autres femmes devaient-elles ressentir les mêmes émotions lorsqu'elles évoquaient leur premier amour, mais Trace n'avait pas été que cela.

Il avait été son seul et unique amour.

— Tu t'es levée bien tôt !

La voix de sa mère surprit Becca qui sursauta et se retourna. Elaine Marshall se tenait dans l'embrasure de la porte, ses lunettes de lecture plantées avec précision dans la masse épaisse de ses cheveux châtains ramenés au sommet de son crâne. Malgré ses quarante-deux ans, elle n'avait pas un soupçon de gris dans sa chevelure, même si de minuscules rides étoilaient le coin de ses yeux noisette. C'était une jolie femme, toute menue, et dotée d'une détermination incroyable. Dynamique était l'adjectif le plus souvent utilisé lorsqu'il était question d'elle. Elle possédait une énergie sans fin et Becca ne pouvait d'ailleurs se rappeler, de toute sa vie, une nuit où sa mère avait dormi plus de six heures. De toute évidence, celle qui venait de s'écouler ne faisait pas exception à la règle, pensa-t-elle en la voyant vêtue de la même blouse blanche à manches longues et du même pantalon noir qu'elle avait portés la veille, une pile de lourds dossiers dans les bras.

— Et toi, tu t'es levée bien tard ! répliqua-t-elle.

Becca avait grandi avec une mère qui travaillait la nuit, mais quand même, 5 h 30 du matin, c'était très tard pour rentrer chez soi.

— C'est à cause de l'inventaire.

Avec un sourire las, Elaine pénétra dans la cuisine, laissa tomber ses dossiers sur le plan de travail, puis ouvrit un placard pour en tirer deux tasses. Becca les lui prit aussitôt des mains.

— Je vais te servir.

— Tu n'as pas besoin de...

— Je le sais.

Becca posa les tasses et poussa sa mère vers la table.

— Je le veux.

40

— Mais…

— Assieds-toi, dit Becca d'un ton plus ferme.

Elaine s'avança vers la table puis se détourna et se dirigea vers le buffet.

— J'ai des petits pains à la cannelle. Je peux les mettre au…

— Maman, assieds-toi !

Elaine haussa un sourcil.

— Te voilà devenue bien autoritaire.

— C'est toi qui me l'as appris, rétorqua Becca en tirant une chaise. Maintenant, tu vas poser ton postérieur là-dessus et laisser quelqu'un d'autre te servir, pour changer.

D'un air boudeur, Elaine obéit.

— Tu n'es pas encore trop âgée pour recevoir une fessée, tu sais.

Becca posa un sucrier et une cuillère sur la table, emplit les deux tasses de café et en posa une devant sa mère.

— Tu ne m'en as jamais donné une seule de toute ma vie.

— J'aurais peut-être dû !

Avec une moue, Elaine versa deux généreuses cuillerées de sucre dans sa tasse et remua son café. Elle avait cessé de fumer depuis dix ans et remplacé la nicotine par le sucre. Et, songea Becca avec un sourire, la plupart des amies de sa mère, même si elles ne l'avouaient pas, étaient ennuyées de constater qu'elle n'avait pas pris un gramme !

— Peut-être n'aurais-tu pas la langue si bien pendue si je l'avais fait, conclut-elle.

— J'ai aussi appris cela de toi.

Sa tasse à la main, Becca s'assit en face de sa mère.

— Ne t'avais-je pas dit que je voulais t'aider à faire l'inventaire ?

— Ma chérie, tu as déjà un travail, non ? Et puis il me semble me rappeler que tu étais prise par un dîner d'affaires hier soir.

— Ma réunion s'est terminée à 20 heures.

Becca regarda sa mère et poussa un soupir.

— Maman, c'est à peine si je peux te voir. Je veux juste t'aider.

— Je sais, Becca.

Elaine tapota la main de sa fille.

— Mais je n'ai vraiment besoin d'aucune aide. Je maîtrise tout.

Becca remarqua les cernes foncés sous les yeux de sa mère et le léger affaissement de ses épaules. Certaines personnes considéraient Elaine Marshall comme une martyre. Elle avait en effet travaillé toute sa vie d'adulte sept jours sur sept, trop fière pour demander de l'aide, y compris à sa propre fille. Becca savait que la farouche détermination de sa mère à garder le contrôle de sa vie n'était pas venue d'un désir de sainteté mais du souvenir de la jeune fille de dix-sept ans, enceinte et abandonnée, qu'elle avait été, il y avait de cela vingt-cinq ans. Elle était devenue une jeune femme bien décidée à se débrouiller par ses propres moyens et à protéger son enfant du monde extérieur.

Becca savait aussi qu'avec elle, il était inutile de discuter. L'entêtement était chez sa mère une seconde nature.

— Parle-moi plutôt de ton rendez-vous d'hier avec Whitestone Winery, dit Elaine. Ça a marché ?

— Je ne sais pas encore. Ils doivent me téléphoner demain.

Depuis sa rencontre avec Trace, Becca n'avait même plus songé au travail qu'elle escomptait se voir confier par le producteur vinicole.

— Ils envisagent de m'engager pour faire une annonce publicitaire sur le chardonnay qu'ils vont mettre sur le marché l'été prochain.

— Ils vont te prendre, j'en suis sûre ! Tu es telle-ment brillante !

— C'est toi qui le dis, commenta Becca en secouant la tête.

Malgré tout, elle ne put retenir un sourire.

— Parce que tu es ma mère.

— Je le dis parce que c'est vrai.

Elaine haussa les épaules d'un air entendu.

— Tu n'avais que dix ans lorsque tu as pris ta première photo et déjà, tu avais un don. Et cela, ce n'est pas de moi que tu l'as appris. Tu sais bien qu'à mon âge, je ne sais toujours pas me servir d'un appareil photo ! ajouta-t-elle avec un petit rire.

Becca contempla d'un air pensif son café, la vapeur qui s'en dégageait lentement et la petite ride qui se formait à la surface du liquide noir. Elaine avait toujours été le meilleur champion de sa fille et lui avait toujours affirmé que si elle croyait en elle, elle pourrait faire ce qu'elle voudrait ou devenir qui elle voudrait.

Alors Becca avait *cru*, jusqu'au jour où elle avait perdu ce à quoi elle tenait le plus.

La voix de sa mère la tira de ses pensées.

— Tu veux m'en parler ?

Becca leva les yeux.

— Te parler de quoi ?

Comme seule savait le faire une mère, Elaine inclina la tête sans dire un mot.

Le regard lointain, Becca poussa un soupir, et laissa passer quelques secondes de silence avant d'avouer :

— J'ai rencontré Trace hier soir.

Ce fut au tour d'Elaine de laisser le silence s'appesantir. Prenant sa tasse à deux mains, elle avala une gorgée de café avant de la reposer sur la table.

— Et ?

Au cours des cinq dernières années, et même après le meurtre de Spencer, Becca le savait bien, sa mère avait pris soin d'éviter tout propos relatif à Trace. Comme si, par ce moyen, elle croyait pouvoir effacer le passé et le chagrin de sa fille.

Becca haussa les épaules.

— Et rien. Je me suis heurtée à lui en sortant du restaurant. Il m'a dit bonjour et moi aussi. Il a dit qu'il avait entendu raconter que tu avais acheté le pub et je lui ai dit que j'étais désolée pour son père. C'est tout.

— Comptes-tu le revoir ?

C'était une simple question, mais l'inquiétude inexprimée, l'objection, alourdissaient la voix d'Elaine. Un élan d'irritation s'empara de Becca.

— Si par *revoir*, tu entends nous remettre ensemble, c'est non. Maman, si tu te fais du souci à propos de Trace et moi…

— Ai-je dit que je me faisais du souci ?

Becca aurait pu discuter. Elle avait toujours su que sa mère, pas plus que les parents de Trace, n'approuvait ses fiançailles. Cela avait été une illusion que de croire qu'elle et Trace auraient pu être heureux en dépit de tout ce qui se liguait contre eux.

Elle s'écarta de la table et se leva.

— Je dois me préparer pour aller travailler, déclara-t-elle.

Elaine lui toucha le bras.

— Becca, je suis désolée…

— Oh, tout va bien. Je n'aurais pas dû en parler maintenant.

Elle soupira puis sourit et embrassa sa mère sur le front.

— Va dormir un peu, maman. Tu as l'air épuisée.

Des lumières éblouissantes illuminaient le grand hall des Caves Ivy Glen. Il y en avait partout : sur le grand sapin de trois mètres, sur les fenêtres encadrées de guirlandes, dans la vaste entrée. Des poinsettias, rouge foncé et blanc crémeux ornaient chaque coin et embellissaient les buffets. Par dessus le brouhaha des conversations et le tintement des verres de vin, un quartet jouait du Tchaïkovski.

Un verre de cabernet en main, Trace se tenait un peu en retrait et considérait avec intérêt cet océan d'invités. Il connaissait quelques-uns de ces visages. Il y avait là des viticulteurs locaux, des propriétaires de restaurants et des détaillants. Ce déjeuner offert par Ivy Glen était destiné à faire la promotion de la dernière récolte et même s'il s'agissait d'une réception, pour Trace, c'était aussi un travail.

— Trace !

Reed Vale, le directeur général d'Ivy Glen, émergea de la foule et lui fit signe de la main. Dans la vallée, Reed était connu autant pour sa sagacité d'homme d'affaires que pour son côté *golden boy*.

— Heureux que tu aies pu venir, dit-il.

Trace sourit en lui serrant la main. Reed était l'un des rares hommes qu'il considérait comme un ami.

— Je voulais jeter un coup d'œil sur la compétition.

— Exactement la raison pour laquelle je me rendrai la semaine prochaine à ta propre dégustation !

D'un mouvement du menton, il désigna le verre de vin dans la main de Trace.

— Alors, qu'en penses-tu ?

Le vin était bon, vraiment. Et même très bon. La couleur, le bouquet et le goût en bouche étaient excellents. Mais, parce que Trace connaissait Reed depuis qu'ils étaient tout gamins, il ne laissa pas passer l'occasion de le taquiner.

— Pas mauvais, dit-il.

— Venant de toi, je le considère comme un grand compliment, rétorqua Reed avec un sourire narquois.

Il s'empara d'un amuse-bouche au fromage sur le plateau d'une jeune rousse qui passait devant eux et ajouta :

— A propos, au cas où tu n'en aurais pas entendu parler, nous avons engagé Becca Marshall pour faire la présentation de notre catalogue de printemps.

Visage impassible, Trace jeta un coup d'œil autour de lui et fit un signe de tête au directeur d'un restaurant de Sonoma qui avait un stock important de productions du Vignoble Ashton.

— J'en ai entendu parler, dit-il enfin.

— Elle est douée, Trace.

Reed avala son amuse-gueule avec une gorgée de vin.

— Vraiment douée. On dit que Whitestone et Louret songent aussi à elle pour leur prochaine promotion.

Louret ? Trace réprima avec peine une grimace dédaigneuse. Après tout, si sa famille éloignée décidait ou pas d'engager Becca, que lui importait à lui ?

— Pourquoi me racontes-tu ça ? demanda-t-il.

— Je pensais que tu aimerais peut-être savoir qu'elle allait sans doute rester dans le coin pendant un certain temps, dit Reed en haussant les épaules. Juste au cas où tu voudrais, euh, retrouver le bon vieux temps.

— Il n'y a rien à retrouver ! répliqua Trace d'une voix sèche.

A l'évidence, Reed allait à la pêche aux informations et Trace n'avait aucune envie de mordre à l'hameçon.

— Ça ne m'intéresse pas le moins du monde.

Pourtant, Trace s'en aperçut non sans irritation, cela intéressait pas mal de monde, à la façon dont quelques-uns des invités parlaient tout bas et jetaient des coups d'œil dans sa direction. Il aurait dû envoyer Paige à sa place, ronchonna-t-il intérieurement. Il avait l'impression d'être sous un microscope.

Si seulement Becca n'était pas revenue dans la Napa Valley ! Depuis son retour, le nœud au fond de son estomac se resserrait sans cesse.

Par bonheur, un autre viticulteur s'approcha et entraîna Reed à sa suite, et, resté seul, Trace vida le fond de son verre avec un sentiment croissant de malaise. Sans doute ferait-il mieux de s'éclipser… Mais aussitôt, il sentit l'irritation le gagner. Pourquoi diable devrait-il partir parce que Reed avait prononcé le nom de Becca ou parce que certaines mauvaises langues ne pouvaient pas s'occuper de leurs propres affaires ?

Eh bien non, il ne partirait pas. Il y avait ici aujourd'hui plusieurs des détaillants du Vignoble Ashton, sans oublier les clients potentiels. Trace connaissait la valeur des rencontres, cela faisait partie de son job. Il était ici pour travailler ! se rappela-t-il, et d'un air décidé, il se mêla à la foule et alla serrer des mains et discuter avec plusieurs personnes.

Quand il eut fait le tour des gens qu'il voulait voir, il eut envie de s'isoler un peu de toute la foule, et grimpa les marches menant au second palier où de hautes verrières permettaient d'apercevoir la cave aux foudres, quinze mètres plus bas. La salle, abondamment éclairée, avait la taille d'un gymnase de collège et était divisée par des travées de ciment qui séparaient les énormes fûts de chêne alignés sur les côtés.

Lorsque Becca émergea de l'une des travées, Trace retint son souffle.

Elle paraissait plongée dans ses pensées. De ses doigts minces, elle se caressait légèrement le menton. Ses lèvres étaient pincées et ses yeux plissés. Elle s'était habillée pour affronter la température assez fraîche de la salle, d'un sweat-shirt à capuche sous une veste en jean, de bottes en daim qui lui montaient aux genoux par-dessus un jean qui collait à son joli derrière rond.

Trace expira lentement l'air qu'il avait retenu dans ses poumons. Elle n'avait pas le droit d'être aussi sexy, ainsi vêtue. Pas le droit du tout.

Becca tourna la tête d'un côté, puis de l'autre, et

s'agenouilla, ce qui eut pour effet de mouler encore davantage ses courbes délicieuses. Quand elle se pencha en avant, sa chemise remonta, exposant le creux de son dos.

Trace étouffa un juron.

La convoitise lui fit monter l'eau à la bouche et, lorsqu'il avala sa salive, elle le brûla comme de l'acier fondu jusqu'au fond des entrailles.

Depuis cinq ans, jamais il n'avait ressenti une pulsion sexuelle d'une telle intensité. Il détesta Becca pour cela, il détesta l'effet qu'elle produisait sur lui. Et il se détesta encore davantage de la désirer.

Mais il pouvait encore tourner les talons, retourner au déjeuner, boire un autre verre de vin, bavarder et tout envoyer promener.

Dieu sait qu'il *aurait dû* le faire.

Au lieu de cela, il se retourna, marcha jusqu'au bout du palier puis ouvrit la porte menant à la salle des foudres, non sans se maudire à chaque marche. L'odeur familière du chêne emplissait l'air humide et lui monta aux narines, puis un silence creux l'environna soudain. Silence brisé tout à coup par une voix qui fredonnait doucement. Trace s'arrêta et tendit l'oreille. Peu à peu le sens des paroles lui parvint et il haussa un sourcil, interloqué.

Soixante-trois bouteilles de cabernet sur le mur, soixante-trois bouteilles de cabernet, prends-en une, passe-la à la ronde. Soixante-deux bouteilles de cabernet sur le mur...

Il ne se souvenait pas très bien de la chanson, mais de la voix soyeuse, si, il s'en souvenait.

Cette voix, elle l'avait bouleversé lorsqu'elle avait murmuré des mots d'amour à son oreille ou soupiré son nom. Une voix qui avait aussi menti et l'avait trompé.

Une fois encore, il songea à se détourner et à s'en aller. Une fois de plus, il s'avança.

A l'instant où elle tournait le coin de la rangée de fûts, il recula et la regarda aligner ses projecteurs, puis se diriger vers une boîte noire posée à quelques mètres de ce qu'elle avait étalé sur une table ancienne.

Il y avait là des mûres brillantes qui débordaient d'une coupe en argent, des branches d'eucalyptus jaillissant d'un panier d'osier tressé, des bouquets de menthe qui s'enroulaient au bas d'un gobelet vide, le tout posé sur une rivière chatoyante de satin vert mousse. Lorsque Becca appuya sur un bouton de la boîte noire, un nuage de brume, aérien, ténu, se déploya au-dessus de la table. Trace pouvait presque sentir sur sa langue le goût des mûres, de l'eucalyptus et de la menthe, et les volutes de fumée lui inspiraient une sensation de mystère.

Il vit Becca tendre la main vers la coupe, s'emparer

d'une mûre et la faire sauter dans sa bouche. Quand lui parvint un léger bruit de succion, la gorge de Trace se dessécha d'un seul coup et il se maudit.

Depuis le début, il s'était répété qu'il était venu aux caves Ivy Glen pour assister à une manifestation importante pour son travail, et il réalisait maintenant la raison exacte de sa présence.

Il était venu pour elle.

Becca, tout en continuant à fredonner son absurde chansonnette, s'installa derrière son appareil photo et commença à prendre des clichés. Elle travaillait avec une grande concentration, comme si plus rien d'autre au monde n'existait. Trace se rappela qu'elle avait toujours été sûre d'elle lorsqu'elle avait un appareil photo en main et il se souvint de la première fois où elle était venu à la *Villa Ashton*. Elle avait pris des vues de la maison et des terres alentour pour un magazine local de décoration.

On avait confié à Trace la corvée de la guider.

Pourtant, la journée s'était avérée beaucoup moins ennuyeuse que prévu. La passion de Becca pour son travail, son enthousiasme, avaient été contagieux. Elle lui avait montré des arcs en ciel de lumière à travers les vitres biseautées, une girouette rouillée, une libellule bleue volant au ras de l'eau d'une fontaine de pierre, et tout cela, elle l'avait capturé

avec son appareil en y ajoutant une touche personnelle et originale.

Ce jour-là, Trace avait vu le monde dans lequel il
avait grandi et considéré comme immuable à travers
les yeux de Becca. Depuis, il ne lui avait jamais plus
paru tout à fait pareil.

Dans la cave, Becca changea de registre, passant
du cabernet au vin rouge. Quand ses hanches se
mirent à se balancer au rythme de la chanson, Trace
grinça des dents. Même s'il désirait par-dessus tout
être immunisé contre le charme de cette femme, il
avait encore du sang dans les veines, et parce que ce
sang soudain paraissait couler plus vite, il s'écarta
des fûts et s'avança dans l'allée.

Avant même de se retourner, Becca sut que c'était
lui. Pourtant, il n'avait presque pas fait de bruit,
mais elle comprit.

Et son pouls s'accéléra.

Elle fit plusieurs autres photos puis, reprenant son
sang-froid, elle se redressa et lui fit face.

— Trace ? Bonjour !

— Bonjour.

Il glissa un regard vers l'appareil.

— Ça ne t'ennuie pas si je jette un coup d'œil ?

Elle hésita un peu avant de hausser les épaules et de s'écarter, mains dans les poches.

— D'accord.

Elle fit de son mieux pour ne pas bouger pendant qu'il regardait dans le viseur. Malgré la fraîcheur qui régnait dans la salle, elle se sentait envahie par une intense chaleur. Quelques secondes seulement s'écoulèrent, qui lui parurent des heures, avant que Trace ne se redresse enfin et tourne les yeux vers elle.

— Tu as toujours le coup d'œil, remarqua-t-il.

Elle ne put s'empêcher de frissonner. Comme c'était bizarre que son approbation signifie autant pour elle, après toutes ces années !

— Il faut prendre assez de clichés pour n'en avoir au final que quelques-uns de bons, expliqua-t-elle.

— Tu as toujours eu trop de pudeur.

Le commentaire, dans la bouche de Trace, ne devait sans doute rien avoir de sexuel, et pourtant Becca ne put retenir le flot d'images qui, soudain, envahissait son esprit. La première fois où il l'avait embrassée, celle où il lui avait déboutonné son corsage pour la caresser. La première fois où ils avaient fait l'amour. Là, elle avait vraiment été pudique, mais ses mains rêches sur sa peau, sa bouche brûlante lui avaient paru tellement excitantes, tellement enivrantes, qu'elle avait oublié sa timidité.

De crainte qu'il ne s'aperçoive de la chaleur qui lui montait aux joues, Becca se dirigea vers sa petite mise en scène et éteignit la machine à fumée, avant de remettre en place avec soin les feuilles de menthe sans cesser de prier pour qu'il ne voie pas ses doigts trembler.

— Alors ? Qu'est-ce qui t'amène ici ? demanda-t-elle en affectant un ton dégagé.

— La dégustation du nouveau cru et le déjeuner.

Trace se dirigea vers une table d'appoint et s'empara d'un des ouvrages sur le vin qui étaient empilés dessus.

— A mon avis, la dégustation se passe en haut, indiqua Becca.

— J'ai lu celui-ci.

Trace feuilleta le livre qu'il tenait entre ses mains.

— Il n'est pas mauvais, mais je ne suis pas d'accord avec son auteur sur la notion de terroir. Je pense que l'influence des microclimats, la vendange à maturité et le filtrage modifient le résultat.

— Trace...

Becca se tourna vers lui et tenta de s'éclaircir la voix.

— Pourquoi es-tu ici ?

— C'est drôle...

56

Il referma le livre et le remit en place, avant de lever les yeux vers elle.

— Je me posais la même question. Puis quelque chose m'a frappé.

Le pouls de la jeune femme fit un bond lorsqu'il se rapprocha d'elle.

— Quoi donc ?

Trace se rapprocha encore. Il était si près maintenant qu'elle pouvait ressentir la chaleur de son corps et voir aussi la glace dans son regard. Il l'entoura de ses deux bras et, tout en sachant qu'elle pouvait très bien le repousser, toute velléité de bouger abandonna Becca.

Tel un oiseau pris au piège, les battements frénétiques de son cœur se répercutèrent dans sa gorge.

— Il y a cinq ans.

Cinq ans ? Les mots se formèrent dans son cerveau mais elle ne put en tirer aucun sens et la parole lui manqua. L'odeur de Trace, si familière, si masculine, enveloppa Becca comme une soyeuse toile d'araignée. Malgré son envie de se lover contre lui, de saisir sa chemise à pleines mains pour l'attirer plus près encore, elle préféra s'agripper au rebord de la table.

— Il y a cinq ans, répéta-t-il d'une voix calme et rauque, tu m'as quitté sans même un baiser d'adieu.

Alors même que sa tête s'abaissait vers la sienne, Becca se dit que cela ne pouvait pas être possible. Elle était incapable de respirer, de lui résister ou même de protester.

— Je pense donc que je mérite au moins un baiser d'adieu, Becca, murmura-t-il avant de s'emparer brutalement de sa bouche.

Une aveuglante explosion d'émotions se fit alors en elle. Choc, excitation, plaisir. Même au bout de ces cinq années, même sachant qu'il devait la haïr, Becca ne put contenir la réaction qui montait en elle en tournoyant, des pieds à la tête.

Il n'y avait rien de gentil dans le baiser de Trace, rien de tendre non plus, mais quelle importance, vraiment ? Elle commençait à se consumer. Sa peau, ses os fondaient sous le poids insistant de sa bouche sur la sienne.

Dans un sursaut désespéré pour reprendre le contrôle d'elle-même, elle s'accrocha plus fort au rebord de la table et combattit le besoin impérieux de lui jeter les bras autour du cou, de l'attirer plus près encore et de lui rendre son baiser.

La langue de Trace, chaude et exigeante, se faufila soudain entre ses lèvres. Alors tout en elle, chaque pensée en déroute, chaque sensation, chaque cellule, prit feu.

Enfin, la bouche de Trace s'écarta et il fit un

pas en arrière. Becca perçut son souffle rapide, les mouvements de sa propre poitrine qui se gonflait et retombait, et les battements affolés de son cœur contre ses côtes. Lentement, elle ouvrit les yeux et croisa son regard. Un regard qui s'était durci.

— Au revoir, Becca, lança-t-il d'un ton bref.

Puis il se détourna et s'en alla.

Quelques instants s'écoulèrent avant qu'elle se sente capable de bouger.

Elle l'avait mérité, songea-t-elle, le cœur étreint.

Quand enfin, elle retrouva un peu de force dans les jambes, elle se retourna, enfouit son visage entre ses mains et attendit de cesser de trembler.

3.

3 h 14 du matin

Trace regarda le cadran lumineux de son réveil de chevet. Durant les deux dernières heures, il avait vu chacune des interminables et silencieuses minutes se succéder, baignant l'obscurité d'une lueur rouge et ironique.

Dents serrées, il se retourna sur le côté et ferma les yeux, non sans ressentir encore le va-et-vient des chiffres dans son dos. Dans son cerveau.

3 h 15

Au moment où il envisageait sérieusement de fracasser le réveil contre le mur, il comprit que cette satisfaction serait non seulement éphémère mais qu'elle ne ferait que prouver ce qu'il savait déjà.

Il n'était qu'un minable abruti.

Dans un moment d'inexplicable absence de cervelle, il s'était abandonné à un besoin déraisonnable et illogique d'homme des cavernes de prouver à Becca qu'elle lui était indifférente. Qu'il pouvait la toucher, l'embrasser et tourner les talons sans pour autant ressentir l'ombre d'un sentiment.

Mais, bon sang, il était toujours capable de se délecter d'elle. De savourer le goût des mûres veloutées, juteuses, charnues. Les lèvres de Becca étaient aussi soyeuses que dans son souvenir et, bien qu'elle ne lui ait pas rendu son baiser, il avait capté son petit bruit de gorge, le frémissement d'une réponse, et il avait compris qu'elle n'était pas à l'abri du désir.

Depuis le jour de leur rencontre, l'alchimie avait toujours été puissante entre eux. A l'évidence, peu importait qu'il ne l'aime plus ou qu'elle ne l'aime plus.

Mais l'attirance charnelle existait toujours.

Elle était toujours aussi oppressante, toujours aussi puissante.

3 h 16

Comme un câble d'acier, la frustration sexuelle s'enroula à l'intérieur de son corps et se resserra de plus en plus jusqu'au moment où, n'y tenant plus, il envoya promener les couvertures et attrapa son pantalon.

De toute manière, il était inutile de se faire des illusions : il n'arriverait plus à dormir, cette nuit. Alors autant se lever et faire quelque chose de productif. Il n'était pas question de passer les trois prochaines heures à se tourner et se retourner, à compter chaque minute et à se battre les flancs parce qu'il avait embrassé Becca !

Il fit la lumière dans le living-room de son appartement, situé dans l'aile ouest de la demeure familiale. Les parquets de bois satinés parurent doux et frais à ses pieds nus. La faible odeur d'orange de l'encaustique passée par la gouvernante s'attardait dans l'air. Trace se gratta une joue envahie par une barbe matinale et se versa une dose de Glenlivet qu'il conservait dans le bar. Il l'avala d'un trait avant de s'en verser une autre et de se diriger vers les doubles fenêtres ouvrant sur le balcon du second étage.

La nuit était claire et froide et l'air glacé fit du bien à son torse nu. Il dépouilla son cerveau des derniers lambeaux de sommeil et tempéra la chaleur du désir qui faisait encore battre ses veines.

Après tout, réfléchit-il, ce n'était pas comme s'il était resté célibataire ces cinq dernières années ! Il n'avait peut-être fréquenté personne sérieusement, mais il s'était arrangé pour satisfaire les besoins élémentaires d'un homme en pleine santé. Il y avait déjà un moment de cela, songea-t-il. Le problème résidait peut-être là. Il devait sans doute avoir besoin d'une nuit de sexe brûlant et sans barrières.

Il se rappela tout à coup deux jeunes femmes avec lesquelles il était sorti. Il y avait Jennifer, cette blonde bien roulée qui travaillait à l'accueil de sa salle de gym, et qui lui avait glissé son numéro de téléphone, la semaine dernière. Et, autre possibilité, Charlotte, la gérante de restaurant, avec ses longues jambes et ses yeux bleus. Il l'avait rencontrée au cours de son dernier voyage d'affaires à San Francisco. Elle lui avait clairement fait comprendre qu'elle cherchait à s'amuser un peu, sans s'embarrasser d'une véritable et durable relation.

Jennifer ou Charlotte ?

Et pourquoi pas les deux ? A cette idée, il haussa un sourcil, avant de secouer la tête.

Bon sang ! A qui croyait-il faire avaler ça ?

Dépité, il fixa le verre au creux de sa main. Ni ces deux femmes, ni une centaine d'autres ne parviendraient à apaiser la faim qui lui tenaillait le ventre.

Une seule femme en était capable.

Et même s'il détestait envisager cette possibilité, peut-être bien que sa sœur avait raison. Peut-être avait-il besoin d'en finir d'une manière ou d'une autre avec Becca ? Même s'il n'y avait plus rien entre eux sur le plan des émotions, la dernière soirée avait prouvé que l'attirance sexuelle existait toujours bel et bien. Et pas seulement de son côté…

Elle l'avait pris au dépourvu quand elle l'avait quitté, il y avait cinq ans de cela, préférant un métier et de l'argent plutôt que de devenir sa femme. A l'époque, il lui avait été difficile de savoir qui il avait le plus haï, de son père Spencer qui l'avait payée pour s'en aller ou de Becca qui avait accepté son chèque. Il avait failli s'envoler pour l'Italie et la suivre pour qu'elle le regarde au fond des yeux et lui dise qu'elle ne l'aimait plus.

Mais le reçu qu'elle avait signé, et que son père lui avait montré, lui en avait dit bien plus que des mots, et son orgueil avait refusé de le laisser se conduire encore davantage comme un imbécile qu'il ne l'avait fait jusque-là.

La lumière venue d'un croissant de lune allongeait les ombres sur les vignes qui recouvraient les ondulations du paysage. Aussi loin que son regard pouvait porter — rangée après rangée — s'alignaient les ceps dénudés par l'hiver. De tout cela, la terre, la villa, les millions de dollars, il possédait un quart désormais. Si Becca l'avait suffisamment aimé pour rester, il l'aurait partagé avec elle.

Mais elle ne l'avait pas assez aimé…

Trace avala le reste de son whisky et fit rouler le verre dans sa main. Il allait faire tout ce qui était en son pouvoir pour mettre Becca dans son lit une dernière fois, décida-t-il. Après, elle sortirait de sa vie.

En finir ? Conclure une bonne fois pour toutes ? Et pourquoi pas, après tout ?

Au matin, Becca prit une longue douche très chaude, priant pour que le jet presque bouillant parvienne à faire cesser les frissons qui, venus du plus profond de ses os, paraissaient irradier dans son corps tout entier. Si elle parvenait à faire circuler son sang, s'imagina-t-elle, sans doute pourrait-elle survivre une journée après seulement quatre heures de sommeil ?

Yeux fermés, elle offrit son dos au jet de fines gouttelettes et retint son souffle. Il était beaucoup plus facile de subir la douleur légère des milliers de petites aiguilles de la douche que celle du baiser de Trace.

Toute la nuit, le goût de sa colère s'était attardé sur ses lèvres.

Elle savait qu'elle aurait dû être fâchée, dégoûtée même, par une telle démonstration d'intimidation machiste et grossière. Mais, à sa honte et à son humiliation, elle ne l'était pas.

Ses lèvres en frémissaient encore, son pouls battait toujours aussi vite, ses seins la tiraillaient encore. Plus elle s'efforçait de cesser d'y penser, plus intenses étaient ses sensations.

Les rares instants de sommeil qu'elle avait pu trouver avaient été peuplés de rêves érotiques : Trace, agenouillé à côté d'elle, les bras tendus, attirant son corps contre le sien. Sa peau brûlante et nue contre la sienne, aussi brûlante et nue. Sa bouche, sa langue, créant des merveilles le long de son cou, sur ses seins, sur son ventre. Et chaque fois, au moment où il allait se glisser en elle, elle se réveillait, balbutiant son nom, le cœur battant à tout rompre, le corps tremblant de désir.

Et tout cela était tellement réel, merveilleusement, incroyablement réel !

A sa façon, elle avait réussi à renfermer en elle ces sentiments durant les cinq dernières années. Sinon, comment aurait-elle pu survivre ? Mais revoir Trace avait rouvert et mis à nu chacune des émotions qu'elle avait niées et enfouies au plus profond d'elle-même. Revoir Trace avait ramené au grand jour une histoire ancienne et à présent, elle était démunie.

Avec un petit bruit à mi-chemin entre un soupir

et un gémissement, elle posa le front contre les carreaux de faïence.

Comment être certaine de pouvoir supporter de le revoir ? Comment, d'autre part, être certaine de ne pas pouvoir le faire ?

Elle finit par sortir de la douche et se sécha machinalement. Quand elle se passa une brosse dans les cheveux devant le miroir, elle fronça les sourcils en apercevant les cercles sombres sous ses yeux. Elle fit de son mieux pour les masquer avec un tube de fond de teint et un peu de mascara avant d'enfiler un pull bleu, en espérant qu'un peu de couleur éclairerait la pâleur de ses joues.

Sachant que sa mère était rentrée tard, et avait besoin de dormir, elle se glissa à pas de loup le long du corridor. Puis, après avoir attrapé son sac sur le plan de travail de la cuisine, elle le fouilla pour y chercher ses clés de voiture et se dirigea vers la porte d'entrée.

Arrivée sous le porche, un mouvement venu de l'autre extrémité la fit sursauter et elle lâcha ses clés.

Trace.

Les mains dans les poches de sa veste de cuir noir, il était adossé à la balustrade, ses longues jambes négligemment étendues devant lui. Une fine couche de boue maculait ses bottes de travail.

Durant une folle minute, Becca se crut revenue cinq ans en arrière. Il revenait de travailler tôt le matin dans les vignes, et elle était en route pour prendre ses cours à la fac de la Napa Valley. Pendant ces quelques minutes volées, rien ni personne au monde n'avait plus existé qu'eux deux.

Becca battit des paupières et l'instant s'enfuit. Elle regarda Trace se redresser et lui faire un signe de tête.

— Bonjour, Becca.

Bonjour, Becca ? Hier, il avait dit *au revoir, Becca,* après l'avoir embrassée et lui avoir mis la tête à l'envers. Et maintenant, il avait le toupet de se tenir là, sous la véranda comme s'il était chez lui et de lancer un tranquille *bonjour, Becca* ?

— Je voulais frapper à la porte, dit-il en s'approchant, mais j'ai pensé que ta mère devait dormir.

Peut-être était-ce le manque de sommeil qui la rendait de si mauvaise humeur, songea Becca, ou peut-être avait-elle enfin recouvré la raison ? En tout cas, elle refusait de manifester le moindre signe de faiblesse. De lui laisser deviner que ce qui s'était passé entre eux le jour précédent l'avait presque mise à genoux.

Elle se plia pour ramasser ses clés, mais il les rafla avant qu'elle ait pu le faire. Lèvres pincées, elle le toisa d'un air irrité.

— Qu'est-ce que tu fais là, Trace ?

Au son d'un moteur diesel qui démarrait, Trace jeta un coup d'œil de l'autre côté de la rue, et suivit des yeux un pick-up blanc qui sortait en marche arrière de l'allée. Il attendit qu'il se soit éloigné avant de répondre.

— J'ai perdu la tête, hier, dit-il.

Des excuses ? songea Becca. C'était bien la dernière chose qu'elle attendait de lui. Une fois de plus, il l'avait prise au dépourvu.

— Aucune importance, répliqua-t-elle.

— Si, ça en a.

Il lui tendit les clés et le bout de ses doigts lui effleura la paume. Des petites décharges d'électricité remontèrent le long du bras de Becca. Au moment où elle allait se dégager, il referma les doigts sur les siens.

— Mais en réalité, dit-il, le regard fixé sur le sien, je n'en suis pas désolé.

S'il essayait de lui chambouler l'esprit, il y parvenait très bien. Face à lui, Becca se sentait incapable de retrouver un semblant d'aplomb, incapable de penser avec clarté. Fermant les yeux, elle poussa un long soupir.

— Trace…

— Ce que je veux dire, murmura-t-il d'une voix

enrouée, c'est que je ne suis pas désolé de t'avoir embrassée.

Becca rouvrit les yeux et tenta de déchiffrer son expression.

— Pourquoi fais-tu cela ? chuchota-t-elle.

Du pouce, il lui caressa la main.

— Cela a toujours été si bon entre nous.

La connotation sexuelle dans sa voix aurait dû offenser Becca, mais elle n'était somme toute qu'une simple reconnaissance des faits. Oui, cela avait été bon.

Epoustouflant, même.

— Il y a si longtemps, murmura-t-elle.

— Certaines choses ne changent pas, Becca.

— Tout change, répliqua-t-elle d'une voix calme.

— Parfois, elles deviennent meilleures.

Son pouce continuait son chemin sur l'auriculaire de la jeune femme.

— Peux-tu me dire que tu n'as rien ressenti, hier ?

— Hier ? Je n'ai rien ressenti du tout.

Becca avala le mensonge en même temps que la sécheresse de sa gorge et lui retira sa main.

— D'accord, dit Trace d'un ton qui impliquait qu'il ne la croyait pas. Viens dîner ce soir avec moi. Nous parlerons du bon vieux temps.

Le bon vieux temps ?

Il ne s'était pas encore rasé ce matin, remarqua Becca, et d'un coup, sa mémoire lui restitua le souvenir de la sensation de chaume rude sur le bout de ses doigts, contre sa joue.

Alors son pouls s'accéléra.

La dernière chose qu'elle désirait, c'était bien d'évoquer le bon vieux temps, non ?

— Je ne crois pas que ce soit une bonne idée, Trace, dit-elle d'un ton prudent.

— Laquelle ? Le dîner ou les souvenirs ?

Aucun des deux, bien entendu.

— Je… je ne peux pas.

Trace ferma à demi les yeux.

— Tu vois quelqu'un ?

Oh ! Comme elle avait envie de lui mentir. Ce serait tellement plus facile pour elle. Si seulement il n'y avait pas eu autant de mensonges entre eux !

Baissant les yeux, elle secoua la tête.

— Il ne s'agit que d'un dîner, Becca.

Trace passa un doigt le long de sa joue puis lui releva le menton.

— De quoi as-tu peur ?

De toi, voulut-elle répondre. Pourquoi faisait-il en sorte de lui faire miroiter quelque chose qu'elle savait ne plus pouvoir obtenir ? Ils avaient sans doute changé, mais les raisons pour lesquelles ils ne pourraient plus jamais être heureux ensemble, elles, n'avaient pas changé. Aussi tentante que pouvait lui paraître l'envie de tomber dans les bras et dans le lit de Trace, Becca était persuadée que si elle le faisait, son cœur serait incapable de survivre à l'idée de devoir une nouvelle fois le quitter.

Rien qu'un dîner ? Allons, ils savaient bien tous les deux qu'ils pouvaient faire tellement mieux !

— Il faut que j'aille travailler, dit-elle d'une voix douce.

— Très bien.

Il laissa retomber ses mains.

— A plus tard.

Becca le regarda faire le tour de son pick-up noir garé dans la rue.

— Trace !

Il s'arrêta et lui jeta un coup d'œil par-dessus son épaule.

— Je crois vraiment que nous ferions mieux de ne plus nous revoir du tout.

Un instant, son regard resta fixé sur elle, puis, sans un mot, il se détourna, monta en voiture et s'éloigna.

Une fois le véhicule hors de vue, Becca relâcha lentement l'air qu'elle avait retenu dans ses poumons. Elle ne pouvait se méprendre sur le défi qu'elle avait lu dans ses yeux, ni sur le but de sa démarche.

Ils étaient parfaitement clairs.

Il faudrait donc, se dit-elle, garder l'esprit fixé sur son travail et passer les prochaines semaines à l'éviter.

Si elle y parvenait, elle pourrait retourner libre chez elle.

4.

— Les rapports sur les sols du lot de la section Est se trouvent en haut de la pile et ceux sur la fermentation sont prêts.

Greta, la secrétaire particulière de Trace, posa une épaisse pile de dossiers sur le bureau de celui-ci.

— Le président des viticulteurs de la Napa Valley désire savoir si vous pouvez assister à une réunion mercredi soir, ajouta-t-elle.

Il y avait huit ans déjà que Greta, mère de cinq enfants et grand-mère de trois petits-enfants, travaillait pour le Vignoble Ashton. C'était une femme robuste et pleine de bon sens, avec des cheveux blonds coupés court et des yeux d'un bleu intense qui ne rataient jamais rien, qualité qui pouvait être une bénédiction ou une malédiction, selon le cas.

— Pour quoi faire ?

Trace ne leva même pas les yeux du graphique des ventes qu'il étudiait sur son ordinateur. En raison d'un printemps précoce et d'un temps clément l'an passé, la récolte, précoce elle aussi, avait produit l'une des années de la plus haute qualité. Production et ventes faisaient un bond de huit pour cent.

— L'environnement, répondit Greta.

Oh non ! Dire que ces réunions se poursuivaient encore ! songea Trace. Non qu'il soit contre les questions d'environnement, bien entendu, mais il avait bien d'autres soucis en tête en ce moment… Peut-être pourrait-il se faire remplacer par Paige ?

— Je croyais avoir une sorte de vente aux enchères, mercredi.

Greta montra du doigt un calendrier sur le mur.

— C'est le mercredi suivant. Et il s'agit d'un cocktail et d'une vente au bénéfice du programme d'alphabétisation des enfants.

— Et la dégustation pour le Rotary Club, quand a-t-elle lieu ? demanda Trace d'une voix absente, sachant très bien que ce serait bientôt.

Greta poussa un soupir d'exaspération et feuilleta l'agenda posé sur le bureau.

— Ce jeudi-même. En outre, au cas où vous l'auriez oublié, le dîner d'anniversaire de votre mère aura lieu dimanche soir au restaurant Le Sanglier.

— J'avais oublié.

Trace remarqua quelque chose dans le coût de

l'embouteillage et prit mentalement note de vérifier avec le fournisseur.

— Qu'est-ce que je lui ai acheté ?

— Une écharpe.

Greta tira une facturette de carte de crédit du porte-bloc qu'elle tenait et la posa sur le bureau.

— Merci.

Trace jeta un coup d'œil sur la note et releva la tête vers Greta d'un air étonné.

— Pour une écharpe ?

— Cashmere et soie italiens, répliqua Greta d'un ton uni. Votre mère a un certain mal à accepter son futur rôle de grand-mère. Un anniversaire, celui-ci en particulier, rend la chose plus délicate encore.

— Et vous pensez qu'un petit chiffon de soie va la rassurer ?

— Absolument. La couleur colle parfaitement avec la teinte de ses cheveux et celle de sa peau.

Le téléphone sonna derrière elle et Greta se retourna.

— Et puis, elle vient de chez Hermes. Même si elle ne lui plaît pas du tout, elle l'adorera.

A ce prix-là, il l'espérait vivement, se dit Trace, quand Greta eut refermé la porte derrière elle. Pour cette somme, il aurait pu s'offrir le vol pour l'Italie et lui acheter toute la soie qu'elle désirait.

Les femmes !

Il était loin de prétendre connaître de près ou de loin la gent féminine. La seule chose qu'il savait à son sujet, était… qu'il ne savait rien du tout. Ce qu'elles pensaient, ce qu'elles voulaient… si elles disaient jamais vraiment ce qu'elles voulaient !

Je ne crois pas que nous devrions nous revoir.

Avec un soupir, il se renversa en arrière et ferma les yeux. Il avait consacré à la phrase de Becca une bonne partie de ses pensées, au cours des deux derniers jours. Il avait failli croire à ce qu'elle prétendait, mais un petit quelque chose dans ses yeux, aussi subtil qu'éphémère, avait infirmé ses paroles.

Ils se reverraient, bien entendu, et il avait bien l'intention de faire en sorte qu'il en soit ainsi. Ce qu'il ne parvenait pas à imaginer, c'était la raison pour laquelle elle essayait tant de prétendre qu'il ne l'intéressait pas. Pourquoi, si elle était aussi indifférente qu'elle le prétendait, avait-elle l'air aussi agitée chaque fois qu'elle le voyait ?

Mais peut-être avait-il mal interprété sa réaction ? Peut-être était-ce un sentiment de pure et simple culpabilité qui la rendait si nerveuse ? Après tout, cela ne devait pas être très confortable d'être confrontée à l'homme qu'elle avait promis d'aimer et d'épouser, sachant qu'elle avait menti et accepté de l'argent pour rompre sa promesse…

Trace serra les mâchoires. Quelle différence cela

faisait-il, ce qu'elle pouvait ressentir ? Une fois qu'il aurait couché avec elle et qu'enfin il ne l'aurait plus dans la peau, il ne penserait plus jamais à Becca Marshall. Il en aurait fini avec elle.

— Trace !

Trace laissa échapper un juron. Il sursauta si brusquement dans son fauteuil qu'il faillit tomber.

De l'autre côté du bureau, Paige le considérait, bras croisés.

— Que diable fais-tu là ? grommela-t-il.

— Ce que *je* fais ?

Elle leva les yeux au ciel.

— Non seulement j'ai frappé deux fois, mais j'ai prononcé deux fois ton nom !

Le cœur de Trace battait toujours très fort dans sa cage thoracique.

— Ne puis-je fermer les yeux un instant sans que tu me fasses bondir de mon fauteuil ?

— Mon Dieu, mon Dieu ! repartit Paige en riant. Comme nous sommes susceptibles, aujourd'hui !

— Je ne suis pas susceptible.

Paige lui lança un petit regard malicieux.

— Si, tu l'es, je te connais, tu sais. Et tu l'étais hier aussi.

— N'importe quoi ! s'emporta-t-il.

— Si, vous l'étiez ! fit la voix de Greta à l'extérieur du bureau.

— Tu vois, dit Paige en se laissant choir dans un fauteuil. Alors, dis-moi ce qui se passe ?

— Rien du tout.

Dents serrées, Trace se leva et alla claquer la porte.

— Je suppose que ta visite a un autre but que l'envie de m'ennuyer ?

— Pas vraiment.

A d'autres, songea-t-il. C'était inscrit sur chacun des traits de sa sœur.

— Que veux-tu, Paige ?

— Ce que désire toute femme, dit-elle d'un ton plaintif. De la romance, des chocolats, un monde en paix. Enfin, pas nécessairement dans cet ordre.

Trace croisa les bras et la fusilla du regard.

— Certains d'entre nous sont en train de travailler, ici, tu sais.

— Tu dormais.

— Paige ! dit-il d'un ton menaçant.

— Très bien, très bien.

Elle lui adressa un sourire angélique.

— Je vais voir Jack et je désire que tu m'accompagnes.

Seigneur, songea-t-il, cette femme n'avait donc qu'une idée en tête !

— Paige, je suis occupé.

— Ces statistiques n'iront nulle part pendant la

prochaine heure, dit Paige en jetant un coup d'œil sur le moniteur.

— Pas plus que moi, ma chère sœur. Pas plus que moi.

Et Trace rendit toute son attention à son travail.

— Très bien, parfait, soupira Paige en se levant. Comme tu voudras. J'espère seulement que cette fois tu n'attendras pas qu'il soit trop tard.

Après son départ, Trace fixa la porte. Qu'avait-elle bien pu vouloir dire ? Morose, il secoua la tête.

Les femmes !

Par les portes de verre coulissantes, d'où on avait une vue plongeante sur le Domaine de Louret, les yeux de Becca étaient posés sur les interminables rangées des vignes qui s'alignaient impeccablement à travers les terres. Peu importait que les branches soient encore nues et dépourvues de vie à cette époque de l'année. La magnificence de leur austère splendeur avait toujours remué quelque chose en elle.

Elle se rappela la première fois où Trace lui avait fait faire le tour du Vignoble Ashton. Elle avait adoré l'odeur forte de la terre, les couleurs et les textures terriennes du paysage, l'excitation de la vendange. Ce jour-là, elle était tombée amoureuse de Trace mais aussi de la terre.

Les choses auraient été tellement plus simples si elle ne l'avait jamais rencontré ! songea-t-elle de nouveau avec un soupir. Elle n'aurait pas été obligée de le comparer aux autres hommes avec lesquels elle avait tenté de sortir depuis qu'elle avait quitté la Napa Valley. Elle n'aurait pas été obligée de les trouver tellement insignifiants, tellement dépourvus d'intérêt ! Et ce serait encore plus difficile maintenant qu'elle l'avait revu.

Maintenant qu'il l'avait embrassée.

Elle tenta de se persuader qu'elle était soulagée de ne pas l'avoir vu et de ne pas avoir entendu parler de lui depuis ce matin sur sa véranda, mais pour être honnête, une toute petite part d'elle-même en était déçue. Une sotte, minuscule part d'elle-même qui ne cessait de le chercher lorsqu'elle traversait la ville en voiture, faisait ses courses à l'épicerie ou s'arrêtait pour prendre de l'argent à la banque.

Une part d'elle-même qui avait brûlé de lui répondre par l'affirmative lorsqu'il l'avait invitée à dîner.

Une part d'elle-même enfin, qui lui répétait sans cesse de garder son calme.

— Désolée de vous avoir fait attendre, mademoiselle Marshall.

Becca se retourna pour voir Mercedes Ashton-Maxwell pénétrer dans la véranda couverte. Des boucles satinées châtain clair retombaient sur ses épaules graciles. Une jupe noire très simple s'arrêtait à la hauteur des genoux, et un pull jaune pâle en V recouvrait son ventre arrondi par la grossesse.

La demi-sœur de Trace, reconnut Becca.

Elle avala sa salive pour se débarrasser de la subite sécheresse de sa gorge et sourit.

— S'il vous plaît, appelez-moi juste Becca.

— Mercedes.

Comme ceux de Trace, les yeux de Mercedes étaient d'un vert profond, mais pas tout à fait aussi intenses. Comme lui encore, son attitude était empreinte de la même confiance, de la même réserve.

— Je vous remercie beaucoup d'être venue aux *Vignes*.

Mercedes désigna un sofa en vannerie.

— J'apprécie que vous veniez me voir ici plutôt qu'en ville.

— Ce n'est pas un problème du tout, répondit Becca. Votre maison est si jolie.

En réalité, elle était stupéfiante. Bien que moins vaste que la *Villa Ashton*, le charme des *Vignes*, copiée sur les maisons de campagne françaises, était amical et plein de chaleur, et la maison regorgeait de couleurs et de pièces claires.

Le compliment amena un sourire sur les lèvres de Mercedes.

— Nous l'aimons beaucoup, même si mon mari

et moi avons maintenant notre propre foyer. Voulez-vous boire quelque chose ? Du café ? Un soda ?

— Ça ira très bien, merci.

— C'est un tel plaisir de faire enfin votre connaissance, reprit Mercedes. Vous savez qu'on chuchote beaucoup à votre sujet, à Napa ?

— On chuchote ? se rembrunit Becca. A mon sujet ?

— Je n'ai pas besoin de vous rappeler à quel point notre communauté de Napa est soudée, Becca. C'est pire encore chez les négociants. Ivy Glen est dithyrambique à propos de votre travail.

— Ah bon ?

Les mots manquèrent à Becca et elle rougit. Ça démarrait bien, songea-t-elle. Et bravo pour l'image de femme d'affaires sûre d'elle qu'elle voulait donner.

Mercedes se mit à rire.

— Et modeste avec ça. Cela me plaît. Alors dites-moi, que savez-vous du Vignoble Louret ?

Au moins, c'était un sujet sur lequel Becca se sentait sûre d'elle. Parce qu'il était important de faire savoir qu'elle possédait une bonne connaissance de leur affaire, elle effectuait toujours une soigneuse enquête préliminaire sur la société qui la convoquait pour un entretien d'embauche.

— Votre mère a commencé à planter le vignoble

il y a vingt-cinq ans, dit-elle. Vous aviez soixante-cinq acres de vignes et produisiez environ vingt mille caisses par an, surtout des vins rouges. Votre cabernet remporte des récompenses et votre chardonnay a des critiques excellentes maintenant. Durant les trois dernières années, votre cave a été considérée comme la meilleure de toutes.

— Vous avez bien appris votre leçon, commenta Mercedes en hochant la tête d'un air approbateur. Mais mon père et ma mère ont pris leur retraite et ce sont ma sœur et mes frères qui dirigent Louret, maintenant.

Becca était bien sûr au courant et elle savait aussi très exactement quelle tâche était impartie à chacun des membres de la famille dans l'affaire. Eli était maître de chais, Jillian s'occupait de la partie recherche et développement, et Mercedes s'occupait du marketing et de la promotion.

Tout à coup, Mercedes retint son souffle et posa la main sur son ventre.

— Ce doit être le moment où mon bébé s'entraîne à la boxe, expliqua-t-elle.

— Vous allez bien ?

Inquiète, Becca s'était levée.

— Dois-je appeler quelqu'un ?

Mercedes expira doucement l'air de ses poumons.

— Non, je vais bien. Ce sont ses petits pieds qui me prennent parfois au dépourvu.

— Vous en êtes sûre ?

Becca se mordit la lèvre.

— Peut-être devrais-je appeler votre mari ? Ou votre mère ?

Mercedes secoua la tête en souriant.

— Je vous promets que le travail n'a pas commencé. Vous pouvez vous rasseoir.

Becca s'assit avec précaution au bord de sa chaise.

— Nous pouvons prendre un autre rendez-vous, ce n'est pas un problème.

— Non, vraiment, je vais très bien.

Mercedes se caressa l'estomac et s'adossa au dossier de son fauteuil. Un instant, elle parut rester intensément à l'écoute, comme si elle réfléchissait avec soin aux paroles qu'elle allait prononcer.

— Puis-je vous poser une question personnelle ? dit-elle enfin.

Becca contint un frémissement d'inquiétude.

— Bien entendu.

— C'est à propos de Trace.

— Trace ?

Les doigts de Becca se refermèrent avec nervosité sur le porte-document posé sur ses genoux.

— Que voulez-vous dire ?

— On m'a dit que vous aviez été sa fiancée ?

— Je…

Elle s'éclaircit la voix.

— Je l'étais…

— Vous savez, bien sûr, qu'il est mon demi-frère ?

Même si elle n'avait pas été fiancée à lui, Becca l'aurait su tout aussi bien. Tous les habitants de la Napa Valley savaient que Spencer Ashton avait abandonné sa femme Caroline et leurs quatre enfants pour épouser sa secrétaire et avait eu trois autres enfants avec elle.

— Donc, vous devez aussi savoir que nos deux familles sont toujours restées séparées l'une de l'autre et que, depuis la mort de Spencer il y a sept mois, nous sommes engagés dans une bataille juridique au sujet de l'exploitation.

C'était plus une affirmation qu'une question. Aussi Becca préféra-t-elle ne pas y répondre.

— Il ne s'agit pas vraiment d'argent, vous savez. Pour ma part, je ne voudrais même pas prendre un seul centime.

Mercedes soupira.

— Mais les hommes de la famille Ashton sont remplis d'orgueil. Trace et Eli semblent en avoir reçu une dose supplémentaire. Ces deux-là ne peuvent pas être loin l'un de l'autre de plus de quelques

86

mètres sans en venir aux poings. Mais je vois que je vous embarrasse, Becca, et je vous prie de m'en excuser.

— Je ne comprends pas pourquoi vous me parlez de cela, c'est tout, répondit Becca d'une voix calme.

— Voyez-vous, si nous devons travailler ensemble, je désire être certaine que cela ne présentera pas de difficulté pour vous. Que vous n'aurez pas l'impression de vous trouver au centre des problèmes de ma famille. Je ne voudrais surtout pas que vous vous sentiez obligée de prendre parti… D'autant, ajouta-t-elle, que je n'éprouve personnellement aucune rancune à l'égard de Trace et j'espère que, d'une manière ou d'une autre, nous pourrons tous résoudre nos différends.

— Trace et moi avons rompu il y a cinq ans.

Comme c'était étrange, songea Becca, de parler de Trace avec Mercedes. Etrange et tout à fait déconcertant.

— Je suis désolée que votre famille ait des problèmes, mais cela ne me regarde absolument pas. Je peux vous assurer que mes relations passées avec votre frère n'affecteront en rien mon travail.

— C'est moi qui suis désolée, Becca.

Mercedes tendit la main vers elle.

— Je n'avais pas l'intention de vous embarrasser ni de vous froisser.

— Vous ne l'avez pas fait, je ne le suis pas.

Mais elle sentait son cœur palpiter jusqu'au fond de sa gorge.

— Tout va bien.

— Alors tant mieux.

Souriante, Mercedes laissa retomber sa main et jeta un coup d'œil sur le porte-document de Becca.

— Maintenant que nous avons évacué cette question, pourquoi ne pas me montrer votre travail ?

5.

Des corps de toutes tailles et de toutes formes s'entassaient ce samedi soir à la grande ouverture du *Pub and Pool* d'Elaine. Cols bleus, cols blancs, jeunes et vieux, célibataires et couples mariés, tous paraissaient profiter à fond des festivités, qui comportaient en outre à chaque heure une distribution gratuite de T-shirts. Le brouhaha des conversations animées se confondait avec la musique des disques qu'un D.J. survolté mettait sur sa platine, le claquement des boules de billard et un jeu de fléchettes farouchement disputé qui déclenchait des clameurs et de bruyants éclats de rire.

Becca était à la fois stupéfaite et impressionnée par l'étendue des modifications que sa mère avait apportées à l'affaire depuis qu'elle l'avait reprise. Murs fraîchement repeints, nouveaux éclairages, système de ventilation amélioré pour les fumeurs ainsi qu'un espace non-fumeurs. Elle avait même

ajouté un menu très créatif d'amuse-gueules assai-
sonnés de fromage et de piments tout à fait traîtres,
capables d'arracher des larmes à l'homme le plus
endurci. Enfin, une sélection des meilleurs morceaux
du moment sortait à plein régime des haut-parleurs.
A l'évidence, sa mère avait très bien choisi le D.J.,
remarqua Becca en observant une foule nombreuse se
déhancher sur la piste de danse au son d'une version
disco-reggae de « White Christmas ».

— Trois sodas, une bière et deux colas !

Becca passa la commande à Candy, l'une des trois
barmaids qui venaient d'être engagées. La jeune
femme, avec son chignon blond et ses grands yeux
bleus, était déjà populaire auprès de la clientèle, non
seulement parce qu'elle était jolie, mais aussi en
raison de ses dons artistiques. Candy savait chanter
de la *country music*, jongler avec les bouteilles
d'alcool et elle confectionnait aussi une fantastique
margarita.

Le fait qu'elle remplissait très bien le T-shirt
portant le logo du pub d'Elaine ne faisait aucun
mal non plus !

Becca baissa les yeux sur le sien. Si elle devait
gagner ainsi sa vie, et si elle devait compter sur les
pourboires en fonction de la taille de son soutien-
gorge, elle se retrouverait dans une pitoyable situation

financière, songea-t-elle, partagée entre l'humour et la désolation.

Sa mère l'appela d'une table proche où elle était venue tenir un instant compagnie à plusieurs clients.

— Becca, fais donc un break après cette commande, chérie. Il y a plus de trois heures que tu es sur le pied de guerre.

Elaine avait l'air radieux ce soir, remarqua Becca. Son sourire était éclatant et ses yeux pleins de rire. Il y avait eu de si mauvais moments à passer et depuis tant d'années, qu'elles avaient eu beaucoup de mal à surmonter cette épreuve. Alors, à voir sa mère tellement heureuse, Becca sentit sa gorge se nouer de fierté et d'amour.

Parfois, en pensant à Elaine, elle se demandait si elle souffrait de sa solitude, si elle ne ressentait pas de temps à autre le besoin de partager sa vie avec quelqu'un. Il lui arrivait bien sûr de sortir mais, autant que Becca puisse le savoir, les hommes qu'elle avait fréquentés n'avaient été rien de plus pour elle que de simples amis ou une rencontre plus ou moins arrangée par des tiers avec un inconnu. Elles n'en parlaient jamais ensemble, mais Becca s'était souvent demandé si sa mère avait été à ce point amoureuse de son père pour n'avoir jamais cherché la possibilité de le remplacer.

Elle ne parvenait pas non plus à se demander si sa propre vie pouvait finir comme celle de sa mère, si l'amour qu'elle avait connu avec Trace lui rendrait impossible tout véritable intérêt pour un autre homme, et si elle pourrait jamais avoir une vie stable, des enfants et un véritable foyer.

Elle jeta un coup d'œil en direction d'un homme et d'une femme assis dans un box en coin. Elle les regarda s'embrasser puis échanger un sourire chargé d'intimité. Une douleur lui vrilla la poitrine et elle détourna aussitôt les yeux.

Comme elle aurait voulu être comme eux ! Ce lien secret, ces instants d'intensité entre deux êtres, elle les avait toujours désespérément recherchés.

Mais un jour, se dit-elle, farouche, en redressant le menton, elle aimerait de nouveau. Elle aurait des enfants et un foyer. Elle devait y croire.

D'abord, dès son retour à Los Angeles, elle commencerait à sortir davantage. Elle avait laissé Trace prendre un trop grand pouvoir sur elle. Il était temps maintenant de se débarrasser du passé. Elle rencontrerait d'autres hommes à l'esprit ouvert, décida-t-elle, et plus important encore, avec un cœur qui le serait tout autant.

Sa décision prise, elle se sentit plus légère et recouvra la maîtrise d'elle-même. Elle alla livrer son plateau de boissons, échangea des plaisanteries avec deux garçons plus âgés de son ancienne université qui avaient flirté avec elle toute la soirée, puis elle se dirigea vers la salle des employés. Mais soudain, une main d'homme sortie de la foule la saisit par le bras.

— Navrée, dit-elle en se retournant avec un sourire, je vais...

D'un seul coup, son sourire se figea.

Trace ? Oh, non, non !

Quelque chose palpita au fond de sa gorge. Son cœur ? Elle jeta un rapide regard autour d'elle, terrifiée à l'idée que la musique puisse s'arrêter, que chacun dans la salle se taise et que chaque tête se tourne vers elle pour la regarder. Quand Trace se pencha vers son oreille, un grand frisson la parcourut.

— Puis-je te dire un mot ? demanda-t-il.

Elle leva les yeux vers les siens et ressentit la brûlure de son regard d'un vert sombre. Pendant une folle seconde, tout ce qui l'entourait parut s'évaporer. Les gens, la musique et même sa mère. Les cinq dernières années aussi. Pendant ce court instant, une folle envie la saisit de se pelotonner contre lui, de lui nouer les bras autour du cou et de l'accueillir avec un baiser. Pendant ce seul petit moment, elle brûla de lui appartenir.

Et bravo pour sa décision de reprendre le contrôle de sa vie !

Tout aussi vite, la réalité revint l'écraser.

— Je travaille, Trace, dit-elle.

— Rien qu'une minute, insista-t-il d'un ton ferme.

Il glissa un pouce au creux de son coude et une sorte de fourmillement descendit jusqu'aux pieds de Becca.

Que sa mère puisse la voir en compagnie de Trace était la dernière chose qu'elle souhaitait mais, au vu de la détermination dans le regard de celui-ci, il ne prendrait pas un non pour une réponse.

Que le diable l'emporte ! ragea-t-elle.

D'un geste du menton, elle lui désigna une porte conduisant au parking puis s'arracha à son étreinte et s'éloigna. Après avoir informé Candy qu'elle faisait une pause, elle s'enveloppa machinalement d'un manteau, enroula une écharpe autour de son cou et sortit dans l'air frisquet de la nuit.

Elle n'aperçut pas Trace tout de suite. Avec sa veste noire et sa chemise sombre, il se confondait avec les ombres à l'intérieur du parking. Mais lorsqu'il émergea d'un des côtés du bâtiment, elle aspira une profonde bouffée d'air pour conforter sa décision.

Elle pouvait y arriver, se dit-elle avec fermeté. Elle le pouvait. Elle le devait. Elle allait être ferme.

— Je n'ai qu'une minute, le prévint-elle.

Elle enfonça ses mains dans les poches de son manteau et s'avança vers lui.

— On est débordés de travail ici.

— Ta mère a joliment réussi son coup.

Trace jeta un coup d'œil en arrière.

— Le D.J. est vraiment très bon.

— Merci.

Pourrait-elle jamais lever les yeux sur lui sans ressentir une souffrance ? se demanda-t-elle. Il lui arrivait même de ne pas se rappeler pourquoi elle l'avait quitté, des moments où elle ne parvenait à se souvenir de rien sauf de ce qu'elle ressentait quand elle était entre ses bras.

— J'ai entendu dire qu'on t'avait embauchée chez Whitestone ?

Elle hocha la tête.

— Je vais leur faire une présentation pour Wine News et quelques photos pour un site Internet.

Trace se rapprocha d'elle, tendit la main et saisit une extrémité de l'écharpe qu'elle avait nouée autour de son cou.

— Cela signifie-t-il que tu vas rester plus longtemps ?

Doucement, commanda-t-elle à son pouls, qui bien sûr n'en fit qu'à sa tête.

— Juste un jour ou deux. Tu m'as bien dit que tu désirais me parler ?

— En effet.

Il souleva l'autre bout de l'écharpe.

— Je viendrai te chercher demain matin et nous pourrons faire un saut à Sausalito pour déjeuner chez Pascale.

Pascale avait été leur restaurant favori dans la paisible petite ville aux environs de San Francisco. Ils avaient passé des heures là-bas, à marcher le long des quais et à regarder les bateaux dans la marina. Le week-end où il lui avait demandé sa main, ils avaient loué une chambre dans un petit *Bed and Breakfast* et fait l'amour pendant des heures. A ce souvenir, la respiration de Becca se fit plus rapide et elle eut l'impression que son sang bouillait dans ses veines.

— Non, Trace.

Quand il tira sur l'écharpe, elle résista. Mais il la tenait solidement.

— D'accord. Alors, dînons.

— Non, répéta-t-elle, sans trop de conviction.

— Non au dîner ? murmura-t-il en baissant la tête, ou non à ceci ?

Sans attendre sa réponse, il posa la bouche sur la sienne.

Elle ne lui rendrait pas son baiser, se jura-t-elle intérieurement. Comme la dernière fois, si elle voulait se prouver et lui démontrer qu'elle était

96

immunisée contre lui, qu'il ne lui produisait plus aucun effet, elle était certaine qu'il ne poursuivrait pas son petit jeu.

Mais, quand la nuit se referma autour d'eux comme un velours noir, quand elle respira cette odeur qui n'appartenait qu'à lui seul, quand de la langue il effleura la ligne de ses lèvres fermées, toutes les murailles, toutes ses résolutions, toutes ses tentatives de résistance, se dissipèrent comme fumée au vent.

Rien qu'un baiser, lui chuchota son esprit.

Puis tout s'évapora autour d'elle.

Un doux gémissement s'échappa de ses lèvres entrouvertes et ses paupières s'abaissèrent peu à peu.

Trace prit son temps, lui taquina le coin de la bouche, lui mordilla la lèvre du bout des dents. Des fils de volupté traversèrent Becca, se nouèrent et se dénouèrent, se tendirent et se déroulèrent.

Elle ne sut pas exactement à quel moment elle sortit les mains de ses poches, mais tout à coup, ses doigts agrippèrent le devant de la chemise de Trace et se refermèrent sur le tissu. Elle était sûre que si elle ne se tenait pas à quelque chose, ses genoux allaient la trahir.

97

La langue de Trace envahit sa bouche, et elle crut que le désir pur, total, qui électrisait son corps allait la faire pleurer. Un vertige la prit et elle s'accrocha plus fort à lui. Alors, elle perçut la même petite voix lui chuchoter que, plus tard, elle regretterait cela.

Mais pour l'instant, peu lui importait. Elle n'était plus que sensations.

Dans un choc brûlant, sa langue rencontra celle de Trace et elle frissonna tout entière. Sa peau se contracta, ses seins devinrent douloureux et elle se laissa envahir par une onde de pur désir.

Quand Trace s'écarta d'elle, la déception faillit lui arracher un gémissement.

— Becca, murmura Trace d'une voix rauque et tendue. Je te désire.

Je le sais. Moi aussi, je te désire.

— Reviens avec moi ce soir, dit-il en lui effleurant les lèvres. Reste avec moi.

Comme il aurait été facile de dire oui ! D'être dans ses bras, dans son lit, ne serait-ce que pour quelques heures. Un instant, parce qu'elle connaissait tout ce qu'ils avaient partagé auparavant, et savait d'instinct que le temps et la distance qu'ils avaient mis entre eux ne feraient que rendre les choses encore meilleures, elle faillit dire oui.

Mais les phares d'une voiture qui s'approchait à

travers le parking lui rappelèrent brusquement où ils se trouvaient, qui elle était et qui était Trace.

Elle n'avait pas été assez forte cinq ans avant et elle ne l'était pas non plus maintenant.

Aussi, quand il tendit les bras vers elle, elle secoua la tête et recula. La mâchoire de Trace se serra et elle vit les traits de son visage se durcir.

— Becca…

— Je dois y retourner, Trace.

Il laissa retomber sa main et hocha la tête d'un mouvement plein de raideur.

— Transmets mes félicitations à ta mère.

— Entendu.

Mais ils savaient tous deux qu'elle n'en ferait rien.

Becca se détourna et regagna d'un pas lent l'intérieur du bar. En refermant la porte derrière elle, elle pria désespérément pour pouvoir puiser quelque part au fond d'elle-même assez de sourires pour l'aider à aller jusqu'au bout de cette nuit.

Il avait encore réussi à se mettre en retard ! pesta Trace en pressant le pas.

Son cadeau d'anniversaire sous le bras, il suivit le maître d'hôtel en smoking à travers l'élégante salle à manger du Sanglier. Des bougies brûlaient en papillotant sur les tables nappées de rose où s'étalaient somptueusement porcelaine, argenterie luisante et cristaux étincelants. Des hordes de garçons en chemise blanche amidonnée et cravate noire servaient avec empressement le contenu des chariots croulant sous le poids d'épaisses côtes de bœuf, de poulardes truffées et de crêpes Suzette flambées. Une musique douce s'infiltrait en douceur au milieu des conversations des couples venus passer leur soirée à goûter à l'excellente cuisine française.

Le restaurant, l'un des plus huppés de la Napa Valley, s'était récemment vu décerner le prix du dîner le plus romantique par un critique gastronomique californien réputé. Paige avait fait ses réservations quatre semaines à l'avance pour la soirée d'anniversaire de sa mère, anniversaire pour lequel Lilah ne manifestait pas un enthousiasme débordant. Elle n'avait donc accepté cette réunion familiale qu'à contrecœur et avait d'ores et déjà clairement fait entendre que personne n'aurait le droit de mentionner son âge.

Il n'aurait pas été si en retard s'il n'avait pas de nouveau orienté toutes ses pensées vers Becca, songea Trace avec irritation. Une minute, il était en train d'étudier un rapport sur la fermentation et l'instant suivant, il repassait en esprit, pour au moins la dixième fois, leur rencontre de la nuit précédente dans le parking.

Dieu que cette femme le frustrait ! Leur baiser lui avait au moins prouvé qu'il ne lui était pas indifférent, comme elle avait voulu le lui faire croire. Il avait entendu son doux gémissement, il l'avait sentie frémir sous ses doigts. Par le diable, elle le désirait autant qu'il la désirait ! Elle savait très bien à quel point cela avait été bon entre eux. Et comme ce serait bon encore...

Il lui suffisait de trouver un moyen de la convaincre.

Trace entendit quelqu'un prononcer son nom et sortit brusquement de l'errance de ses pensées. Levant les yeux, il aperçut un autre viticulteur qui lui faisait signe. Trace lui répondit de même puis se maudit, bien décidé à se sortir Becca de la tête, au moins pour la soirée.

Avec un soupir, il consulta sa montre et comprit que sa mère allait faire toute une affaire de ses dix minutes de retard. Il savait d'avance comment elle allait l'accueillir. Pour commencer, elle lui lancerait un bonsoir réfrigérant, puis elle l'ignorerait pendant quelques minutes jusqu'au moment où elle croirait l'avoir suffisamment châtié.

— Par ici, monsieur Ashton.

Le maître d'hôtel jeta un coup d'œil par-dessus

son épaule tout en le conduisant vers un salon privé derrière la salle principale.

— Puis-je prendre votre manteau, monsieur ? demanda-t-il.

Trace brossa la légère bruine tombée sur ses épaules puis se débarrassa de son vêtement et le tendit à l'homme.

— Merci.

— Ah ! Voilà le fils prodigue ! lança Paige, lorsqu'il pénétra dans la pièce.

— Navré d'être en retard.

Trace se dirigea vers sa mère et lui déposa un léger baiser sur la joue avant de déposer son présent sur la table.

— Joyeux anniversaire, maman.

— Merci, mon cher.

Lilah lui tapota la joue et lui décocha un sourire joyeux.

— Ce n'est pas grave. Nous prenions agréablement l'apéritif.

Trace échangea un regard curieux avec ses sœurs, à l'évidence aussi estomaquées que lui par la chaleureuse réception de leur mère.

Il reporta son attention vers sa mère. Oui, c'était bien elle : même cheveux roux coupés au ras du menton, yeux d'eau bleue assortis à son sac de soie Versace et maquillage impeccable. Lilah Ashton, telle qu'en elle-même. Mais alors, qu'est-ce qui lui arrivait ?

Il paraissait difficile à Trace de croire que le tournant de la cinquantaine avait induit un changement si soudain chez sa mère. Il l'aimait beaucoup, mais il savait aussi qu'elle avait toujours été un peu trop mélodramatique, sans oublier son côté exigeant. Pourtant, ce soir, son comportement était plus doux qu'à l'ordinaire, plus serein aussi. Ses joues étaient roses et il y avait une sorte d'éclat en elle, qui lui donnait un peu des airs d'écolière. Cela devait venir d'un de ces soins dans un spa qu'elle continuait à fréquenter assidûment, se dit-il. Enfin, quelle qu'en soit la cause, cela lui plaisait.

— Salut, ma grosse !

Il s'approcha de Megan et posa une main sur son ventre. Sa grossesse était très avancée.

— Tu n'es pas encore à terme ?

— J'y suis presque, répliqua Megan d'un ton irrité en repoussant une mèche blonde de sa joue. Moi, en tout cas, je suis tout à fait prête. Ce qui ne semble pas être le cas de ma fille.

Simon, le mari de Megan, jeta un regard implorant à Trace.

— Le médecin lui a dit ce matin qu'elle n'accouchera sans doute pas avant le premier de l'An, lui expliqua Simon en levant les mains au ciel en signe d'impuissance. Et ta sœur en rejette sur moi la responsabilité. Elle dit que notre fille a hérité de mon gène d'obstination.

— Je suis sûre que c'est vrai, lança Paige en soulevant son verre d'eau. Puisque tout le monde dans notre famille a une patience d'ange.

Matt, son fiancé, écarquilla les yeux.

— C'est sans doute la raison pour laquelle je t'ai vue secouer hier ton cadeau de Noël dans tous les sens pour essayer de deviner ce qui pouvait bien se trouver à l'intérieur !

— Je le déplaçais simplement, déclara Paige d'un ton joyeux.

Trace éclata de rire avant de remarquer l'absence de leur cousine Charlotte et de son mari. Il savait qu'ils avaient rendu visite à la mère de Charlotte dans le sud Dakota, mais ils auraient dû être revenus depuis la veille.

— Où sont Char et Alex ? demanda-t-il.

— L'aéroport a été fermé à cause d'une tempête de neige et leur vol a été retardé, répondit Lilah. Charlotte a appelé ce matin pour me souhaiter un heureux anniversaire. Walker et Tamra ont aussi envoyé leurs vœux.

Walker avait déménagé dans le sud Dakota depuis trois mois pour se marier et monter une nouvelle affaire. Ils avaient eu des différends par le passé et

104

Trace était heureux que son cousin et lui se soient réconciliés avant le départ de Walker.

Il tira une chaise pour s'installer à côté de sa mère.

— Comment ça marche, sa boîte de consultant à Sioux Falls ?

— Très bien, d'après Charlotte. Chéri, cela ne t'ennuierait pas de t'asseoir entre Megan et Paige ?

Lilah désigna de la tête une place vide entre les deux sœurs et ajouta :

— J'attends un invité.

Un invité ? Trace lança un coup d'œil à Paige qui se contenta de hausser un sourcil puis de tapoter la chaise à côté d'elle. Que savait-elle qu'il ne savait pas lui-même ? se demanda-t-il.

— Je suis en retard, désolé. J'espère que vous ne m'avez pas attendu ?

Au son de cette voix familière, Trace se retourna. Stephen Cassidy, l'avocat de la famille, pénétrait dans la pièce. Il tenait dans une main une petite boîte dorée et dans l'autre une unique rose rouge.

Ainsi donc, c'était Stephen, l'invité de sa mère ? s'étonna Trace. Stephen qui durant des années avait été l'avocat de son père ? Stephen qui, non seulement s'était occupé du testament mais aussi de toutes les questions juridiques de la famille Ashton ?

— Tais-toi, Trace, lui murmura Paige lorsqu'il s'assit auprès d'elle.

Il décocha un coup d'œil à sa sœur qui se contenta de sourire.

A l'évidence, une de ses sœurs au moins avait une vague idée de ce qui se tramait ici. Confondu, Trace regarda les joues de sa mère s'empourprer légèrement lorsque Stephen lui tendit la rose et le cadeau d'anniversaire. De toute sa vie, Trace ne parvenait pas à se rappeler d'avoir jamais vu sa mère rougir, surtout quand son père lui offrait des présents ou des fleurs.

Stephen et sa mère ?

Ce n'était pas possible ! songea-t-il.

Non qu'il eût la moindre objection concernant l'intérêt manifeste de Stephen pour sa mère et vice versa. Simplement, il se sentait un peu sot de n'en n'avoir pas eu le moindre soupçon. Sans doute avait-il été plus préoccupé ces temps-ci, qu'il ne l'avait compris ?

De toute manière, ces deux-là étaient adultes. Sa mère était encore une très belle femme et le charmant avocat était veuf depuis plusieurs années. Tout était dans la norme, apparemment. Trace les regarda échanger un sourire et vit la même étincelle briller dans leur regard. Ils avaient presque l'air de deux adolescents énamourés, songea-t-il, ce qui emporta d'autant plus son adhésion. Il n'avait peut-être jamais rencontré deux personnes aussi solitaires et réservées et voici qu'elles se comportaient comme des gosses !

La légère atmosphère de gêne qui les entourait s'estompa après le toast au champagne et l'ouverture des cadeaux et ensuite, le dîner parut... étrangement normal. Stephen avait fait partie de la vie de la famille depuis aussi longtemps que Trace pouvait s'en souvenir, et quand le choc initial se fut effacé, la soirée prit un tour assez plaisant. Sa mère ne se plaignit pas une seule fois, bien trop occupée en fait à se suspendre aux lèvres de Stephen chaque fois qu'il prononçait un mot, et elle-même ne parla presque pas.

Il était manifeste que Lilah était aussi éprise de l'avocat qu'il l'était d'elle et, pendant que Trace s'habituait à cette idée, il décida qu'il appréciait déjà les changements qu'il venait de constater dans le comportement de sa mère.

Ils en étaient tous au café et aux liqueurs à la fin du repas, lorsque Trace s'excusa et se dirigea vers la salle de restaurant. Il songeait encore à l'histoire d'amour naissante entre sa mère et l'avocat lorsqu'il repéra la femme à laquelle il n'avait plus songé depuis au moins un quart d'heure.

Toute souriante, Becca franchit la porte d'entrée

du restaurant en secouant ses cheveux trempés de pluie. Trace prit tout à coup conscience qu'il n'avait pas revu ce sourire depuis cinq ans et comprit à quel point il lui avait manqué. Avec l'impression de recevoir un coup de poing dans l'estomac, il regarda Becca se débarrasser de son manteau et le tendre au maître d'hôtel.

Sa courte robe noire, suffisamment décolletée pour faire bouillir dans ses veines le sang de n'importe quel homme, adhérait à chacune de ses courbes d'une exquise féminité. A voir ses escarpins à talons hauts, Trace sentit presque s'arrêter les battements de son cœur, car ses talons faisaient paraître encore plus longues et fuselées des jambes qui, déjà, n'en finissaient plus. Un fard gris fumée ombrait ses paupières et ses lèvres étaient fardées d'un rouge vif. Un seul fil de minuscules perles noires et brillantes dansait à chacune de ses oreilles, et effleurait les côtés de son long cou élancé à chacun de ses mouvements.

Trace la dévora du regard, le souffle coupé.

Mais il n'était pas le seul mâle ici à la fixer, remarqua-t-il en faisant le tour de la salle du regard. Plusieurs hommes en restaient comme hypnotisés, au grand déplaisir de leur compagne.

Apparemment inconsciente de l'attention et de l'émoi qu'elle provoquait, Becca s'entretenait avec le maître d'hôtel. Elle n'avait jamais su à quel point elle était belle, se rappela Trace. Elle rougissait toujours lorsqu'il le lui disait et elle ne l'avait jamais réellement cru. Quant à lui, n'avait-il pas toujours été persuadé d'avoir toute la vie devant lui pour parvenir à l'en convaincre ?

Comme si elle avait lu dans ses pensées, Becca leva les yeux et ses prunelles s'agrandirent en l'apercevant. Même à travers la salle, il put voir ses joues s'empourprer et la surprise lui entrouvrir les lèvres. Trace commença à se diriger vers elle puis s'immobilisa.

Reed venait de pénétrer dans le restaurant. Il se dirigea vers Becca et l'embrassa sur la joue. Elle se tourna vers lui en souriant et lui dit quelques mots à voix basse qui le firent rire.

Reed ? Tout se brouilla dans la tête de Trace. Comment ? Elle était ici avec Reed ?

Quel idiot il faisait ! songea-t-il. Bien sûr qu'elle était venue pour retrouver quelqu'un. Les femmes ne s'habillaient pas ainsi pour sortir seules ou avec une amie. Sa stupéfaction se mua peu à peu en colère et, quand il vit le bras de Reed encercler les épaules de Becca, il serra les poings. C'était déjà assez dur de la voir avec un autre homme, mais regarder un ami la toucher et l'embrasser, c'était le bouquet.

Trace comprit alors que ça n'avait rien à voir avec Reed : n'importe quel homme qui poserait un doigt sur elle le mettrait de toute façon dans tous ses états.

S'il n'avait pas été aussi bêtement décidé à la mettre dans son lit par n'importe quel moyen, s'il avait pu réfléchir avec son cerveau et non avec une autre partie de son anatomie, il ne se tiendrait pas là en cet instant comme un parfait imbécile. Elle avait peut-être bien pu l'embrasser la veille au soir et même le désirer, mais il avait été si présomptueux et arrogant qu'il avait pensé que la bataille était gagnée.

Il s'était trompé.

Son propre plan avait fait long feu et, malgré l'envie qui le tenaillait de se jeter sur Reed pour l'éloigner de Becca, il comprit qu'il ne pouvait en vouloir qu'à lui-même.

Néanmoins, pas très certain de ce qu'il ferait si son ami embrassait encore Becca, Trace tourna abruptement les talons et retourna vers la table de sa mère. Il s'arrangea même pour chanter « Joyeux Anniversaire » et manger une part de gâteau au chocolat avant de s'en aller, les yeux fixés droit devant lui pour traverser la salle de restaurant et franchir la porte.

*
* *

Dehors, il faisait un temps épouvantable. Mais la tempête convenait tout à fait à son humeur, les éclairs et la foudre encore mieux. Quelle chance, songea-t-il, d'avoir pris son cabriolet, ce soir ! Il prit la direction de l'autoroute et conduisit à travers des rideaux de pluie glacée plus vite qu'il ne l'aurait dû et sans y attacher la moindre importance. Plus il s'efforçait de ne pas penser à Becca et plus elle était présente dans son esprit, dans son sang.

Mains crispées sur son volant, jointures blanchies, l'envie le prit d'envoyer Napa à tous les diables. Cap sur San Francisco, décida-t-il. Il y trouverait bien un motel envahi par les puces pour y boire à en perdre l'âme. Même si ce n'était que pour une nuit, il forcerait ainsi cette femme à sortir de sa tête !

Un éclair frappa la route devant lui et le ciel parut exploser dans une aveuglante lumière blanche. La décapotable dérapa vers le bas-côté, puis le pneu arrière heurta quelque chose et la voiture s'arrêta. Trace sortit en jurant du véhicule et considéra l'énorme rocher qu'il venait de heurter.

C'était le bouquet ! Cette fois, il pouvait en être certain, la nuit était parfaite.

Il repoussa de la main ses cheveux trempés, remonta en voiture, sachant fort bien qu'il devait être heureux que l'airbag ne se soit pas déployé, mais il était trop furieux pour s'en soucier. Quand un autre éclair s'abattit tout près et que les grondements du tonnerre firent trembler le sol, il remit le contact et frémit au bruit que faisait le métal du pare-chocs lorsqu'il s'extirpa du rocher et revint sur l'autoroute.

Il était peut-être un imbécile et un idiot, mais il n'était pas complètement stupide. Il n'y avait qu'une chose à faire : rentrer chez lui et attendre que ça passe. La pluie... et les affolants battements de son cœur.

Quand il arriva à la *Villa Ashton*, il franchit les grilles de fer forgé qui étaient restées ouvertes et ne prit même pas la peine de rentrer la voiture au garage. Sans se soucier de la pluie qui tombait dru, il grimpa les marches menant à son appartement, imaginant déjà le double scotch qu'il allait s'octroyer, lorsqu'une silhouette sombre, debout sur le palier, l'arrêta dans son élan.

Une poussée d'adrénaline le traversa et, les deux poings serrés, il se prépara à foncer. L'idée d'attraper quelqu'un en train de pénétrer chez lui par effraction le réjouit presque. Enfin, il allait pouvoir casser la figure à quelqu'un. Se défouler...

A cet instant, il y eut un autre éclair.

Et il reconnut la silhouette qui l'attendait sur le palier.

112

6.

— Becca ! Mais qu'est-ce que tu fais ici ?

C'était exactement la question qu'elle-même se posait, songea la jeune femme.

Il y avait vingt minutes qu'elle se tenait là sur le palier, avec la pluie qui lui dégoulinait dessus, à hésiter, terrifiée à l'idée que Trace se manifeste, et tout autant qu'il ne vienne pas. Elle ne savait plus très bien si elle tremblait d'énervement ou à cause du vent glacial qui s'insinuait dans son manteau mouillé.

Lorsque, enfin, elle avait vu la voiture arriver, les nœuds à l'intérieur de son estomac s'étaient tellement resserrés qu'elle avait songé un instant à quitter le porche et à se cacher derrière un arbre en pot. Elle aurait pu le faire si le froid n'avait pas ralenti ses mouvements.

Trace n'attendit pas sa réponse. Il se précipita dans l'escalier, retira son manteau et lui en enveloppa les épaules en l'entraînant vers la porte. Il pêcha ses clés au fond de sa poche, les laissa tomber, jura violemment et les ramassa.

Deux secondes plus tard, ils étaient à l'intérieur. Trace claqua la porte, laissant au-dehors le vent et la pluie. Après avoir débranché l'alarme, il alluma la lumière.

— Qu'est-ce qui ne va pas ?

Il pivota sur lui-même et la prit par les épaules, et des yeux, il la détailla avec intensité. Des rides d'inquiétude s'imprimèrent sur son front et il serra les mâchoires.

— Es-tu blessée ?

Elle secoua la tête. Ses dents claquaient.

— Viens, dit Trace en l'entraînant par la main le long du couloir.

— Non !

Elle lui arracha sa main et fit glisser son manteau de ses épaules avant de le lui tendre.

— Je ne peux pas. Je... je suis toute mouillée.

— Enfin, Becca !

Il jeta le vêtement sur le sol.

— Ne discute pas avec moi.

Lorsqu'il la souleva entre ses bras et l'emporta, elle étouffa une exclamation et, pendant une folle minute, elle crut qu'il l'emportait dans sa chambre. A cette pensée, son cœur fit un bond dans sa poitrine et un mélange d'excitation et de terreur s'empara d'elle. Pourtant, Trace se contenta de l'emmener dans la petite salle de bains d'invités, referma le couvercle des toilettes et l'y assit avec délicatesse.

Ouvrant un placard, il en sortit une pile de serviettes et les posa sur la tablette de granit brun. Ensuite, il la débarrassa de son vêtement trempé et l'interrogea, l'air inquiet :

— Il y a longtemps que tu étais là ?

Frissonnante, les bras serrés sur la poitrine, Becca sentait encore les gouttes de pluie glisser le long de son visage et de son cou.

Dieu, quelle parfaite idiote elle était, songea-t-elle, atterrée. Elle se força néanmoins à répondre.

— Pas très longtemps, non.

Trace lui drapa une grande et moelleuse serviette blanche autour des épaules et épongea les gouttelettes au bout de ses cheveux.

— Tu es trempée jusqu'aux os, marmonna-t-il.

— Je… j'étais sur le point de m'en aller.

Cela ne ressemblait pas vraiment à une réponse, songea-t-elle, mais c'était le mieux qu'elle pouvait faire en de telles circonstances.

Incapable d'empêcher ses mains de trembler, elle agrippa les deux extrémités de la serviette et la serra plus étroitement autour de ses épaules. Elle avait froid… si froid ! Les mains de Trace lui frottèrent sans ménagement le dos et les épaules. Des mains fortes et chaudes, se dit-elle, et elle se souvint des sensations qu'elles lui avaient procurées en d'autres temps lorsqu'elles avaient couru sur sa peau nue. De minuscules décharges électriques la traversèrent, augmentant sa perception aiguë de sa présence, de l'attention qu'il lui portait. Quand les mains de Trace se firent plus douces et plus lentes sur elle, Becca comprit qu'il ressentait la même chose.

Il s'agenouilla devant elle, lui releva le menton et lui épongea avec douceur le front et les joues. Trop embarrassée pour oser même le regarder, elle baissa les yeux.

— Que diable faisais-tu là ? demanda-t-il d'une voix redevenue calme.

— Je t'attendais.

Il se figea. Les mots restèrent comme suspendus entre eux pendant quelques secondes.

— Je t'ai aperçu au restaurant, dit Becca d'un ton embarrassé.

— Moi aussi, je t'ai vue. En fait, j'ai l'impression que tous les hommes présents t'ont remarquée.

Il posa la serviette et, doucement, fit glisser un doigt le long de sa joue.

— Mais cela ne répond pas à ma question.

Au délicat contact du doigt sur sa peau, Becca frémit. Son cerveau lui criait de mentir, d'inventer quelque chose, n'importe quoi, de manière à s'en aller d'ici avec un minimum de dignité.

Mais quelque chose en elle se débloqua. Plus de mensonges, décida-t-elle, et, lentement, elle releva les yeux vers ceux de Trace.

— Tu sais très bien pourquoi je suis ici.

Les yeux de Trace devinrent aussi obscurs qu'une forêt à minuit et ses lèvres se serrèrent, jusqu'à ne plus former qu'une mince ligne. Becca sentit passer la tension de son corps vers le sien et s'enrouler autour d'elle, la serrer, la brûler.

— Et Reed ? demanda Trace.

Elle ferma les yeux, aspira une profonde bouffée d'air pour se donner du courage.

— Ce n'était pas honnête, avoua-t-elle à voix basse. Je veux dire… d'être avec lui alors que je ne pensais qu'à toi.

Trace lui repoussa ses cheveux mouillés derrière les oreilles et, lentement, fit descendre les mains le long de son cou.

— Becca, ouvre les yeux, dit-il d'une voix rauque.

Elle obéit et son cœur battit la chamade en apercevant son propre reflet dans les pupilles rétrécies. L'intensité de ses sentiments l'effraya. Lentement, elle leva une main qui tremblait et posa le bout des doigts sur la joue tiède.

117

L'attente de la montée du désir pour un homme — cet homme-là, précisément — de vouloir qu'il lui fasse l'amour était presque plus qu'elle n'en pouvait supporter.

Ses doigts descendirent le long de la joue de Trace, effleurant les petits poils de barbe. Des ondes de plaisir la parcoururent. Elle lui toucha la mâchoire, le menton, puis remonta vers ses lèvres et les sentit se raidir à son contact. Alors il lui saisit le poignet.

— Trace, chuchota-t-elle.

D'entendre son prénom prononcé par les lèvres mêmes de Becca arrêta presque les battements du cœur de ce dernier. Le désir qu'il lisait dans ses doux yeux bruns le fit repartir. Le douloureux besoin d'elle qui s'était peu à peu répandu dans tout son être reprit une existence propre, devint quelque chose de vivant, une sauvage et primitive créature dont il avait trop longtemps nié l'existence.

Mais plus ce soir. Plus ici, plus maintenant, se jura-t-il.

Les yeux étincelant de passion, lèvres entrouvertes, Becca attendait. Trace l'attira vers lui, respira son doux parfum, mélange de pluie et de fleurs et d'une odeur qui n'appartenait qu'à elle seule.

Il enfonça ses mains dans les cheveux mouillés et lui renversa la tête en arrière. Le regard toujours rivé au sien, il abaissa lentement sa bouche vers elle.

Les mains de Becca remontèrent sur sa poitrine puis elle lui noua les bras autour du cou.

Leurs lèvres se rencontrèrent, d'abord avec délicatesse, avant que, d'un seul coup, Trace presse durement sa bouche contre celle de Becca qu'il dévora, s'insinuant au plus profond, au plus intime d'elle. La langue de Becca rencontra celle de Trace et se plia au rythme qu'il lui imposait. Elle émit un son, un doux soupir qui traduisait son désir. Trace s'écarta et baissa les yeux sur elle.

La passion lui rosissait les joues, et ses lèvres étaient humides et enflées par son baiser.

Dieu qu'elle était belle, songea-t-il, enivré.

Elle avait apporté la tempête en lui. Il la ressentait, elle faisait rage ici, dans cette pièce, mais surtout dans son corps et dans son sang. Elle écumait, elle cognait dur. Cette fureur, il y avait cinq ans qu'elle attendait de se déchaîner et maintenant qu'elle était là, elle ne pouvait pas, ne voulait plus être endiguée.

Tu m'appartiens, songea-t-il.

Ne serait-ce que pour cet instant, pour une nuit, elle allait être sienne.

— Embrasse-moi, Trace, souffla Becca contre son cou. Embrasse-moi, je t'en supplie.

Elle n'eut pas besoin de le demander deux fois.

A la seconde où il s'empara de nouveau de sa bouche, Trace entendit le gémissement étouffé qui s'échappait de sa gorge. Becca s'accrocha à lui et lui rendit son baiser avec une passion qui leur était à tous deux déjà si familière. Si naturelle… Ses doux seins pressés contre son torse donnaient à Trace l'impression que son sang coulait plus vite dans ses veines, que son cœur battait à se rompre. Sa faim d'elle se referma sur lui comme un poing. Il eut envie de la prendre là, dans le couloir, sur le sol, n'importe où, aussi longtemps qu'il pourrait se perdre dans son corps et soulager le désir presque douloureux qu'il avait d'elle.

Malgré tout, il parvint à se contrôler, et, la prenant par la main, il la conduisit jusqu'à la chambre à coucher, jusqu'au lit baigné par la lumière venue du corridor.

Tout en la couvrant d'un regard brûlant, il se pressa contre elle, et la vit lever vers lui de grands yeux écarquillés. Trace vit l'hésitation pointer dans son regard, mais il ne voulait en aucun cas lui demander si elle était sûre de ce qu'elle faisait. Il n'était pas question de lui laisser la moindre opportunité de le fuir encore une fois.

Alors, il reprit sa bouche et lui donna un baiser très long et très appuyé jusqu'au moment où il la sentit vaciller contre lui.

Il passa la main dans le dos de sa robe pour faire descendre la fermeture puis, glissant les doigts sous le vêtement trempé, l'écarta de ses épaules et le laissa choir sur le sol.

Ensuite, il recula d'un pas.

Il voulait, il désirait la contempler et, devant l'exquis spectacle, son pouls s'emballa. Les seins de Becca, nichés dans la dentelle noire, étaient ronds et pleins, sa peau lisse et crémeuse. Un souffle de dentelle noire s'étirait entre ses hanches minces et son ventre plat. Quand il posa les lèvres sur son épaule fraîche, il la sentit frissonner, et fut aussitôt envahi par une délicieuse sensation qui semblait remonter du tréfonds de sa mémoire. Une sensation qu'il n'avait jamais oubliée. Non seulement elle avait une odeur de pluie, songea-t-il, mais elle en avait aussi le goût.

Il l'entendit geindre doucement, lui demander de se hâter mais, en dépit du désir qui le tenaillait, il ressentait encore le besoin de la toucher un peu partout, de refaire connaissance avec chaque parcelle de son corps.

Le désir courait à travers Becca comme une rivière en furie. Quand Trace posa la bouche sur son ventre, elle se mordilla la lèvre et s'inclina vers lui, les mains enfouies dans ses épais cheveux mouillés. Quand il recouvrit de ses mains ses seins gonflés et tendus, elle laissa fuser un lent et profond soupir. Les doigts de Trace pétrirent les pointes durcies des mamelons et une sensation de plaisir, aiguë et proche de la douleur, parcourut tout son corps. Il dégrafa son soutien-gorge et sa bouche prit la place de ses doigts pour mieux la savourer.

Le monde de Becca se mit à tournoyer comme dans un grand vertige. Jamais aucun homme ne lui avait fait ressentir de telles sensations, aucun autre homme ne le pourrait jamais. A cette pensée, la peur l'envahit, mais elle était déjà perdue et elle ne pouvait plus rien faire. Elle n'avait plus aucun lieu où se réfugier. Les sensations se succédaient, la harcelaient. Les mains rudes de Trace sur sa peau, sa bouche brûlante sur ses seins, la ligne dure de son sexe pressé contre elle...

Sa bouche et sa langue laissaient une trace humide sur ses seins et son ventre. Lorsqu'il glissa les doigts sous l'élastique qui enserrait ses hanches et fit descendre la culotte de dentelle noire, une sensation de chaleur monta entre les jambes de Becca. Elle était là maintenant, nue devant lui, tremblant non de froid mais de désir. Elle lui enfonça les ongles dans les épaules. De la langue et des dents, Trace écarta le soutien-gorge et lui mordilla le sein. Elle gémit et se cambra vers lui, offerte.

Ils tombèrent sur le lit, comme un seul corps.

Becca se mit en devoir de lui déboutonner le haut de sa chemise. Elle poursuivit lentement son œuvre jusqu'à la ceinture du pantalon avant de revenir en arrière et de caresser le ventre plat et ferme et les muscles larges de son dos. Trace avait un corps dur comme l'acier, robuste, puissant. Rude. De réaliser enfin qu'il lui appartenait lui donna le vertige. Elle pressa les lèvres sur son torse, fit courir sa langue sur la peau brûlante et sa saveur masculine et salée l'excita encore davantage.

Elle força son esprit à se concentrer pour donner plus de plaisir que d'en recevoir, mais ils étaient trop mêlés l'un à l'autre. Il lui fut impossible d'arrêter le feu qui ravageait son sang. Trace frémit lorsque, avec lenteur, elle fit courir ses doigts sur chacune de ses côtes, puis entreprit de déboutonner son pantalon. Mais lorsque sa main effleura son sexe durci à travers l'étoffe, Trace poussa un grognement et soudain, ce fut Becca qui se retrouva étendue sur le dos. Elle eut à peine le temps de reprendre sa respiration que déjà, il s'était déshabillé et se tenait, nu, splendide, devant elle.

A sa vue, le cœur de Becca se mit à battre furieusement dans sa poitrine. Trace se plaça au-dessus d'elle, et fit glisser ses mains le long de ses jambes, jusqu'en haut de ses cuisses. Puis ses lèvres suivirent la route ouverte par ses doigts, et il fit pleuvoir des petits baisers sur sa peau brûlante, jusqu'à ce qu'elle se torde avec frénésie sous lui.

La bouche de Trace poursuivit sa lente remontée, goûtant la courbe de la hanche, le creux de l'estomac, le dessous du sein. Becca se mordit la lèvre pour se retenir de crier mais, lorsqu'il plaqua sa bouche sur le bourgeon durci de son sein, elle laissa fuser une plainte et se cambra, dominée par la satisfaction intense qui l'inondait. La langue de Trace était chaude et mouillée quand il la prit dans sa bouche, se repaissant d'elle avec avidité. Une onde de plaisir gagna le corps tout entier de Becca, et s'intensifia encore lorsque Trace laissa une main redescendre le long de son corps vibrant, avant de glisser la main entre ses cuisses, pour la caresser en douceur, tout en continuant de couvrir sa poitrine de baisers brûlants.

C'était plus qu'elle n'en pouvait supporter.

Becca se plaqua contre lui et ses doigts s'enfoncèrent dans ses épaules.

— Trace, maintenant ! Je t'en prie ! supplia-t-elle.

Il n'eut pas besoin d'un autre encouragement. Il s'allongea sur elle et entra en elle d'un mouvement rapide et sûr. Becca l'accueillit avec un gémissement, qui se transforma en pur cri de plaisir lorsqu'il entama un lent mouvement de va-et-vient. Haletante, elle referma étroitement les jambes autour de lui pour le sentir encore plus proche.

Dans la lueur aveuglante des éclairs qui illuminaient par à-coups la chambre, elle aperçut l'expression farouche et sauvage du visage de Trace pendant qu'il allait et venait en elle. Alors, une envie de lui, frénétique, urgente, s'empara d'elle. Les bras serrés autour de son cou, elle se pressa encore un peu plus contre lui, ondulant, gémissant, accompagnant chacun de ses mouvements, submergée par un flot de sensations inouïes.

L'orgasme la frappa telle une explosion et sous sa puissance insensée, elle sentit tout son corps s'arc-bouter. De longs frissons la secouèrent, et quand, l'instant d'après, Trace vint en elle avec un long râle, Becca s'accrocha à lui pour chevaucher en même temps que lui les vagues furieuses de leur plaisir.

Quand il se laissa retomber sur elle, Trace était hors d'haleine et son cœur cognait lourdement. Becca poussa un soupir et lui passa les bras autour du cou.

Un long moment s'écoula avant que l'un des deux ne bouge. Le bruit de la pluie qui battait le toit, drue et régulière, parvint à Trace, mais il eut l'impression que le tonnerre et les éclairs s'étaient éloignés.

Il avait encore un certain mal à assimiler ce qui venait de se passer, depuis le moment où il avait aperçu

Reed et Becca au restaurant, jusqu'à cet instant où il avait vu celle-ci en haut de l'escalier et celui où elle était maintenant étendue dans son lit.

Puis tout lui revint d'un seul coup. Il n'y avait plus qu'elle maintenant, allongée, nue sous lui.

La sensation de son long corps svelte lui apporta une sensation très masculine de primitive satisfaction physique. Il l'avait désirée et il l'avait prise. De savoir qu'elle aussi l'avait désiré, renforçait encore cette impression.

Pour ne pas rompre le contact étroit de leurs deux corps, il se souleva légèrement sur les coudes et la contempla. Une brume de désir s'attardait encore dans ses yeux, mais il y lut aussi la confusion et... le désespoir.

— Je n'ai pas voulu cela, murmura-t-elle.

Un élan d'irritation traversa Trace. A d'autres, oui ! songea-t-il.

— Que voulais-tu, alors ? Me duper ?

Quand elle se raidit sous lui, il maudit son impair puis il poussa un soupir et lui baisa les lèvres avec douceur.

— Les regrets, c'est pour le matin, Becca, dit-il. Garde-les jusque-là.

Fermant les yeux, elle hocha la tête.

Son cœur battait, régulier, et Trace voyait sa poitrine se soulever et retomber à chaque souffle.

126

Après l'amour, elle avait la peau tiède et encore légèrement humide de transpiration.

Trace craignait encore un peu de se réveiller et de réaliser qu'il avait rêvé. Peut-être s'était-il cogné la tête lorsqu'il avait heurté ce rocher et que rien de tout ceci n'était arrivé ? Il était peut-être encore assis inconscient, sur le siège avant de sa voiture, là-bas sur l'autoroute…

Il lui effleura les lèvres et lui mordilla le coin de la bouche jusqu'au moment où il la sentit se détendre. Non, songea-t-il, elle avait un goût de réel, et, quand les mains de Becca remontèrent le long de son dos, il comprit qu'il n'avait pas rêvé.

— Il faudrait que je m'en aille, dit-elle avec un profond soupir.

— Tu vas rester là cette nuit.

Il se pencha et lui saisit le lobe de l'oreille entre ses dents.

Becca secoua la tête.

— Tu sais bien que c'est impossible.

— Je sais que tu le peux et tu le feras.

Sa langue s'insinua à l'intérieur de son oreille et il la sentit frissonner.

— Non…

Il descendit le long de son cou et elle retint sa respiration.

— Ma mère va s'inquiéter si je ne rentre pas à la maison.

Et elle voudra savoir où tu étais, pensa-t-il. Ou, pour être plus précis, avec *qui*.

Une fois de plus, le passé revenait en force. Une fois de plus, il le repoussa.

— Tu es une grande fille, Becca. Elle ne s'inquiétera pas si tu l'appelles et si tu lui laisses un message pour lui dire que tu ne rentreras pas.

— Non, je…

— Si.

Il égrena des baisers sur sa clavicule puis plus bas et câlina la douce rondeur de son sein. Becca se mordit la lèvre et se cambra. Ses mains s'enfoncèrent dans les cheveux de Trace.

— Oui, soupira-t-elle enfin, avant de retenir brusquement sa respiration quand il descendit plus bas. Oui…

L'aube pointait à peine lorsque Trace s'éveilla. A un moment donné de la nuit, la tempête s'était éloignée et le seul bruit qui rompait la quiétude du moment était celui régulier de l'eau qui s'écoulait des gouttières à l'extérieur de sa fenêtre.

Une sensation de profonde satisfaction s'était

installée dans son corps, et lui donnait une curieuse impression de pesanteur.

Avec effort, il fit glisser sa main sur les draps tièdes. La place à côté de lui était vide et froide et un sentiment de déception s'abattit sur lui.

Pendant un bref moment il s'était imaginé que les événements de la nuit s'étaient vraiment passés. Ce ne serait du reste pas la première fois qu'il aurait rêvé de faire l'amour à Becca, même s'il avait cru, cette fois-ci, que c'était la pure réalité, se lamenta-t-il en enfouissant la tête dans l'oreiller.

Non, non, ce n'était pas un rêve, se dit-il, en respirant son doux parfum. Dieu merci, elle avait bien été là, la nuit dernière. Dans son lit, nue, aussi tendue et éperdue de désir pour lui qu'il l'avait été pour elle.

Mais où était-elle, maintenant ?

Inquiet, il ouvrit les yeux et son regard fit le tour de la pièce. Aucun signe d'elle. Puis, il s'aperçut que ses vêtements avaient disparu, et son expression déjà morose s'assombrit encore. Etait-elle partie ?

C'est alors que l'arôme du café flotta jusqu'à ses narines et, tel un chant de sirène, le tira hors du lit. Enfilant son jean, il se passa une main dans les cheveux et se dirigea vers la cuisine.

Becca était debout devant l'évier et le cœur de Trace fit un bond dans sa poitrine en l'apercevant.

Elle paraissait plongée dans ses pensées, le regard fixé vers l'extérieur, de l'autre côté de la fenêtre. Manches roulées jusqu'au coude, elle avait enfilé la chemise bleu pâle que Trace avait portée le soir précédent. Le bas du vêtement effleurait ses cuisses nues et crémeuses et révélait ses longues jambes fuselées.

Parce qu'il avait besoin d'une petite minute avant de trouver ses mots et parce qu'il avait besoin de quelque chose pour le soutenir, Trace s'appuya au chambranle de la porte et l'observa.

Ses cheveux, une somptueuse masse de vagues d'un châtain cendré, dégringolaient sur la douce courbe de ses épaules. Elle avait toujours détesté la pluie, se rappela-t-il, parce qu'elle lui faisait friser les cheveux.

Pourtant, c'était bien là qu'il l'avait retrouvée hier soir. Debout sous la pluie. L'attendant, lui.

Dire qu'il avait failli ne pas rentrer du tout ! Il serait maintenant à San Francisco si sa voiture n'avait pas heurté ce rocher ! Il n'aurait sûrement pas imaginé devoir se réjouir d'avoir détruit son pare-chocs et pourtant, c'était la vérité. Il aurait pu aussi bien faire son deuil de la voiture tout entière, à la seule condition qu'elle le ramène ici.

La nuit dernière, tout ce qui lui avait importé était de faire l'amour à Becca. Il réalisa, en regardant la

130

femme qui se tenait dans sa cuisine, que l'unique pensée qu'il avait encore en tête juste à cet instant était de lui faire une nouvelle fois l'amour.

Il alla se poster derrière elle et lui enlaça la taille avant de l'attirer tout contre lui. Sachant qu'elle était nue sous la chemise, il eut l'impression que son sang bouillait de nouveau.

— Ma chemise ne m'a jamais fait un tel effet, lui murmura-t-il à l'oreille.

Une rougeur empourpra les joues de Becca.

— J'ai mis mes vêtements mouillés dans le séchoir, dit-elle. J'espère que ça ira ?

— C'est parfait.

Il savait qu'elle s'éloignait de lui. Il pouvait l'entendre au son plus réservé de sa voix, il le sentait dans son corps. Une part de lui-même avait envie de savoir ce qu'elle pensait, l'autre non, et s'effrayait à l'idée de la voir se détourner tout à fait s'il posait la question.

— J'ai aussi fait du café, dit-elle d'un ton neutre. Tu en veux une tasse ?

Elle commença à s'écarter de lui mais il resserra son étreinte.

— Le café peut attendre. Avant, j'ai besoin de faire ça.

Il lui mordilla le lobe de l'oreille puis, les doigts écartés dans ses cheveux, les releva pour exposer sa nuque. Il l'entendit retenir son souffle et frissonner entre ses bras lorsqu'il abaissa sa bouche vers elle et la couvrit d'une myriade de baisers.

Une de ses mains se glissa sous le tissu de coton, effleurant la courbe des hanches et sa chute de reins. Sa peau était tiède et veloutée, aussi douce que des pétales de roses, songea-t-il. Il perçut le mouvement plus rapide de son pouls et de sa respiration, qui semblaient se régler sur les siens, ou plutôt se dérégler…

Aussi, quand sa main remonta et lui emprisonna un sein, elle gémit et renversa la tête contre sa poitrine.

Avec délicatesse, Trace pétrit la chair si douce entre ses doigts et, à son contact, les mamelons se durcirent. Becca se cambra, se pressa contre lui et Trace eut l'impression que chaque goutte de sang que contenait son corps descendait au-dessous de sa ceinture. Sa main descendit lentement entre les cuisses de Becca et s'insinua en elle.

Elle était prête pour lui comme il l'était pour elle.

Sans cesser de l'embrasser, il poursuivit sa caresse, allant et venant sans cesse. Haletante, elle s'accrocha à ses hanches et tenta de se retourner vers lui. Mais l'orgasme la frappa et elle laissa échapper un cri tandis que, tout contre lui, de longs frissons secouaient son corps tout entier.

Alors, Trace la fit pivoter vers lui, se débarrassa à la hâte de son jean, puis, les mains posées sous ses fesses, la souleva. Bras et jambes enroulés autour de lui, Becca se hissa vers lui. Trace poussa un gémissement lorsqu'elle s'empala sur toute la longueur de son sexe. Enivré de plaisir, il la pénétra, à coups rapides et durs, jusqu'au moment où la folle volupté le submergea à son tour.

Becca gisait entre les bras de Trace, la tête posée contre son large torse, attendant de recouvrer ses sens. Par-delà le souvenir voilé des heures de passion qu'ils venaient de partager, la conscience de ce qui les entourait lui revint peu à peu. Elle entendit le bourdonnement lointain d'un tracteur, puis l'aboiement d'un chien. Elle perçut les battements réguliers du cœur de Trace et la tiédeur de sa peau nue contre la sienne.

Elle avait perdu toute perception du temps et du lieu. Elle ne savait même plus comment et quand ils avaient échoué sur le lit. Elle jeta un coup d'œil à la pendulette sur la table de chevet et, stupéfaite, constata qu'il était près de 8 heures. Elle avait l'impression qu'il s'était seulement écoulé quelques minutes depuis l'instant où elle s'était tenue debout devant l'évier de la cuisine, à se préparer à affronter Trace, à essayer d'adopter une contenance dégagée et naturelle, alors qu'ils venaient tout juste de passer la nuit à faire l'amour.

Mais quand il l'avait touchée, une fois de plus, son corps l'avait trahie.

Sa soirée avec Reed, la veille, avait tourné au désastre. Elle avait sottement pensé qu'accepter son invitation à dîner l'aiderait à oublier Trace. Malgré tous ses efforts pour rester attentive aux propos de Reed, il n'avait pas fallu longtemps à ce dernier pour se rendre compte que son esprit voguait loin du dîner, loin de lui. Il lui avait fallu encore moins de temps pour deviner à *qui* elle pensait.

En outre, comme si ce n'était pas déjà assez embarrassant, c'était lui qui avait suggéré d'écourter la soirée, avant de mentionner d'un ton négligent qu'il venait de voir Trace quitter le restaurant.

En retournant chez elle au volant de sa voiture, Becca s'était juré qu'elle n'irait pas chez Trace. Ensuite, après avoir fait demi-tour, elle s'était convaincue de ne lui parler qu'une minute, juste pour lui expliquer que se revoir n'était pas une bonne chose pour eux.

Et, pendant tout le temps aussi où elle était restée en haut des marches, elle avait parlementé avec elle-même de l'opportunité de filer pendant qu'il était encore temps.

Pourtant, elle n'en avait rien fait.

Au cours de la nuit, se souvint-elle alors, Trace lui avait dit qu'il valait mieux garder les regrets pour le lendemain matin.

Le matin était là et, étrangement, elle n'en éprouvait aucun. Même si elle en avait le pouvoir, elle ne changerait rien à ce qui s'était passé entre eux. Peu importait désormais ce qui était arrivé, décida-t-elle, car sa mémoire en chérirait toujours chaque minute.

Elle tenta de s'écarter de lui.

— Où penses-tu donc aller comme ça ? demanda soudain Trace.

— Je vais chercher mes affaires.

Mais elle ne résista pas quand il resserra son bras autour d'elle.

— Je les ai jetées, plaisanta-t-il.

La main de Trace lui caressa la hanche.

— Pourquoi ne remets-tu pas ma chemise pour que je puisse te l'enlever encore ?

— Il me semble me rappeler que c'est moi qui l'ai enlevée, répliqua-t-elle d'un ton vif.

— D'accord, alors maintenant, c'est mon tour.

Elle se haussa sur un coude et baissa les yeux vers lui.

— Tu sais que je dois m'en aller, dit-elle d'une voix calme.

Avec un soupir, il laissa retomber sa main.

— Je passerai te chercher ce soir à 19 h 30.

— Trace…

— Rien que pour dîner.

Il lui repoussa les cheveux derrière les épaules.

— Chez Morelli, on fait toujours la meilleure pizza aux pepperoni, tu sais.

L'horrible traître ! songea Becca. Il savait très bien qu'elle ne pourrait jamais résister à une pizza de chez Morelli.

Quel mal d'ailleurs cela pouvait-il faire, après la nuit qu'ils venaient de passer, d'aller manger une pizza avec lui ?

Pourtant, elle avait du mal à se résoudre à dire oui. Pourrait-elle avoir assez confiance en elle désormais pour qu'ils redeviennent proches ?

Il lui était encore très difficile d'en être persuadée.

— Je ferai mon possible, dit-elle.

Ce fut, du moins, la meilleure réponse qu'elle put trouver.

En tout cas, cela lui laissait une porte de sortie si, plus tard, la raison lui revenait.

Trop pudique pour traverser la pièce toute nue devant lui, elle enfila de nouveau la chemise de

Trace et jeta un coup d'œil par-dessus son épaule, et le regard dont il la couvait la confirma dans l'idée qu'elle ferait mieux de s'éclipser au plus vite.

Sinon, elle risquait de se retrouver avec lui entre les draps, à perdre encore la tête et les sens.

7.

Les quelque deux cents mètres carrés de la *Villa Ashton* étaient érigés sur la plus haute colline du domaine, qui s'étendait lui-même sur plusieurs centaines d'hectares. Ses murs de pierre de taille aux tons crème, ses tourelles de brique et ses hautes cheminées paraissaient donner aux invités une impression de bienveillant accueil, et l'intérieur luxueux, avec ses plafonds immenses, ses sols dallés de marbre et ses pièces interminables produisaient une forte impression, même sur le visiteur le plus blasé.

Pour Lilah Ashton, qui avait adoré aider les architectes et les décorateurs à redessiner et à décorer la demeure, sa maison représentait tout. Jusqu'à la mort de son époux, elle avait constitué le centre de sa vie mondaine. Soirées, galas pour collecter des fonds, concerts, tous ces événements au cœur de la *Villa Ashton* étaient devenus légendaires et Lilah s'était épanouie dans l'attention et le respect suscités par son foyer.

Trace, lui, avait toujours considéré les pièces meublées avec élégance ainsi que les jardins plutôt comme un musée que comme une maison. Il en appréciait la beauté et la décoration, mais en tant que lieu de vie, la demeure lui avait toujours paru froide. Il avait, la plupart du temps, préféré de beaucoup la simplicité un peu spartiate de sa chambre à l'université au formalisme glacé de la *Villa Ashton*.

— Je suis si heureuse que tu puisses te joindre à moi pour le petit déjeuner, mon chéri.

Lilah souleva sa tasse de porcelaine blanche et sirota délicatement son mélange préféré de thé orange pekoe et cannelle.

— Je sais à quel point ton programme est chargé, poursuivit-elle, mais je voulais juste te remercier pour hier soir.

Par-dessus sa tasse de café, Trace jeta un coup d'œil circonspect à sa mère. Il était dans les vignes en train d'inspecter une nouvelle section de ceps hybrides lorsqu'elle l'avait fait appeler pour lui demander de la rejoindre sous la véranda.

Sa première pensée avait été que sa mère avait vu Becca quitter la villa au matin mais, Lilah n'étant pas à proprement parler une lève-tôt, il avait vite repoussé cette idée.

Pourtant, il savait qu'elle avait autre chose en tête qu'un simple remerciement pour sa soirée d'anniversaire. Tôt ou tard, elle allait en venir à la véritable raison de sa convocation.

Il espérait juste qu'elle le ferait assez vite.

Lilah désigna de la main un panier rempli de viennoiseries.

— Veux-tu un croissant ?

— J'en ai déjà un, merci.

Sans compter les œufs au bacon et les pommes de terre frites qu'il venait déjà d'avaler, songea-t-il. Il n'avait pas pris conscience qu'il était affamé jusqu'au moment où il s'était assis et que la cuisinière lui avait apporté une assiette. A l'évidence, sa nuit d'amour avec Becca lui avait donné un sacré appétit !

Et pas seulement pour la nourriture...

Il avait du mal, comprit-il, à attendre l'instant où ses mains se poseraient de nouveau sur elle. Il n'en pouvait déjà plus d'attendre de la voir nue sous lui, de l'entendre pousser des plaintes de désir et de passion.

Se rappelant tout à coup que l'instant n'était pas des plus indiqués pour songer à Becca dans le plus simple appareil, Trace tenta de repousser l'image de son esprit.

— T'ai-je dit à quel point j'ai adoré ton cadeau ?

lui demanda Lilah, en ajustant un pan de l'écharpe bleue délicatement nouée autour de son cou.

Plusieurs fois même, pensa Trace, bien décidé cependant à ne pas le lui faire remarquer. Lilah avait l'air distraite ce matin et, sauf erreur de la part de son fils, elle paraissait aussi un peu nerveuse.

— Je suis heureux qu'elle te plaise, maman.

— Quelle agréable soirée nous avons passée.

La main de Lilah tremblait un peu lorsqu'elle porta sa tasse à ses lèvres.

— Et quelle charmante attention de la part de Stephen de se joindre à nous !

Trace ne put retenir un petit sourire ironique.

Ainsi, voilà à quoi rimait ce petit déjeuner ? Stephen ! Si Trace n'avait pas eu l'esprit aussi consumé par le souvenir de sa nuit avec Becca, il l'aurait compris beaucoup plus tôt.

— Très gentil à lui, admit-il, la main tendue vers le pot de café.

— Oh, laisse-moi faire cela, mon cher.

Lilah le servit et, d'un geste inquiet, resserra de nouveau l'écharpe autour de son cou en le regardant soulever sa tasse.

— Alors, qu'en penses-tu ?

— Très bon, ce café.

Elle fronça les sourcils.

— Tu sais parfaitement ce que je veux dire.

— En fait, maman…

Trace posa sa tasse.

— Pas vraiment, mais je sais que, d'une façon très détournée, tu es en train de me demander si j'approuve que toi et Stephen sortiez ensemble.

— Je ne dirais pas exactement que nous sortons ensemble, corrigea-t-elle, rougissante. Il ne s'agit que d'un ou deux dîners. Pour parler affaires, bien entendu. Cependant, il m'a manifesté de l'intérêt, à un niveau… disons… plus personnel.

Trace n'était pas très sûr de ce qu'elle entendait par « personnel ». Tout ce qu'il savait, c'était que cette conversation commençait à lui paraître assez désagréable. Il existait certaines choses dont les enfants n'aimaient pas avoir à discuter avec leurs parents.

— Si tu as envie de sortir avec Stephen, maman, tu devrais le faire, dit-il.

Lilah fixa son thé.

— Il y a à peine sept mois que ton père a été tué. Tu sais ce qu'on dira ?

Trace haussa un sourcil.

— Depuis quand Lilah Ashton se soucie-t-elle du qu'en-dira-t-on ?

— Je ne crois pas que cela me soit déjà arrivé, reconnut-elle en haussant les épaules. En fait, je crois être plus inquiète pour Stephen que pour moi-même.

Il y a longtemps que j'ai appris à ignorer et à laisser de côté les commérages, mais Stephen, eh bien, est un homme très honorable. Je détesterais être une cause de problèmes pour lui parce que, voyons les choses en face, le scandale va de pair avec le nom des Ashton.

Comme c'était vrai, songea Trace, mais quand même, voir sa mère manifester autant de souci pour quelqu'un d'autre que sa petite personne était la marque d'un changement inouï.

— Je doute qu'il existe un être au monde en dehors de la famille qui sache mieux cela que Stephen, répondit-il. Il pourra très bien se débrouiller.

— J'aimais ton père de tout mon cœur, tu sais.

Lilah baissa les yeux et poussa un soupir.

— Mais je comprends maintenant à quel point cet amour était égoïste et possessif. Je savais qu'il voyait d'autres femmes, mais j'avais ma maison et mes enfants et tout ce que l'argent pouvait acheter. Dans mon esprit, c'était tout ce dont j'avais besoin.

— Et maintenant ? demanda Trace.

— Et maintenant, je sais que ce n'est pas vrai.

Trace étudia le visage de sa mère et comprit qu'elle était sincère.

— Tu l'aimes vraiment beaucoup, n'est-ce pas ?

Une fois de plus, le rouge lui monta aux joues.

— Il n'y a pas beaucoup de gens qui se voient

143

offrir une seconde chance dans la vie. J'ai tellement peur de tout gâcher.

— Cela n'arrivera pas.

Il posa la main sur celle de Lilah.

— En tout cas, même si tu peux fort bien t'en passer, je te donne mon autorisation officielle de sortir avec Stephen.

Lilah baissa de nouveau les yeux.

— Stephen a une conférence ce soir à San Francisco. Il m'a demandé de l'accompagner.

Trace hocha la tête.

— Parfait.

— Je pensais… nous pensions… ne revenir que demain matin.

Mal à l'aise, Trace se tortilla sur sa chaise. Que sa mère lui demande ce qu'il pensait de Stephen était une chose, mais qu'elle ne se mette pas à lui donner des détails sur leur relation… C'était vraiment la dernière chose dont il voulait discuter avec elle ! Trace souleva son verre d'eau et but une longue gorgée pour éclaircir sa gorge desséchée. Que diable était-il censé répondre ? Pourtant, il voyait bien qu'elle attendait avec angoisse son approbation.

— Entendu, dit-il enfin. Amusez-vous bien.

La tension des épaules de Lilah se relâcha et des larmes lui emplirent les yeux. Elle tendit la main et posa sa paume sur la joue de son fils.

— Je ne te mérite pas.

La profondeur de l'émotion dans la voix de sa mère ainsi que sa caresse le surprirent et l'embarrassèrent. Il ne parvenait même pas à se rappeler un moment où elle s'était sincèrement ouverte de ses sentiments, et il n'était pas tout à fait certain de la manière de réagir.

— Maman…

— Tu n'as pas besoin de dire quoi que ce soit, chéri.

Lilah sourit et lui tapota la joue.

— Je ne te parlerai même pas de la femme que j'ai vue quitter ton appartement ce matin.

Le sang déserta le visage de Trace. Tonnerre ! Elle avait bel et bien vu Becca s'éclipser !

— Excusez-moi, madame Spencer.

Irena, la gouvernante, se tenait à l'entrée de la véranda. Avec son chignon de ternes cheveux châtains, ses traits empreints de stoïcisme et son uniforme gris, elle avait l'air d'une petite souris, mais tous ceux qui vivaient et travaillaient sur le domaine savaient bien qu'Irena Hunter était une force avec laquelle il fallait compter.

En son for intérieur, Trace lui fut reconnaissant de l'avoir sauvé d'une situation embarrassante avec sa mère.

— Qu'y a-t-il, Irena ? s'enquit Lilah.

— M. Cassidy est au téléphone. Dois-je prendre le message ?

Le plaisir illumina d'un seul coup le visage de Lilah. Elle commença à se lever puis, jetant un coup d'œil à Trace, se rassit.

— Demandez à M. Cassidy si je peux le rappeler, voulez-vous ?

— Vas-y donc, maman !

Trace avala le reste de son café et se leva.

— Je dois aller travailler, de toute manière.

— Tu en es sûr ?

— Certain.

Il embrassa sa mère sur la joue.

— Et salue Stephen pour moi.

Tout sourire, Lilah se précipita hors de la pièce. Trace resta un très long moment les yeux fixés sur la porte par où elle avait disparu. Avait-elle compris que c'était Becca qu'elle avait vue quittant son appartement ?

Et cela avait-il la moindre importance, après tout ?

Pas la moindre, conclut-il.

Quand, cinq ans auparavant, Becca avait rompu leurs fiançailles, sa mère avait pleuré et s'était emportée parce que Becca avait brisé le cœur de son fils. A son grand déplaisir, elle l'avait harcelé pendant des mois et essayé de le pousser dans les bras

146

de toutes les jeunes filles de bonne famille encore libres de la Napa Valley. Il avait fait une tentative en sortant avec deux d'entre elles, mais aucune ne l'avait vraiment intéressé.

Et à présent, Becca lui était revenue, ne fût-ce que pour un temps. Et soudain, il comprit qu'il avait fait fausse route. Il avait voulu se persuader qu'il ne voulait d'elle que dans son lit, pour s'efforcer de ne plus l'avoir dans la peau.

Il s'était trompé sur toute la ligne.

En fait, se dit-il, il ne savait même plus ce qu'il souhaitait vraiment.

Il ne s'agissait que d'un dîner, se dit Becca sur le trottoir devant chez Morelli. Une bouchée ou deux en vitesse, un peu de conversation. Rien de formel ni d'original, juste deux parts de pizza. Ce soir elle rentrerait et se coucherait tôt.

Et seule.

Toute la journée, elle avait été à peine capable de travailler. Comment l'aurait-elle pu alors qu'elle ne cessait de penser à Trace ? Encore et encore, elle ne cessait de repasser la dernière nuit en esprit. Chaque baiser passionné, chaque ardent soupir, chaque caresse qui l'avait bouleversée jusqu'à l'âme. Même maintenant, debout dans l'air frais du soir, le souvenir l'emplissait d'une délicieuse sensation de chaleur qui irradiait dans tout son corps.

Forçant son cerveau à retourner à l'instant présent, elle aspira une profonde bouffée d'air et pénétra dans la pizzeria noire de monde.

Rien n'avait changé depuis la dernière fois. Toujours le même vinyl rouge, les mêmes box chromés. Le même mur décoré d'un poster représentant le vignoble italien. Le même arôme d'herbes et de sauce tomate qui vous faisait venir l'eau à la bouche.

Et le même Trace, dans ce même box où ils avaient l'habitude de s'installer.

Alors, quand il leva les yeux vers elle et lui sourit, elle sentit son cœur chanceler.

Il fallait qu'elle se reprenne ! se réprimanda-t-elle.

Redressant les épaules, elle se dirigea vers lui, heureuse que les autres dîneurs soient très occupés à manger et à regarder le match de football du lundi soir sur le poste de télévision placé en hauteur.

Nerveuse comme une jeune fille à un bal de débutantes, presque intimidée, elle se glissa en face de lui dans le box. Quand leurs genoux se heurtèrent, elle éloigna vite ses jambes dans l'autre sens. S'il le remarqua, il ne fit aucun commentaire.

— Salut ! fit-elle d'un ton qu'elle espérait désinvolte.

Becca cherchait à ajouter quelque chose de plus intelligent, lorsque Trace se leva, se glissa sur la banquette à côté d'elle et l'embrassa sur la bouche. L'esprit vide, elle le laissa faire, puis le vit s'écarter et regagner sa place de l'autre côté de la table. Stupéfaite, elle se contenta de le fixer.

— J'ai pensé à ça toute la journée, dit Trace.

Il prit une gorgée de la bière placée devant lui.

— Je n'arrivais pas à m'en débarrasser.

Allait-elle donc toujours perdre les pédales avec lui ? se demanda-t-elle. Un simple baiser et soudain, elle était incapable de penser, de respirer ? Était-elle à ce point dépourvue de défenses dès qu'il s'agissait de Trace ?

Comme cette pensée l'ennuyait, elle redressa le menton et croisa son regard.

— Je ne dormirai pas avec toi ce soir, Trace.

Devant la surprise qui s'affichait sur son visage, Becca ne put s'empêcher de ressentir un brin de satisfaction.

— J'ai simplement pensé que je devais prendre du champ, dit-elle d'un ton placide.

Il lui décocha un large sourire.

— Pourrais-tu au moins me ramener chez moi ? Je viens de laisser ma voiture au garage pour faire remplacer le pare-chocs.

— Je suppose que oui.

Elle se débarrassa de son manteau.

— Si tu sais sauter en marche d'une voiture.

Trace tendit la main à travers la table et le bout de ses doigts effleura les siens.

— Est-ce moi qui te rends nerveuse, Becca ?

Sous la douceur de la caresse, elle tressaillit.

— Oui, murmura-t-elle en se maudissant d'être incapable de lui mentir.

— Bon.

Ça y était, encore une fois ! Au plus léger contact, elle se sentait fondre. Trace faisait bien plus que la rendre nerveuse, songea-t-elle en lui retirant ses mains.

Il la mettait en transes.

— Et une grande pepperoni !

Une petite brune aux cheveux courts, un diamant incrusté dans la narine gauche, fit glisser la pizza sur leur table.

Becca jeta un coup d'œil à Trace. Elle avait pensé avoir réussi à jouer le rôle qu'elle s'était imposé, mais, à l'évidence, il l'avait démasquée. Elle détesta l'idée d'être si prévisible. Pourtant, après la nuit dernière, il était peut-être un peu tard pour jouer les mijaurées ?

— Une boisson ? demanda la serveuse à Becca en découpant deux parts de pizza.

— Un thé glacé, s'il vous plaît.

La pizza sentait aussi bon qu'elle en avait l'air et Becca fut surprise de constater à quel point elle était affamée. Elle s'empara d'une part et mordit dedans à belles dents.

Trace n'avait pas été le seul à lui manquer, se dit-elle avec un petit gémissement de gourmandise satisfaite. Personne ne faisait la pizza comme ça à Los Angeles !

Trace l'imita, avec un petit rire.

— Parle-moi de tes affaires, dit-il.

Becca réfléchit un instant tout en dégustant sa pizza, et décida que le sujet était assez neutre pour être abordé sans danger.

— Il n'y a pas grand-chose à raconter. La première année, j'ai vécu des royalties de mon stock de photos, puis j'ai fini par mettre les pieds dans le plat en faisant de la mise en page photographique pour deux magazines de gastronomie. Il y a six mois, je suis tombée sur la proposition d'un viticulteur de Santa Barbara, ce qui m'a conduite chez Ivy Glen, puis chez Whitestone.

— Et Louret ?

Elle lui décocha un bref coup d'œil avant de boire une gorgée du thé glacé que la serveuse venait de poser sur la table. Ainsi, songea-t-elle, il avait déjà entendu parler de Louret ?

— Je n'ai pas encore d'engagement ferme. Ta...

Elle hésita.

— Euh… Mercedes examine mon projet.

— Tu peux l'appeler ma sœur, dit Trace d'un ton égal. Nous sommes tous tombés d'accord sur le fait que nous avions en commun le sang de notre père. Nous, je devrais plutôt dire nos avocats, s'occupent de tout le reste.

— Tu veux dire qu'ils contestent le testament ? demanda Becca.

Puis elle se mordit la lèvre.

— Excuse-moi. Cela ne me regarde pas.

Trace sourit.

— Ce n'est pas un secret. Les rejetons de mon père, comme ses biens, sont aussi nombreux que compliqués. Il va falloir du temps pour mettre un peu d'ordre dans tout ça.

Becca réfléchit avec soin à ce qu'elle allait dire. Certes, elle aurait préféré éviter le sujet de leur passé, pourtant, décida-t-elle, Trace devait savoir que son nom avait été prononcé au cours de son entretien avec Mercedes.

— Elle… ta sœur m'a demandé si ce serait un problème pour moi de travailler pour Louret.

— Pourquoi un problème ?

— Elle savait que nous étions, que nous…

Elle s'en voulut aussitôt. Elle n'arrivait même pas à le dire !

152

Trace termina la phrase à sa place.

— Que nous avions été fiancés ?

Elle hocha la tête.

— Elle s'inquiétait de savoir si je pouvais me sentir mal à l'aise de travailler chez eux.

— Je vois.

L'air indifférent, Trace se renversa en arrière sur son siège.

— Alors ? Qu'as-tu répondu ?

— Que, quelles qu'aient été mes relations avec toi, cela n'affecterait en rien mon travail.

Trace reprit sa bière et en but une gorgée.

— Et alors, tu me demandes si ça m'ennuie ?

— Je ne te demande rien, dit-elle.

Becca se raidit un peu puis elle se demanda si elle avait vraiment désiré savoir quelle serait la réaction de Trace lorsqu'il apprendrait qu'on venait de lui offrir une possibilité de travailler pour Louret.

— J'ai juste pensé, étant donné la situation, que tu devais être au courant.

Il posa sa bière sur la table avec délicatesse.

— Et quelle est au juste la situation, Becca ?

Zut ! ronchonna-t-elle en son for intérieur. Elle était tombée dans le panneau !

Oh, bien sûr, elle pouvait faire semblant de ne pas avoir compris. Elle pouvait aussi lui répliquer qu'il n'existait aucune « situation », ce qui sous-entendrait que la nuit qu'ils avaient passée ensemble n'avait eu aucune signification pour elle.

Quand le téléphone mobile de Trace se mit à sonner, la sauvant d'une réponse, un intense soulagement l'envahit. D'un air maussade, Trace tira le mobile de sa poche de jean et l'ouvrit.

— Oui, aboya-t-il presque dans l'appareil.

Il écouta puis se redressa d'un seul coup.

— Je suis déjà parti, dit-il.

— Quelque chose ne va pas ? demanda Becca dès qu'il eut raccroché.

— Megan vient de perdre les eaux.

La main de Trace tremblait quand il jeta quelques billets sur la table.

— Nous devons l'emmener à l'hôpital.

L'attente pouvait tuer un homme, remarqua Trace.

Il marchait de long en large à l'extérieur de la salle d'examen où les infirmières avaient transporté Megan sur un chariot et il se demandait comment cinq minutes pouvaient paraître presque aussi longues que cinq heures.

Il y avait eu, depuis leur arrivée, un flot d'activité intense, d'allées et venues autour de cette salle, mais il n'avait aucune idée de la manière dont se

154

passaient les choses à l'intérieur. Il savait seulement que sa sœur était en travail et que, durant les trente dernières minutes, c'est-à-dire depuis le moment où Simon avait déposé Megan dans le salon de manucure, le mari de cette dernière s'était pour ainsi dire volatilisé.

Le son étouffé d'un gémissement lui parvint et Trace eut l'impression que son sang se glaçait dans ses veines.

Dieu merci, se dit-il, Becca était à l'intérieur avec Megan.

Malgré un certain moment de gêne lorsqu'il avait récupéré sa sœur dans le salon, tout avait été très vite oublié lorsque Megan s'était presque pliée en deux sous l'effet d'une contraction. Becca lui avait tenu la main et avait continué à lui parler tant que durait la douleur, puis tout le long du chemin jusqu'à l'hôpital. Pendant tout ce temps, les mains serrées à en faire blanchir ses jointures, Trace gardait les yeux fixés sur la route.

Il ne connaissait rien aux accouchements, ni aux bébés. Il n'avait du reste jamais eu besoin d'y penser et, pour être honnête, tout ce qui s'y rapportait lui faisait une peur bleue. Bien sûr, il avait envisagé d'avoir un jour un ou deux enfants. Après ses sœurs…

Un autre gémissement lui parvint, suivi d'une imprécation. Il s'étonna. Voyons, Megan ne jurait jamais. Elle était toujours parfaitement maîtresse d'elle-même, toujours en pleine possession de ses moyens.

Il enrageait de se sentir aussi impuissant. Et où diable était donc passé Simon ? se demanda-t-il pour la millième fois depuis qu'il était arrivé. Dire que Simon n'avait pas quitté son épouse des yeux au cours des deux dernières semaines, et qu'au moment où on avait besoin de lui, il était introuvable !

Trace avait pensé à appeler Lilah, avant de se souvenir qu'elle était à San Francisco avec Stephen. Le mieux qu'il pouvait faire — et il s'en était aussitôt occupé — était de lui laisser un message sur son portable. Ensuite, il avait tenté sa chance du côté de Paige, mais elle n'avait pas encore rappelé non plus. Tout se passait comme si chaque personne de la famille était tombée quelque part au fond d'un grand trou noir.

Il consulta sa montre. Six minutes venaient à peine de s'écouler.

Et merde !

— Trace !

Il se retourna et aperçut Simon et Paige qui remontaient le couloir à la hâte.

— Où est-elle ? cria Simon d'une voix vrillée par l'inquiétude.

— Numéro 5, jeta Trace.

Simon passa à côté de lui en courant et s'engouffra dans la pièce.

— Où étiez-vous donc passés ? demanda Trace à Paige, non sans une pointe d'irritation.

— J'ai rencontré Simon à la bijouterie. Il voulait faire une surprise à Megan et lui offrir un collier après la naissance du bébé, et il m'a demandé mon avis... Et nous étions dans le magasin, conclut-elle d'une voix malheureuse, quand nous nous sommes tous les deux rendu compte que nos portables étaient éteints

Paige agrippa le bras de Trace.

— Dis-moi juste comment elle va ?

Au même moment, Becca sortit de la salle.

— Elle va bien, répondit-elle pour Trace.

Paige battit des paupières.

— Becca ?

— C'est une longue histoire, intervint Trace d'un ton précipité.

La dernière chose qu'il désirait en cet instant était d'être obligé d'expliquer à sa sœur la présence de Becca à l'hôpital.

— Nous parlerons de ça plus tard, ajouta-t-il.

— J'y compte bien, répliqua Paige.

Son regard alla de Becca à Trace et revint se poser sur Becca.

— Alors, comment va-t-elle ?

— Tout se passe très bien, répondit Becca avec un sourire. Vous arrivez juste à temps pour accueillir votre nièce sur cette terre.

Les yeux de Paige s'agrandirent et elle se précipita à son tour dans la salle.

Trace eut l'impression que sa tête se vidait d'un seul coup.

— C'est vrai ? demanda-t-il, en refermant sa main sur le bras de Becca.

Elle hocha la tête.

— C'est vrai.

— Mais… nous venons à peine d'arriver.

Trace secoua la tête.

— Simon aussi vient à peine d'arriver. En principe, et si j'en crois ma mère, les bébés mettent des heures et même des jours pour venir au monde.

— Apparemment, Megan avait des contractions depuis un certain temps et elle n'a pas compris qu'elle était déjà en travail, expliqua Becca. Quand la poche des eaux s'est rompue, les choses se sont accélérées.

— Mais…

Trace inhala une grosse bouffée d'air.

— Elle ne peut pas… je veux dire, comment pourrait-elle…

Soudain, éclatèrent des pleurs. Les pleurs rageurs d'un nouveau-né.

Encore sous le choc, Trace jeta un coup d'œil vers la salle d'accouchement, puis regarda Becca.

— Est-ce que…

Il avala sa salive.

— Oh, Dieu !

Becca se mit à rire.

— Félicitations, Trace. Te voilà tonton !

8.

Il était près de 10 heures lorsque Becca s'engagea dans l'allée principale de la *Villa Ashton*. Elle n'avait pas bu une seule goutte, mais elle était merveilleusement grisée et ridiculement heureuse. La naissance d'Ambre Rose Pearce, trois kilos deux cent cinquante, cinquante et un centimètres, avait été à l'origine d'une grande effervescence à l'hôpital. Malgré ses deux semaines d'avance, mais bien décidée à naître à l'instant où il lui plairait de le faire, l'enfant était arrivée telle une étincelante et belle fusée. De bonnes joues roses, d'immenses yeux bleus, un duvet de cheveux blonds, et déjà une sacrée personnalité, avait pensé Becca devant les petits poings serrés du bébé et en entendant ses vagissements de colère.

Il aurait été mal venu de sa part de se mêler à un événement familial aussi intime et émouvant, avait-elle estimé. D'une part, Becca n'avait pas revu Megan et Paige depuis cinq ans, et en outre, dans la mesure où elle avait si brutalement rompu avec Trace, il était raisonnable de supposer que ses sœurs risquaient de nourrir quelque ressentiment à son égard.

Pourtant, si elles avaient ressenti de la rancune ou si elles lui en voulaient de sa présence à l'hôpital en cet instant particulier, elles ne l'avaient manifesté d'aucune manière.

Megan, et Paige après elle, avaient même paru contentes de la voir là et aussi pleines de curiosité. Mais ni l'une ni l'autre n'en avaient soufflé mot. Il fallait reconnaître qu'elles avaient à ce moment-là bien autre chose à penser.

Surtout Megan.

Elle arrêta la voiture devant l'appartement de Trace avant de lui lancer un coup d'œil interrogateur.

— Tu souris ? demanda Becca.

— Quoi ? Ah, oui, reprit-il, l'air encore tout étourdi par ce qu'il venait de vivre. C'est juste que tout cela est si… si surprenant !

Il lui renvoya son sourire.

— Enfin, une fois passée la partie effrayante.

— Tu aurais dû voir ta tête quand Simon t'a tendu le bébé ! repartit Becca avec un éclat de rire. On aurait dit qu'il te mettait une bombe à retardement dans les bras !

— Une bombe m'aurait moins terrifié, admit Trace. Je n'arrive toujours pas à croire à quel point ce bébé est minuscule.

— Tu sais, reprit Becca d'une voix plus sérieuse, je suis très heureuse aussi que Megan m'ait laissée la tenir.

Jamais de toute sa vie, Becca n'avait fait une telle expérience. Sentir l'odeur incroyable d'un nouveau-né, toucher sa peau douce comme un pétale de rose, entendre les légers sons qui sortaient de sa bouche…

En berçant la petite Ambre, le cœur de Becca avait fondu et elle avait éprouvé l'envie de tenir entre ses bras un bébé bien à elle.

Puis, lorsqu'elle avait contemplé Trace tenant sa nièce, aperçu le regard d'émerveillement et d'adoration sur son visage, Becca avait compris que c'était son bébé à lui qu'elle voulait tenir tout contre elle.

Leur bébé.

— Viens.

Trace tendit la main, éteignit les phares et retira les clés du tableau de bord.

— Je crois pouvoir trouver une bouteille de quelque chose de pétillant pour fêter l'événement, dit-il.

— Trace, non…

Mais il n'écoutait pas. Il était déjà descendu de voiture et la contournait pour lui ouvrir la portière. Il la tira de derrière le volant et, ignorant ses protestations, l'entraîna avec lui vers les marches conduisant à son appartement. En dépit de la petite voix intérieure qui lui criait de prendre la fuite pendant qu'il en était encore temps, le cœur de Becca la conjurait de rester.

L'air nocturne était froid, le ciel étincelait d'étoiles et la lune était basse sur l'horizon. Un grand silence les entoura soudain, leur donnant le sentiment qu'au moins, pendant un tout petit laps de temps, tout allait bien dans le monde.

Au moment où ils atteignaient le haut des marches, Becca se sentait gagnée par une intense sensation de bien-être. Alors, au moment où elle ne s'y attendait pas, Trace lui enlaça la taille et lui donna un baiser prolongé puis, avec un cri d'allégresse, la souleva et la fit virevolter.

— Elle devra être le plus beau bébé du monde, dit-il avec un grand sourire. Car je suis son oncle.

— Oncle Trace !

Becca réalisa qu'elle n'avait jamais perçu ce trait en lui. L'homme qu'elle avait connu il y avait cinq ans cachait toujours soigneusement ses émotions, se contrôlait à chaque instant.

— Ça me plaît bien d'entendre ça, commenta-t-elle.

— Ah oui ? A moi aussi.

Il la reposa sur ses pieds.

— Merci d'avoir été là.

— C'était un moment magnifique.

Il la fixa un long moment durant lequel le cœur de Becca faillit cesser de battre, puis son sourire s'évanouit peu à peu.

Baissant la tête, il l'embrassa avec une douceur et une délicatesse confondantes.

L'émotion qui sourdait entre eux faillit faire pleurer Becca. Elle savait que le changement qui se manifestait chez Trace n'avait aucun rapport avec ses sentiments pour elle, sans pour autant affecter en quoi que ce soit sa propre réaction. Les lèvres de Trace frôlèrent les siennes, puis s'installèrent tendrement sur sa bouche. Sa langue, chaude et humide, balaya ses lèvres.

Becca lutta pour reprendre sa respiration, tous les sens en émoi.

— Entre avec moi, murmura Trace.

Le cœur de Becca se mit à lui marteler la poitrine et son sang se précipita, telle une coulée de feu, le long de ses veines. Ce soir, décida-t-elle enfin, elle écouterait son cœur.

— Oui, souffla-t-elle.

Enlacés, pressés l'un contre l'autre, ils passèrent la porte en trébuchant. Becca sentit monter dans tout son être son envie de lui, son désir entonner un chant de victoire et toute résistance s'évanouir.

Elle désirait, et elle désirait comme cela ne lui était jamais arrivé auparavant, et, d'en prendre conscience, la rendit folle de joie.

Ils se dirigèrent à pas lents vers la chambre. Aucun d'eux ne voulait rompre le contact de leurs deux corps. Les doigts de Becca tremblaient quand elle déboutonna la chemise de Trace et lui, après lui avoir enlevé son pull, ne cessa un seul instant de l'embrasser.

Leurs vêtements étaient éparpillés sur toute la longueur du couloir, et lorsqu'ils s'écroulèrent enfin sur le lit, ils étaient nus.

Peau contre peau, Trace fit rouler Becca sous lui, l'embrassa longtemps, si profondément qu'elle dut lutter pour reprendre son souffle.

— Je… je t'avais dit…

Elle se mordilla la lèvre quand sa bouche descendit le long de son cou.

— … que je ne voulais pas… dormir avec toi, ce soir.

— Nous ne dormirons pas.

Il lui câlina le petit point juste sous l'oreille. Becca lui noua les bras autour du cou.

— Exact, dit-elle en souriant.

Trace lui prit les seins à pleines mains, caressa

la chair sensible et gonflée jusqu'à ce que ses mamelons se durcissent. Puis sa bouche remplaça ses mains…

Becca se cambra avec un long gémissement. C'était sûr, se dit-elle dans les brumes de l'excitation, son plaisir était tel qu'elle allait en mourir. Les dents de Trace lui modillèrent un mamelon et elle se plaignit d'une voix douce, les mains dans l'épaisse crinière brune de son amant.

Elle murmura son nom, luttant pour tenir en laisse les émotions qui se pressaient en elle. La bouche de Trace était tiède contre son sein, sa langue humide et chaude, et s'activait avec intensité.

Trace savait-il à quel point elle avait besoin de lui ? se demanda Becca.

Mais désirait-elle vraiment qu'il le sache ?

Se donner à lui l'effrayait. Car il ne s'agissait pas seulement de son corps, mais aussi de son cœur : elle l'aimait. Elle n'avait jamais cessé de l'aimer et cela durerait toujours, elle en était certaine.

Refermant les bras autour de lui, elle roula sur elle-même jusqu'à ce que Trace se retrouve au-dessous d'elle. Elle n'avait peut-être pas le courage des mots, mais elle allait lui démontrer son amour d'une autre manière.

Malgré la faible luminosité qui régnait dans la pièce, elle capta l'expression farouche de ses yeux lorsqu'elle le chevaucha. Elle posa les mains à plat sur la large poitrine et, à leur contact, sentit ses muscles se bander. Elle baissa la tête vers la sienne, l'embrassa avec douceur, puis ses lèvres descendirent le long de son cou, savourant le goût entêtant et mystérieux de sa peau.

— Becca…

Il lui saisit les bras mais elle secoua la tête.

— Laisse-moi, murmura-t-elle.

T'aimer, acheva-t-elle silencieusement.

Les doigts de Trace se contractèrent sur sa peau puis retombèrent le long de ses flancs. Paumes aplaties, doigts écartés, les mains de Becca se promenèrent sur les larges épaules et sur le torse puissant tandis que des lèvres et des dents, elle le caressait. La respiration de Trace s'accéléra, devint entrecoupée et le désir qu'il retenait tendit ses muscles.

Bien que son propre corps crie de l'envie de le prendre en elle, son amour et le besoin qu'elle ressentait de lui donner du plaisir la poussèrent à prendre tout son temps, traçant son chemin le long du corps splendide. A plusieurs reprises, elle l'entendit jurer, d'une voix rauque et grave.

Quand enfin ses mains et sa bouche glissèrent plus bas que le ventre plat et musclé, Trace émit un soupir étranglé et tressaillit sous elle.

Elle descendit encore. Alors, il s'accrocha à ses épaules. Velours et acier, songea-t-elle.

Il grommela une imprécation et ses doigts s'incrustèrent dans les bras de Becca. Sans plus pouvoir lui résister, celle-ci se retrouva allongée sur le dos. Les mains de Trace remontèrent le long de ses bras, lui encerclèrent les poignets et les plaquèrent au-dessus de sa tête.

Elle haletait, cherchant son souffle. Son cœur battait la chamade. Enfin, à la seconde où il la pénétra, un cri jaillit de sa gorge. Elle se poussa au-devant de lui, l'encercla de ses jambes et chevaucha avec lui la furieuse vague de passion qui les emportait tous les deux.

A cet instant, Trace la posséda, de toutes les manières possibles. Par l'esprit, par le cœur. Elle fut à lui corps et âme. Cambrée, arquée, elle laissa échapper un cri et d'interminables frissons la secouèrent, encore et encore. Trace grogna, le corps tétanisé par la puissance de sa jouissance.

Après, Becca attendit que le monde reprenne sa place initiale, et le maintint bien serré contre elle, refoulant les larmes qui lui montaient aux yeux — des larmes de joie, comprit-elle.

Alors un sourire se dessina sur son visage.

Pourquoi, après tout, ne serait-ce pas des larmes d'espoir ?

*
* *

Il la regardait dormir.

La lumière venue du corridor baignait la chambre d'une lueur dorée. Le silence de la nuit, feutré, tiède et doux se refermait autour d'eux.

Appuyé sur un coude, la tête posée sur la main, Trace était allongé sur le côté et étudiait le visage de Becca, la délicate architecture de ses sourcils, l'arête droite de son joli nez, la courbe sexy de ses lèvres.

Ses cheveux étaient éparpillés sur l'oreiller et, incapable de résister, Trace lissa du bout d'un doigt une boucle soyeuse. Il aimait sa coiffure, plus courte maintenant, avec quelques mèches sur le front. Mais il l'avait aussi aimée auparavant, se souvint-il, et l'image de Becca en train de danser lui revint à l'esprit. Il entendit encore son rire, il revit le soleil dans ses cheveux qui tourbillonnaient tandis qu'il la soulevait de plus en plus haut.

Le souvenir le fit sourire. Ils avaient pique-niqué dans le parc. Elle avait emporté des sandwichs au jambon et de la salade de pommes de terre. Lui, un plaid et une bouteille de pinot noir. Ils s'étaient attardés jusqu'au soir, embrassés sous les étoiles et ils s'étaient raconté leurs rêves. Becca voulait faire des photos et voyager de par le monde. Trace, lui,

169

désirait créer sa propre exploitation viticole et sa propre marque.

Puis elle était partie.

Le sourire de Trace s'effaça. Quand il l'avait revue, il s'était juré de la remettre dans son lit pour se débarrasser enfin de son souvenir. Après, il en avait été certain, il pourrait s'en aller sans plus y penser.

Etait-ce un désir de revanche ? se demanda-t-il. Ou bien avait-il plus simplement voulu la punir ? Les deux, sans aucun doute, conclut-il.

Il la regarda se retourner sur le côté et pousser un soupir puis enfoncer la joue au creux de l'oreiller. Quelque chose se contracta en lui. Du désir, songea-t-il. Certainement pas de l'amour. Il avait commis une seule fois cette erreur avec elle, il s'était laissé guider et leurrer par ses émotions. Il ne recommencerait pas.

Cette fois, c'est lui qui garderait le contrôle de la situation.

Pupilles rétrécies, muscles contractés, il repoussa les draps. Quand il vit ses yeux papilloter puis s'ouvrir, il se plaça rapidement sur elle et la pénétra d'un mouvement dur et soutenu des hanches. Il soutint son regard et ne le quitta pas, tandis qu'il accélérait son rythme, plus vite, plus fort, jusqu'au moment où ils commencèrent tous deux à haleter.

Le désir de Trace confinait à la violence. Accroché

aux hanches de Becca, comme un naufragé à une bouée, il plongeait sauvagement en elle. Au moment où il vit ses pupilles se dilater, quand tout son corps se cambra et qu'elle poussa un gémissement frémissant et fou, il se retint pourtant, refusant de s'abandonner à l'exigence féroce qui lui tenaillait les reins. Le plaisir se mua en souffrance mais il attendit encore et continua à aller et venir en elle, rapide et furieux.

Les ongles de Becca s'incrustèrent dans ses épaules et ses jambes se refermèrent plus étroitement autour de ses hanches. Alors, avec un grognement, Trace rejeta la tête en arrière et son corps se convulsa sous la puissance aveuglante du plaisir.

Des secondes, des minutes, s'écoulèrent avant qu'il fût capable de bouger…

Enfin, il roula sur le dos, entraînant Becca avec lui.

Becca s'éveilla lentement, les tout premiers rayons du soleil glissant sur son visage, tandis que flottait dans l'air l'arôme du café. Le lit à côté d'elle était vide, les draps froissés et froids. Elle glissa la main sur le coton beige et doux et une vague tiède de satisfaction monta de ses doigts et se transmit dans tout son corps.

Quelque chose s'était passé, cette nuit. Quelque chose d'autre que ce qui paraissait évident, se dit-elle en souriant au souvenir de ses ébats avec Trace. Il s'était montré tendre mais fort. Patient, mais exigeant. Une onde de chaleur monta en elle lorsqu'elle se rappela son propre manque d'inhibitions. Elle ne s'était jamais considérée comme une femme impudique mais la nuit dernière, elle l'avait été, sans aucun doute possible.

Son sourire s'élargit.

Oui, elle avait été perversement, merveilleusement, glorieusement impudique.

Mais il y avait eu autre chose que le sexe, cette nuit. Un changement indéfinissable s'était produit dans la relation prudente et toute provisoire qu'ils avaient nouée. Une possibilité pour que, pour que…

Elle se cramponna à son oreiller, de crainte d'aller au bout de sa pensée. Que se passerait-il si elle évaluait mal la situation ? Si Trace s'était juste laissé emporter par l'excitation de la naissance de sa nièce, par la joie d'être tout à coup devenu un oncle ? Et si, dans le désir absolu qui la tenaillait de croire qu'il ressentait quelque chose pour elle de plus qu'une simple attirance physique, elle avait laissé courir son imagination ?

Et même si elle ne l'avait pas fait ?

Becca s'assit avec un léger grognement sur le

172

rebord du lit et étira ses muscles raides et douloureux. Ses yeux s'agrandirent à la vue d'une meurtrissure sombre sur sa cuisse et elle s'empourpra en se rappelant l'intensité de leurs échanges. Elle aussi avait dû laisser des marques sur le corps de Trace…

Elle s'habilla à la hâte, décidant qu'elle prendrait sa douche chez elle avant de partir travailler. Elle résolut également d'aller acheter un cadeau pour le bébé de Megan et de le lui apporter à l'hôpital un peu plus tard, même si l'éventualité d'y croiser la mère de Trace lui contractait l'estomac.

Lilah Ashton ne l'avait jamais ostensiblement snobée, et l'avait même traitée avec une excessive politesse. Mais Becca avait appris qu'elle n'avait pas souhaité son mariage avec Trace et elle en avait été blessée.

Autant que de savoir que sa propre mère partageait cette opinion.

Tout aurait pu être si simple ! Elle avait aimé Trace avec tant d'ardeur et elle avait été si sûre de son amour pour elle !

Au début, Becca avait naïvement pensé, et non sans un brin de folie, qu'avec le temps, leurs parents en viendraient à accepter leur relation, et peut-être même finiraient par en être heureux.

Mais, cela n'était jamais arrivé. Becca avait même trouvé, au fil des jours qui s'étaient transformés en semaines puis en mois, que les parents de Trace et même sa mère, étaient plus déterminés que jamais à les obliger à rompre.

Depuis, cinq ans s'étaient écoulés. A l'époque, Becca n'avait pas été assez forte pour s'opposer à eux.

Mais l'était-elle maintenant ?

En soupirant, elle se dirigea vers la cuisine et y trouva Trace fouillant au fond du réfrigérateur. Il n'avait pas de chemise, et le jean déteint qu'il portait avait les poches arrière presque trouées à force d'usure. Becca qui l'observait sur le seuil lui trouva de jolies fesses, la taille mince, les épaules larges et musclées.

Quelle femme ne voudrait pas de lui pour amant ? se demanda-t-elle, avec un léger frisson.

Quand il se redressa, elle remarqua les traces de griffures sur ces mêmes larges et fortes épaules. Ses joues devinrent brûlantes et elle se mordit la lèvre.

— Bonjour, dit-elle, d'une voix un peu essoufflée.

Une boîte d'œufs entre les mains, il se retourna et lui sourit.

Becca sentit quelque chose frémir au fond de son estomac.

174

— Tu n'aurais pas dû être déjà réveillée, la réprimanda-t-il.

— Ah bon ?

— Non.

Il posa les œufs sur l'évier avant de sortir un carré de beurre et ce qui ressemblait à des tranches de cheddar.

— Pas tant que je n'aurai pas fait le petit déjeuner, ajouta-t-il.

Il lui préparait donc son petit déjeuner ?

Le Trace Ashton qu'elle avait connu n'aurait même pas possédé un ouvre-boîte. Le frémissement de son estomac remonta vers son cœur.

— Tu fais la cuisine, maintenant ?

Haussant les épaules, il sortit un œuf de sa boîte et le cassa dans un bol posé sur le comptoir.

— Je ne suis pas certain qu'on puisse appeler ça faire la cuisine, mais j'ai appris à confectionner une omelette et à griller un toast.

Il cassa un autre œuf et jura en retirant un morceau de coquille du bol. Becca s'approcha du plan de travail et ne put résister à l'envie de glisser la main sur son bras nu puis de presser les lèvres sur son épaule. La peau de Trace était tiède, son odeur musquée et excitante.

— Je suis très impressionnée, commenta-t-elle.

— Ah oui ?

Trace se retourna pour lui donner un long baiser sensuel qui les laissa tous deux hors d'haleine. Puis il se redressa et ouvrit un tiroir du buffet.

— J'ai même un fouet.

Il sortit l'ustensile du tiroir, l'agita dans sa direction, et Becca ne put se retenir de rire.

Elle se servit du café et se mit à marcher en long et en large dans la cuisine pendant qu'il battait les œufs. L'atmosphère lui paraissait tout à coup empreinte d'un côté familier, d'une sorte de chaude intimité. Etre dans cette pièce avec Trace, c'était comme… de se retrouver chez soi, comprit-elle soudain.

Debout devant la fenêtre, elle but son café à petites gorgées, l'œil fixé sur les rangs de pieds de vigne dénudés. Bientôt, elle le savait, ce serait le printemps et surviendrait une explosion éclatante de verts, dans toutes les nuances, tous les dégradés de tons.

— On a beaucoup parlé d'un nouveau cabernet et de la marque que tu t'apprêtes à lancer sur le marché, observa-t-elle.

— Ah ! Nous avons une espionne dans nos murs !

Trace leva les mains dans l'attitude d'un homme qui se rend.

— Vas-y. Fais tout ce qu'il faut pour me soutirer des informations.

176

Becca écarquilla les yeux devant le ton blagueur qu'il avait adopté.

— A mon avis, dit-elle, tous les autres viticulteurs s'inquiètent et pensent que tu vas rafler tous les prix, cette année.

— Nous en avons bien l'intention, dit-il en hochant la tête. Je pourrais t'arranger une dégustation privée, si ça te dit. Que dirais-tu, voyons… de vendredi soir jusqu'à dimanche ?

— Une dégustation de trois jours ?

Becca haussa un sourcil.

— Pour un seul cru ?

— Ce nectar ne ressemble à aucun que tu aies jamais goûté.

Son regard erra sur elle.

— Des raisins succulents, des tanins veloutés, une texture souple. Et il est très, très long en bouche.

La description fit frissonner Becca. C'était tellement alléchant, se dit-elle. Elle en avait déjà l'eau à la bouche.

Malgré tout, elle détourna le regard.

— Je ne serai pas là, Trace.

Il se figea.

— Ah bon ?

— J'ai fini les photos pour Whitestone, expliqua-t-elle avec autant de calme qu'elle put en trouver. Je dois rentrer à Los Angeles.

— Je vois.

Quand il se retourna vers les œufs battus, ses épaules s'étaient raidies.

— Et ton job pour Louret ?

— Ils ne m'ont pas encore engagée et même s'ils le font, je ne commencerai pas avant un ou deux mois.

Trace sortit une poêle d'un placard, la posa sur la cuisinière et alluma le feu.

— Je pensais que tu resterais là jusqu'après Noël.

— Cela m'aurait plu, mais je dois absolument finir deux missions avant la fin de l'année.

Elle eut un sourire forcé.

— J'ai des factures à payer, tu sais.

Le beurre grésilla quand Trace en laissa tomber une noisette dans la poêle chaude. Becca détesta le soudain silence qui s'était abattu entre eux. Une sorte de froid parut alors s'insinuer dans la pièce. Elle se demanda si elle était assez importante aux yeux de Trace pour qu'il lui demande de rester.

Et s'il le faisait, que répondrait-elle ?

Oui. Bien sûr.

Elle serra les doigts autour de sa tasse de café pendant que le silence s'étirait et que les œufs grésillaient dans la poêle.

Becca n'avait pas réalisé qu'elle retenait son souffle jusqu'au moment où Trace se retourna vers elle.

— Tu n'as pas besoin de partir, Becca.

A ces mots, son pouls s'emballa, son cœur battit plus fort. Pourtant, elle ne dit rien et ses yeux gardèrent leur calme sous l'intense regard vert.

— J'avais l'intention de t'en parler, poursuivit Trace, de nouveau tourné vers les œufs. Mais les événements se sont un peu bousculés, ces derniers jours.

Bousculés ? Ah, oui, vraiment songea Becca. C'était peu de le dire !

— Me parler de quoi ? demanda-t-elle après avoir hésité un instant.

— J'avais pensé à faire appel à une nouvelle société de design pour faire la promotion du Vignoble Ashton, dit-il d'un ton désinvolte. J'imaginais que tu serais intéressée par la gestion de notre publicité et de notre marketing.

Becca fronça les sourcils. Avait-elle bien entendu ? Non, sûrement pas.

— Quoi ?

— Tu es bonne dans ce que tu fais, Becca. Excellente, même. J'aimerais engager ta société pour s'occuper en exclusivité du Vignoble Ashton.

Trace gardait les yeux fixés sur l'omelette. Il

étala le fromage sur les œufs et rabattit un côté sur l'autre.

— Tu pourrais monter un studio ici, à Napa.

— Tu veux dire m'installer ici ? demanda-t-elle avec précaution.

— Oui.

Il fit glisser les œufs sur une assiette.

— Et travailler pour toi ?

— Pour l'exploitation viticole.

— Et rien que pour elle ?

— Oui.

Becca le fixa et la bulle de joie qui s'était formée dans sa poitrine éclata d'un seul coup.

Non, c'était impossible. Cela ne pouvait pas arriver ? Pas encore une fois ! songea-t-elle, désespérée.

Pas avec Trace !

— Il faut que j'y réfléchisse, répondit-elle d'un ton raide, tandis que la douleur, cruelle, la pénétrait.

Quand Trace se tourna vers elle pour lui tendre l'assiette, elle se sentit terrifiée à l'idée d'être malade devant lui.

— Mange-la, toi, parvint-elle à lui dire malgré la sécheresse de sa gorge. Il faut que j'y aille.

Elle vit ses traits s'assombrir.

— Qu'est-ce qui ne va pas ?

— Je vais être en retard, Trace. Je dois vraiment y aller.

— Becca…

— Je te rappelle.

Becca se détourna. Elle devait partir très vite, elle le savait. Elle attrapa ses clés sur la table de l'entrée, là où Trace les avait jetées la veille au soir et se précipita dans l'escalier.

— Becca, attends une minute, bon sang !

Sans répondre, elle sauta dans sa voiture et démarra, les yeux brouillés par les larmes.

Que diable avait-il donc fait ? se demanda Trace en regardant Becca s'éloigner. Il lui offrait un job, et elle jouait les vierges effarouchées ? Elle n'avait pas eu de problème il y avait cinq ans, lorsque son père lui avait tendu un chèque ! Alors pourquoi le fait de lui offrir un emploi lui en poserait-il un maintenant ?

Pourtant, l'expression sur son visage, un mélange de choc et de mépris, lui avait claqué à la figure comme le coup de poing d'un routier en furie.

Il l'avait blessée.

Troublé, il se passa une main sur le visage. Peut-être après tout n'avait-il pas bien réfléchi ? En fait, il n'avait pas réfléchi du tout. Il avait tout simplement paniqué lorsqu'elle lui avait annoncé son intention de s'en aller. Lui offrir un poste à Napa était donc la chose la plus logique à faire. Elle pourrait ainsi « payer ses factures » et ne serait plus aussi loin de lui.

Pourtant, il avait lu autre chose dans ses yeux. Quelque chose qui l'avait plus troublé que n'importe quoi d'autre.

De la déception ?

Il serra les poings, se maudissant de sa maladresse. Fou de rage contre lui-même, il rentra en trombe dans son appartement et claqua la porte derrière lui. Que diable fallait-il qu'il fasse ? C'était quand même bien *elle* qui l'avait déçu, il y avait cinq ans ! C'était bien *elle* qui avait accepté de l'argent de son père et puis s'en était allée sans un regard en arrière ! D'ailleurs, il possédait toujours le reçu, avec sa signature.

Le reçu…

Il fallait qu'il aille le chercher, qu'il le tienne dans sa main, qu'il le regarde. Il avait besoin de se rappeler qu'aux yeux de Becca, cet argent et sa carrière avaient eu plus d'importance que lui-même.

Il pénétra comme un fou dans son bureau et, du tiroir de droite en bas, sortit le reçu et le fixa comme il avait déjà dû le faire des milliers d'autres fois.

Becca Marshall. Cent mille dollars. Sa signature était là, avec son B très net et enrubanné, et elle se terminait par une boucle après le dernier L.

182

Quelque chose n'allait pas, songea-t-il. Mais du diable s'il savait de quoi il s'agissait. Après ce qui venait de se passer, il ne pouvait guère aller voir Becca pour lui demander des comptes.

A la réflexion, une seule personne pouvait le renseigner. Même si c'était cinq ans trop tard, comprit-il. Mais aujourd'hui, il découvrirait enfin la vérité.

Saisissant son téléphone, il composa un numéro.

9.

Becca arrêta sa voiture au sommet de la colline qui dominait la Napa Valley. L'endroit où elle se trouvait constituait un superbe point de vue. A ses pieds, la vallée n'était plus qu'un immense océan de vignes, quadrillé par des routes tracées non seulement dans les zones plates, mais également à flanc de coteau. De grands chênes ponctuaient le paysage et des éminences escarpées s'élevaient bien au-dessus du niveau de la vallée.

Elle avait découvert ce lieu au cours d'une expédition photographique sur le terrain pendant sa dernière année de collège. Par une journée lumineuse comme celle-ci, c'était un rêve pour un photographe. Elle y avait amené Trace une seule fois, pour partager avec lui sa petite part de paradis. Lui l'avait taquinée en prétendant qu'elle avait des étoiles dans les yeux.

C'était peut-être vrai...

Bien avant de faire la connaissance de Trace, elle

avait entendu parler de sa famille par les histoires scandaleuses qui couraient sur son père. D'après la rumeur, Spencer Ashton avait été un type impitoyable, sans foi ni loi, capable de vendre sa grand-mère pour un quart de dollar.

Becca n'avait jamais réellement ajouté foi aux commérages. Enfin, pas au départ. Comment aurait-elle pu croire en effet qu'un homme ayant élevé un garçon aussi tendre et aimant que Trace pouvait être aussi cruel, aussi dépourvu de pitié ? Il devait bien exister quelque chose de bon chez Spencer, un quelconque foyer de gentillesse, avait-elle supposé.

Elle s'était bien trompée !

Comment pourrait-elle jamais oublier le jour où Spencer lui avait tendu le chèque ? Elle se trouvait dans un tel état de confusion qu'elle avait regardé fixement l'énorme somme qu'il venait d'inscrire sur le petit rectangle de papier, sans très bien comprendre à quoi tout cela pouvait rimer. Les explications de Spencer Ashton n'y avaient rien changé et elle était restée dans le même état d'hébétude.

C'était bien plus tard qu'était venue la colère.

Mais cet horrible jour avait fait voler sa vie en mille morceaux et lui avait ravi quelque chose de précieux qu'elle n'avait jamais pu retrouver.

La confiance.

Malgré tout, quels que soient les événements passés,

elle n'avait jamais cru à la moindre ressemblance de Trace avec son père. Comment, autrement aurait-elle pu tomber amoureuse de lui ? Et même maintenant, comment aurait-elle pu de nouveau être attirée par lui et se laisser séduire ?

Jusqu'à ce matin où, tout comme Spencer, Trace avait tenté de l'acheter.

Une douleur pesante, accablante, lui contracta la poitrine au point de lui couper la respiration.

Trace n'avait pas fait montre d'une grande subtilité, songea-t-elle avec amertume. Il s'était imaginé qu'il pouvait « l'engager », la faire déménager à Napa où elle aurait été à sa disposition, chaque fois qu'il aurait claqué les doigts, pour une petite partie de jambes en l'air !

Ses mains se crispèrent sur le volant. Ce Trace-là était un homme qu'elle ne connaissait pas du tout. Un homme qu'elle ne désirait pas connaître.

Pourtant, en bonne cruche qu'elle était, elle l'aimait.

Elle n'essaya pas de retenir ses larmes. A quoi bon ? Tôt ou tard, elles seraient venues, alors autant s'en débarrasser maintenant.

Parce que cette fois, se dit-elle en serrant les dents, elle ne s'enfuirait pas. Cette fois, elle l'affronterait. Cette fois, elle le regarderait dans les yeux et hurlerait si elle en avait envie, pour lui expliquer avec la plus grande exactitude ce qu'elle pensait de lui.

Trace frappa à la porte d'Elaine Marshall avant d'appuyer à deux reprises sur la sonnette. Il était à peine 9 heures et il savait que la mère de Becca dormait.

Mais il s'en souciait comme d'une guigne.

Enfin, la porte s'ouvrit sur Elaine. Elle resserra la ceinture de son peignoir bleu, passa une main dans ses cheveux ébouriffés et le considéra d'un air maussade.

— Becca n'est pas ici, dit-elle d'une voix embrumée de sommeil.

— Je ne suis pas venue pour elle, madame Marshall.

La tension qu'il subissait donnait une sorte de crépitement aux mots qui sortaient de sa bouche.

— C'est vous que je suis venu voir.

— Quelque chose ne va pas ?

Elaine jeta un rapide regard derrière Trace et l'inquiétude rétrécit soudain ses pupilles.

— Becca va bien ?

— Physiquement oui, j'en suis certain.

En son for intérieur, Trace pria pour que ce soit

vrai. Il ne parvenait pas à oublier ses yeux, ceux d'un animal blessé, éperdu.

— Il faut que je vous parle, ajouta-t-il.

Elaine secoua la tête et commença à refermer la porte.

— Désolée, Trace, mais ce n'est pas le bon moment.

Trace posa une main sur la poignée pour retenir la porte et, plongeant l'autre main dans sa poche de veste, en retira le reçu.

— Je doute qu'il y ait vraiment un bon moment, madame Marshall.

Il lui agita le reçu sous le nez.

— Nous allons parler. Maintenant.

Une fraction de seconde, il vit ses yeux s'agrandir, puis elle pinça les lèvres. Hochant lentement la tête, elle fit un pas de côté et ouvrit la porte.

— Pourquoi ne pas aller dans la cuisine ? suggéra-t-elle.

— Je viens de m'entretenir avec ma mère, dit Trace en la suivant. Je connais la vérité.

Elaine poussa un très long soupir avant de se diriger vers un placard pour en sortir une bouteille de bourbon et un verre.

— Désirez-vous boire quelque chose ?

— Non.

188

Elle se versa deux doigts de whiskey, en but une gorgée et se retourna pour le regarder en face.

— C'était il y a cinq ans, Trace. Pourquoi ne pas laisser tomber tout ça ?

— Laisser tomber ?

La rage s'enfla dans sa poitrine. Il avait encore de la peine à digérer ce que lui avait avoué sa propre mère et, maintenant, la mère de Becca lui demandait de *laisser tomber* ?

— Bon Dieu, sûrement pas !

— Vous ne comprenez pas, Trace.

Elaine ferma les yeux.

— Jusqu'au moment où vous serez parent vous-même, vous ne pourrez comprendre ce qu'est le besoin de protéger son enfant.

— Parce que ce qu'ont fait mon père et ma mère, vous appelez ça de la protection, vous ?

Il lutta pour contenir sa colère.

— Corruption, mensonge, manipulation, énumérat-il. Comment diable est-ce ainsi qu'on protège une personne qu'on prétend aimer ?

— Je ne vous permets pas de mettre en doute mon amour pour ma fille !

Elaine reposa son verre avec fracas sur le plan de travail.

— Vous étiez tous les deux trop jeunes, vous veniez de deux univers différents, vous viviez dans un monde de rêve. Une fois passée la période d'attirance physique, vous vous seriez lassé d'elle. Alors je ne m'excuse pas de ce que j'ai fait. Je le referais en trois secondes s'il fallait mettre ma petite en sécurité.

— Que ferais-tu, maman ?

Au son de la voix de Becca qui s'élevait derrière lui, Trace se retourna.

Dieu soit loué, songea-t-il, elle allait bien.

Malgré son violent besoin de la prendre dans ses bras, il comprit qu'à cette minute, elle le repousserait. Il n'y avait rien qu'il puisse faire pour arrêter ce qui allait se passer et il n'aurait pas pu faire un geste, même s'il l'avait voulu.

Aussi dur que ce soit, pour la première fois depuis cinq ans, Becca et lui allaient connaître la vérité.

Il jeta un coup d'œil à Elaine et vit ses yeux s'agrandir à l'instant où sa fille pénétrait dans la pièce. Mains crispées sur le revers de son peignoir, elle lui adressa un sourire forcé.

— Ah, te voilà, Becca chérie. Trace et moi étions inquiets à ton sujet.

Les yeux de Becca restaient fixés sur sa mère.

— Alors dis-moi, qu'as-tu fait ?

— Nous devrions parler de cela plus tard.

Il y avait de la peur dans la voix d'Elaine.

— Attends un peu que les choses se calment.

190

— Nous avons attendu assez longtemps, répliqua Becca d'une voix blanche.

Trace jeta le reçu sur le dessus de la cuisinière.

— Dites-le-lui.

Le regard de Becca se posa sur le petit bout de papier et son visage prit la couleur de la cendre.

— Où as-tu trouvé ça ?

— Mon père me l'a donné il y a cinq ans.

— Il te l'a donné ? répéta-t-elle, l'air incrédule.

Trace hocha la tête.

— Le jour où tu es partie.

— Alors tu savais ce qu'il avait fait, murmura-t-elle. Tu savais ?

Pendant toutes ces journées, toutes ces semaines, elle l'avait attendu, se rappela-t-elle. Même lorsqu'elle se trouvait en Italie, elle s'imaginait parfois l'apercevoir dans la foule ou assis dans un restaurant. Chaque fois que le téléphone sonnait, son pouls battait plus vite, à chaque coup frappé à la porte, son estomac se nouait. Elle espérait, elle priait pour que ce fût lui. Mais cela n'arrivait jamais.

Elle tourna les yeux vers lui, attendant sa réponse et vit qu'il avait les yeux fixés sur sa mère.

— Dites-le-lui, ordonna-t-il d'un ton sec.

— Me dire quoi ?

Becca regarda sa mère prendre le verre posé sur

le plan de travail et boire. Pourquoi sa main tremblait-elle à ce point ?

— Maman, qu'as-tu fait ?

Lorsque Elaine détourna le visage, Trace retourna le chèque. Becca s'approcha et lut la signature.

Sa signature.

— Mais… je n'ai jamais signé ça.

Elle fronça les sourcils et considéra Trace.

— Je ne comprends pas.

— Tu as jeté ceci à la figure de mon père, dit-il tranquillement, et tu as raconté à ta mère ce qu'il avait fait.

— Je pleurais quand elle est rentrée à la maison. Elle a tout de suite compris que quelque chose n'allait pas.

Becca ferma les yeux et se massa les tempes.

— Il fallait que j'en parle à quelqu'un, mais je ne pouvais pas te le dire à toi. Je ne voulais pas te blesser ni t'occasionner d'autres problèmes.

— Trace, pour l'amour du ciel, ne pouvez-vous voir que vous la bouleversez ?

Elaine se rapprocha de Becca.

— Chérie, tu es épuisée. Repose-toi un moment et ensuite…

— Non !

Becca leva la main et s'écarta de sa mère.

— Dis-moi ce que tu as fait, maman.

192

La peur tordit le visage d'Elaine. Une main posée sur la gorge, son regard croisa lentement celui de sa fille. D'une voix à peine audible, dans un silence tendu, les mots qu'elle prononça alors résonnèrent comme un coup de tonnerre.

— Je suis allée trouver Spencer.

— Tu es allée voir le père de Trace ?

Pupilles rétrécies, Becca nageait en pleine confusion.

Elaine hocha la tête.

— J'ai pris le chèque et je l'ai déposé sur un compte que j'avais ouvert pour toi quand tu étais petite.

Becca reçut l'aveu comme une gifle en plein visage. Haletante, elle posa la main sur sa joue.

— Et tu… tu as signé le reçu de mon nom ?

Elaine hocha la tête, d'un mouvement plein de raideur.

— Oui.

Becca revit en pensée l'horrible journée. Spencer qui lui offrait de l'argent. Sa mère qui, de retour chez elle, la prenait dans ses bras en lui disant que Trace ne la méritait pas et que sa famille ne les laisserait de toute manière jamais être heureux.

— Alors quand tu m'as dit que je devrais aller en Europe et oublier Trace, que tu avais de l'argent que ma grand-mère avait laissé pour moi…

— Je suis désolée, bébé, dit Elaine d'une voix entrecoupée. Je t'ai menti.

Oh, Dieu ! songea Becca en fermant les yeux.

— Comment as-tu pu ?

— Parce que j'étais d'accord avec lui.

Elaine releva le menton.

— Trace et toi veniez de deux mondes différents. Vous auriez peut-être été heureux pendant quelques mois et ensuite, je le savais, tu aurais été malheureuse.

— Tu *savais* que j'aurais été malheureuse ?

Incrédule, Becca fixa sa mère.

— Tu l'as réellement cru ?

— Tout le monde savait aussi quel genre d'homme était Spencer.

Le mépris suintait dans la voix d'Elaine.

— Pourquoi son fils aurait-il été différent ? Il ne te méritait pas.

— Trace m'aimait, murmura Becca. Et moi, je l'aimais.

— L'amour ?

Elaine cracha presque le mot.

— Bébé, crois-moi, cela n'existe pas. Tu t'étais toquée de lui, mais lui voulait seulement coucher avec toi ! Te briser le cœur et t'humilier ensuite n'était qu'une question de temps.

194

— Est-ce ainsi que t'a traitée mon père ? demanda Becca d'une voix calme. Il t'a humiliée ?

— Ton père n'a absolument rien à voir avec ça.

Elaine s'empara de la bouteille de bourbon et commença à s'en verser un autre verre. Becca traversa la cuisine, lui enleva la bouteille et le verre des mains et les posa sur le plan de travail.

— Oh si, maman, dit-elle. Je pense, au contraire, qu'il a tout à voir avec ceci.

Les yeux d'Elaine croisèrent le regard calme de sa fille. Alors, ses traits se déformèrent et elle enfouit la tête entre ses mains avec un sanglot.

— Je lui ai tout donné. Mon cœur, mon âme, mon corps. Quand il a découvert que j'étais enceinte, il s'est enfui avec ma cousine.

Une partie de Becca avait envie de prendre sa mère dans ses bras pour la consoler mais l'autre, celle qui était à vif, en colère et blessée, refusait de venir à son secours.

— Chérie…

Elaine releva la tête et prit le visage de sa fille entre ses mains.

— Cet argent, je l'ai pris pour toi. Pour que tu puisses te bâtir une vie indépendante, loin d'ici. Je n'ai voulu que le meilleur pour toi. C'est tout ce que j'ai toujours désiré.

Becca secoua la tête et écarta de son visage les mains de sa mère.

— Tu n'avais pas le droit.

— Je le sais.

Des larmes sillonnaient les joues d'Elaine.

— Je le sais. J'en suis désolée.

— Il faut que je sorte. Je dois parler à Trace.

Becca se força à avaler le nœud qui lui obstruait la gorge avant de pouvoir poursuivre.

— Je te serais reconnaissante de nous accorder un peu de temps.

Elaine hocha la tête avant de jeter un coup d'œil à Trace.

— Je... je suis désolée.

Le visage de Trace n'était plus qu'un masque dur et glacé. Il ne dit rien et se contenta de se détourner pour suivre Becca vers le porche et s'asseoir à côté d'elle sur la première marche.

Epaule contre épaule, ils restèrent là sans dire un mot. L'air matinal était frais et une petite brise faisait frissonner le sommet des ormes, de l'autre côté de la rue. Deux jeunes garçons descendaient le trottoir sur leur skate-board. Derrière eux trottinait un labrador noir.

Son existence entière venait d'éclater en mille morceaux, songea Becca, et pourtant, la vie continuait. Elle contempla la maison d'en face et se demanda pourquoi elle n'avait jamais remarqué que la porte d'entrée était peinte en bleu.

— Tu m'as crue capable de prendre l'argent, accusa-t-elle.

— J'ai vu ta signature, répliqua-t-il d'un ton raide.

— Et tu en as conclu que j'avais pris l'argent.

— Oui.

Jamais Becca n'aurait cru possible de souffrir autant qu'elle avait souffert ce matin. Maintenant, après la confession de sa mère, et sachant que Trace l'avait crue capable de se laisser acheter, elle reconnaissait que c'était vraiment possible. La douleur, cruelle, intense, coupante comme une lame de rasoir, la lacérait.

— Et moi qui me demandais pourquoi tu n'étais jamais venu me chercher pour me ramener ici !

Subitement, elle éprouva une drôle d'impression. Celle d'avoir quitté son corps, de flotter plusieurs mètres au-dessus et de regarder deux personnes qu'elle ne reconnaissait même plus.

Trace ramassa un caillou dans la poussière et le fit rouler au creux de sa paume.

— Je me demandais pourquoi tu avais laissé un message, reprit-il, pourquoi tu ne m'avais pas dit au revoir de vive voix.

— J'ai eu peur.

— De moi ?

— De tout.

Dieu, qu'elle était épuisée ! Chaque mot prononcé exigeait un terrible effort.

— De ton père, de ton argent… de nos trop grandes différences. Que tu puisses aussi m'abandonner un jour… si je t'avais revu après la tentative de ton père pour me faire accepter ce chèque, tu aurais su alors ce qui venait de se passer. J'aurais pu te raconter ce qu'il avait fait, et cela aurait créé d'autres problèmes, davantage encore de chagrin. Où serions-nous allés d'ailleurs, si nous étions partis d'ici ?

Elle prit une profonde inspiration et tourna la tête vers lui.

— Alors, c'est moi qui suis partie.

— Et tu es restée au loin.

— Deux mois plus tard, enchaîna-t-elle d'une voix qui trahissait son émotion, j'ai vu ta photo dans un magazine de gastronomie. Tu avais été photographié à un gala pour la recherche contre le cancer. Tu étais magnifique… Mais tu étais aussi en compagnie d'une blonde superbe !

Sa voix se brisa.

— L'article, reprit-elle au bout de quelques instants, laissait entendre que tu étais fiancé. Alors je me suis dit que si tu sortais déjà avec quelqu'un d'autre, nos parents avaient peut-être eu raison.

Trace secoua la tête en soupirant.

— Ma mère avait tout arrangé : le rendez-vous et l'article. J'étais furieux, si tu savais ! Je n'avais aucune envie de me retrouver là avec cette fille que je ne connaissais même pas, alors que je ne cessais de penser à toi ! Et quand j'ai vu l'article dans le journal, j'ai cru que j'allais étrangler le journaliste !

Becca resta un instant sans répondre, puis elle reprit d'une voix lente :

— Trace, il m'a fallu cinq ans pour trouver le courage de revenir ici. J'étais parvenue à me convaincre que je devais revenir, que mes sentiments pour toi appartenaient au passé. Et puis je t'ai vu et j'ai compris que rien n'avait changé.

— Becca, ce matin…

— Aucune importance.

Elle se releva et baissa les yeux vers lui.

— Je me faisais des illusions en me disant que nous pouvions avoir une autre chance. Il y a cinq ans ou maintenant, c'est la même chose. Simplement, il semble que nous ne parvenions pas à le reconnaître.

— Viens avec moi, fit Trace en se levant à son tour. Il n'est pas trop tard. Allons chez moi et essayons de parvenir à nous comprendre.

Il lui tendit la main mais elle secoua la tête et fit un pas en arrière.

— Cela prendra peut-être un peu de temps, dit-elle,

mais j'ai l'intention de rembourser chaque sou que ma mère vous a pris.

— Au diable l'argent, Becca !

La colère glaça les yeux de Trace et il serra les mâchoires.

— Cela n'a rien à voir avec l'argent !

— Non, bien sûr.

Becca recula vers la porte, priant pour que ses genoux ne se dérobent pas sous elle avant d'avoir pu rentrer dans le hall. Quelque part au fond d'elle-même, elle puisa enfin le courage qu'elle n'avait jamais pu trouver.

— Au revoir, Trace.

Derrière elle, la porte se referma avec un petit bruit tranquille et Becca appuya le front contre le bois frais. Lorsqu'elle entendit démarrer puis s'éloigner la voiture de Trace, elle s'effondra sur le sol et se mit à pleurer.

10.

Debout sous la pluie, une pelle entre les mains et de la boue jusqu'aux genoux, Trace creusait, se frayant avec peine un chemin à travers un monticule de terre détrempée. A chaque pelletée, il avait l'impression d'en rejeter le double. Quand sa pelle heurta une pierre de la taille d'un ballon de football, la secousse se propagea durement tout le long de son bras. Il jura. Poussa la pelle sous la pierre et la rejeta de côté sur la pile qui grossissait sur le bord de la route.

Depuis deux jours, une pluie persistante avait commencé à s'abattre sur la région, assez violemment pour bloquer un chenal qui courait au-dessous de l'une des routes tracées à travers le vignoble. Certes, il aurait pu demander à l'un des ouvriers de venir lui donner un coup de main, mais il préférait rester seul avec sa mauvaise humeur, s'imaginant que le travail manuel l'aiderait à soulager quelque peu la pression qui n'avait fait que grandir en lui.

En vain.

Jusqu'ici, sa frustration n'en avait été que plus profonde.

Cinq jours plus tôt, Becca était partie pour Los Angeles. Chaque jour, il décrochait le téléphone pour l'appeler et chaque jour, il raccrochait avant même de l'avoir entendu sonner.

Et s'il l'avait laissé sonner, si elle avait décroché, qu'aurait-il bien pu lui dire, d'ailleurs ?

Je suis navré d'avoir essayé de t'acheter comme l'a fait mon père ?

Il avait laissé tomber Becca, sa mère l'avait laissé tomber. Il avait le sentiment de lui avoir fait plus de mal en entrant dans sa vie que s'il s'en était tenu à l'écart. Comment avait-il pu la croire capable d'accepter l'argent de son père ? L'argent et le nom de sa famille n'avaient jamais eu aucune importance pour Becca, il aurait dû le savoir ! Même si, songea-t-il avec un immense sentiment d'amertume, dans d'autres circonstances, ils auraient pu lui rendre la vie plus agréable.

La pluie tambourinait sur son ciré, rebondissait sur le sol et formait des flaques autour de ses pieds. Il rejeta une autre pelletée de terre, maudit la pluie, maudit la boue et se maudit lui-même.

Pourquoi ne lui avait-il pas fait confiance ? se reprocha-t-il pour la millième fois.

Elaine Marshall avait eu raison au moins sur un point, songea-t-il. Il ne méritait pas Becca. Il ne l'avait jamais méritée.

Il valait beaucoup mieux pour elle être loin de lui.

La maison d'hôtes d'un seul étage avait été confortablement bâtie à l'angle oriental du Domaine de Louret. Avec son toit d'ardoise pointu et ses parois de bois, elle avait un peu l'air de sortir tout droit d'un livre de contes : une paresseuse vigne vierge grimpait sur son fronton, il y avait des parterres de fleurs bordés de granit et une cheminée de pierre d'où sortait un panache de fumée que le vent faisait tourbillonner. Un peu plus loin, un petit lac et un bosquet d'oliviers complétaient ce parfait décor de carte postale.

Trace arrêta son pick-up dans le chemin et coupa le moteur, résistant au désir de le remettre en marche.

Il l'avait appelée, se répéta-t-il pour se donner du courage. Elle savait qu'il venait, il n'avait plus le choix. Cette fois, il fallait vraiment qu'il se lance. C'était sa dernière chance.

Il saisit la boîte enveloppée d'un papier bariolé qu'il avait posée sur le siège à côté de lui et descendit du véhicule, puis remonta son col pour se protéger de la légère bruine. Le pire de la tempête était passé mais des nuages s'attardaient dans le ciel et paraissaient bien décidés à tenir le soleil à l'écart.

L'odeur de la fumée de bois mêlée à l'arôme des branches de pins et de cèdres qui ornaient les portes pour les fêtes lui rappela avec acuité qu'il ne restait que deux jours avant Noël.

Non qu'il fût d'humeur à ce genre de célébration. Il n'avait aucune envie de faire la fête et, en ce qui le concernait, il serait bien assez content quand Noël serait passé et qu'il pourrait s'installer dans la nouvelle année.

De l'autre côté de la porte, Trace entendit rire un enfant, puis les aboiements d'un chiot. Il écouta un instant et fronça les sourcils en entendant une femme pousser un grand cri. Il frappa à la porte, attendit avec anxiété puis frappa encore.

Il était sur le point de tendre la main vers la poignée, quand la porte s'ouvrit toute grande.

Anna se tenait de l'autre côté, l'air plus qu'abattue. Depuis le sommet de sa courte chevelure auburn, jusqu'à sa blouse de soie verte et son pantalon en coton noir, elle était couverte de ce qui semblait être de la farine.

— Désolée, bredouilla-t-elle. Nous avons eu un petit problème en cuisine.

On entendit un cri de bonheur suivi d'aboiements frénétiques. Anna se détourna et repartit à la hâte vers l'endroit d'où provenait le brouhaha.

Pas très certain de ce qu'il devait faire, Trace jeta un coup d'œil autour de lui, puis pénétra à l'intérieur de la maison en refermant la porte derrière lui.

Le cottage avait un côté chaleureux et familial. L'ameublement du living était de bois brut, sans doute artisanal, le sofa couvert de gros coussins et de plaids tricotés à la main. Un arbre de Noël décoré de boules de verre étincelantes et de guirlandes argentées illuminait un coin, et sur la table de la salle à manger, un trio de bougies colorées montait la garde à côté d'un poinsettia écarlate.

Trace posa son cadeau sur la table et s'engagea dans la direction d'où était venu le bruit, côté cuisine. Au milieu du parquet, un chiot noir faisait des cercles autour d'un petit garçon couvert de farine qui riait aux éclats.

— Oh non, Cabo, arrête !

Anna tentait désespérément d'attraper le chien excité mais l'animal était trop rapide pour elle. Trace entra et saisit le chiot indiscipliné par son collier et le maintint serré quand l'animal gigota pour se libérer.

— Dieu vous bénisse, soupira Anna avant de reprendre, à l'intention de l'enfant assis par terre : non mais, Jack, regarde-toi ! Dans quel état tu t'es mis !

— Maman !

Jack saisit une poignée de farine et la lança en l'air.

— On fait la neige.

La farine saupoudrait ses boucles rousses, ses joues rondes de bébé et sa salopette en jean. Anna le souleva et le remit sur ses pieds avant de lancer un regard d'excuse à Trace.

— J'étais en train de verser de la farine dans un saladier quand le paquet m'a échappé des mains.

Elle pointa un doigt vers le chien d'un air sévère.

— Cabo, assis !

Tout frétillant, la langue pendant d'un côté de ses larges mâchoires, le chien s'assit comme à regret.

— Je suis désolée que Grant ne soit pas là, dit Anna en brossant la farine sur les cheveux et les vêtements du petit Jack. Un tuyau s'est rompu dans la maison que nous venons d'acheter et il est là-bas avec le plombier. C'est vraiment un de ces jours où tout arrive !

Pour sa part, ça lui convenait tout à fait, songea Trace. Sa vie relationnelle était devenue très compliquée depuis l'instant où Grant s'était manifesté dans la Napa Valley. Alors, voir Anna et Jack était bien suffisant pour aujourd'hui.

Anna se tourna vers l'enfant.

— Jack, voici ton frère Trace. Dis bonjour.

Le petit garçon enfonça dans sa bouche un doigt couvert de farine et sourit.

— Bonjour, Trace.

— Bonjour, Jack.

— C'est Cabo, dit-il. C'est mon chien.

L'enfant désigna l'animal.

— C'est Eli qui me l'a donné.

— Un homme à qui je pourrais bien ne plus jamais adresser la parole, maugréa Anna, en saisissant le chien par son collier. Je vais sortir cet animal pour le brosser. Jack, pourquoi ne montres-tu pas ton train à Trace ?

Le visage de l'enfant s'illumina. S'emparant de la main de Trace, il l'entraîna dans le salon vers le sapin de Noël. Un train miniature à six wagons et sa locomotive d'un noir brillant avaient été installés de manière à faire le tour de l'arbre.

Jack se laissa tomber par terre et tapota le sol à côté de lui.

— *Assis*-toi ici.

Trace obéit avec l'impression d'être un géant à côté du petit bonhomme. Il regarda l'enfant mettre le train en marche, impressionné par son habileté à le manœuvrer.

— C'est moi qui conduis, dit Jack en appuyant sur les commandes.

Le train siffla et courut le long des rails.

— Tu peux t'occuper du fourgon, ajouta Jack.

Voilà qui résumait admirablement sa vie, ironisa Trace pour lui-même. Il était la dernière voiture du train.

Celle qui n'allait nulle part.

Il observa l'excitation qui montait dans les yeux verts de l'enfant. Il avait toujours pensé avoir un fils un jour. Il lui achèterait son premier train et s'assiérait à côté de lui près de l'arbre de Noël, et ils discuteraient à qui prendrait la direction des choses et ferait fumer la locomotive.

Dans ce monde-là, son fils aurait les yeux mordorés de sa mère, et sa fille, son joli petit nez et sa belle bouche. Ils boiraient tous du chocolat chaud et liraient des contes pendant la veillée de Noël, sans oublier de laisser des cookies pour le Père Noël et des carottes pour le renne.

Dans ce monde encore, il embrasserait son épouse sous le gui et lui ferait l'amour quand leurs enfants seraient profondément endormis.

Une petite main posée sur son bras le tira de ses

pensées. Il battit des paupières et baissa les yeux sur le petit garçon qui le regardait.

— Tu veux conduire, maintenant ?

L'enfant lui tendit la commande.

— Ma maman dit que je dois partager et attendre mon tour.

— Il faut que tu me montres comment ça marche, répondit Trace.

La poitrine de Jack se gonfla de fierté.

— Il faut que tu appuies sur le bouton comme ça et que tu remues celui-ci en avant et en arrière.

Quand Trace fit démarrer le train, Jack battit des mains.

— Tu vois ? Tu peux le faire.

A voir le sourire de l'enfant, la joie dans ses yeux, quelque chose remua dans le cœur de Trace.

Il fit tourner le train pendant que Jack sautait autour de lui et parlait avec animation du Père Noël, de la cheminée, des jouets et d'un flot d'autres sujets que Trace avait du mal à comprendre. Mais les mots n'avaient pas d'importance. L'enthousiasme de Jack était contagieux et, sans pouvoir s'en empêcher, Trace absorbait un peu de l'excitation de l'enfant sur l'imminente visite.

Quand on frappa à la porte, et que le chiot aboya à l'extérieur, Anna appela du fond de la maison.

— Trace, voulez-vous aller ouvrir, je vous prie ? J'arrive dans une minute.

Il y avait vraiment une folle activité dans cette maison, songea Trace, et il se rendit compte tout à coup que cela aussi faisait partie de son monde imaginaire, ce monde dans lequel il aurait voulu vivre.

— Je reviens tout de suite, dit-il à Jack. Tu me remplaces, n'est-ce pas ?

Trace lui donna les commandes, se passa une main dans les cheveux et se leva pour se diriger vers la porte d'entrée.

Eli.

Ils se toisèrent, aussi surpris l'un que l'autre. Puis le sourire sur le visage d'Eli s'évanouit.

— Je m'étais arrêté pour voir Jack, dit-il d'un ton raide. Je reviendrai plus tard.

— Eli !

Bras grands ouverts, Jack traversa la pièce en courant. Le sourire d'Eli réapparut sur son visage lorsqu'il souleva l'enfant et le serra contre lui.

— Comment ça va, mon garçon ?

— Je jouais au train avec mon frère Trace.

Jack leva les yeux vers Eli.

— Toi aussi, tu es mon frère.

— Oui.

Eli le remit sur ses pieds.

— Tu peux en être sûr.

Le regard de Jack remonta, plein de curiosité, vers Trace.

— Toi aussi, tu es le frère d'Eli, Trace ?

Trace ne répondit pas. C'était une chose de le savoir, une autre de le dire tout haut. Jack s'impatienta.

— Alors, tu es le frère d'Eli, Trace ? demanda-t-il une nouvelle fois.

Le regard de Trace croisa celui d'Eli.

— Oui.

Un large sourire étira le visage du petit garçon qui saisit la main d'Eli.

— Viens jouer au train avec nous, Eli.

— Je ne peux pas pour le moment, dit Eli. Plus tard, peut-être.

— Il le faut, gémit Jack en tirant sur sa main. Trace et moi, on conduit chacun son tour et maintenant, c'est le tien et…

Les yeux agrandis, l'enfant s'interrompit soudain et se tint le ventre.

— Il faut que j'aille faire pot-pot.

Après quoi, il se détourna et s'en alla en courant et en appelant sa mère. Trace regarda le petit disparaître au fond du couloir puis se retourna vers Eli. Il y eut un bref et embarrassant moment.

— Eh bien, je pense que je vais y aller, dit Eli qui

211

se balançait d'un pied sur l'autre. Dis à Jack que je vais revenir plus tard.

— Pourquoi ne pas rester ? offrit Trace. Puisque c'est à ton tour de conduire et tout le reste.

Eli hésita puis se glissa à l'intérieur de la maison.

— Je... j'ai entendu dire que Megan avait eu son bébé la semaine dernière. Ils vont bien ?

Trace hocha la tête.

— Super. On m'a dit aussi que Lara et toi vous étiez mariés ? Félicitations.

— Merci.

— Jack m'a raconté que tu lui avais donné un chiot.

— Même si d'après Anna, remarqua Eli, ce n'est pas la meilleure idée que j'aie eue...

— Attends de voir ce que je lui ai apporté, reprit Trace, avec un coup d'œil en direction de la grande boîte posée par terre.

— Qu'est-ce que c'est ?

— Des tambours.

Eli écarquilla les yeux puis éclata de rire.

— Tu es fichu !

Trace réalisa alors à quel point le fait d'avoir une conversation polie avec Eli avait quelque chose de surréaliste. Ils avaient eu le même père, mais il n'avait jamais réellement pensé à l'homme qui se tenait près de lui comme à un frère.

Il était peut-être temps de changer tout ça ?

Peut-être. Et peut-être aussi, songea-t-il alors, était-il temps de changer un tas d'autres choses...

La table était mise comme pour un petit dîner d'amoureux. Des bougies dont la flamme s'élevait vacillante comme pour une prière, deux délicates flûtes emplies de champagne pétillant, du caviar noir sur des toasts. Une seule rose d'un rouge sombre, avec une très longue tige était posée sur la nappe de lin blanc, image d'amour et de passion, de désir et de passion.

Dommage qu'il ne s'agisse que d'une mise en scène !

Becca prit plusieurs instantanés supplémentaires de la scène qu'elle avait imaginée pour la société de vente de caviar avant de se redresser, les mains dans le dos. Elle se sentait toute raide après cette longue journée de travail et elle s'étira d'un côté, puis de l'autre, mais la tension dans son cou et ses épaules s'obstina.

Au cours de la semaine qui venait de s'écouler, elle avait passé plus de temps dans son studio photo que chez elle, avec l'espoir que son travail éloignerait Trace de son esprit.

Bien entendu, il n'en avait rien été mais au moins, cela lui avait permis de faire autre chose que de se nicher dans un coin pour y pleurer toutes les larmes de son corps.

Elle éteignit les lumières tamisées puis, assise à califourchon sur une chaise, le menton posé sur ses bras, écouta le tic-tac persistant de sa montre. Il était plus de 19 heures. Elle le savait, mais ne s'en souciait pas. Elle n'avait nulle part où aller, personne à retrouver.

Même si c'était la veille de Noël.

Elle contempla les bougies vacillantes et le champagne, et se remémora la bouteille que Trace et elle avaient partagée la nuit où était né le bébé de Megan.

Cette nuit-là, elle ne l'oublierait jamais.

Chaque baiser, chaque caresse, chaque soupir, demeureraient à jamais gravés dans son esprit. Pas plus qu'elle n'oublierait que sa mère avait imité sa signature, et que Trace avait vraiment cru qu'elle s'était laissé acheter par son père.

Les deux personnes qu'elle avait le plus aimées au monde l'avaient trahie.

Oh, bien sûr, la douleur finirait un jour par s'effacer. Avec le temps et l'éloignement, sans compter la détermination de faire bouger sa vie. Tout cela jouait en sa faveur. Trace lui avait peut-être brisé le cœur mais il n'avait pas touché à son esprit. Bien qu'elle en veuille toujours à sa mère, Becca souffrait aussi pour elle. Sa colère et son amertume l'avaient emplie pendant tant d'années qu'elles l'avaient aveuglée, lui ôtant toute possibilité de retrouver l'amour.

Est-ce que cela ne risquait pas de lui arriver à elle aussi ? se demanda soudain Becca, avant de secouer farouchement la tête. Non, elle ne le permettrait pas. D'une manière ou d'une autre, elle viendrait aussi à bout du souvenir de Trace.

Mais pas maintenant. Pour l'instant, tous les petits morceaux de son cœur étaient éparpillés. Pour l'instant, tous appartenaient encore à Trace.

Un coup frappé à sa porte la fit sursauter. Elle n'attendait personne et elle savait aussi que la plupart des locataires de l'immeuble étaient partis un peu plus tôt dans la journée. Sourcils froncés, elle alla jeter un coup d'œil à travers le judas. Quand elle vit de qui il s'agissait, elle aspira une lente bouffée d'air puis ouvrit.

— Tu ne réponds pas au téléphone, lança sa mère sur le seuil.

— Tu as fait tout ce chemin pour me dire ça ?

En dépit de tout ce qui était arrivé, Becca fut heureuse de voir sa mère. C'était, se dit-elle, la première étape vers la cicatrisation d'une relation blessée.

— Ne sois pas insolente, répliqua Elaine. Bien entendu, je ne suis pas venue jusqu'ici pour te dire cela. Je suis venue pour te dire que je t'aime.

— Moi aussi, je t'aime, maman.

Les yeux d'Elaine se mouillèrent, puis elle redressa les épaules.

— Et je ne suis pas venue en voiture, mais en avion.

— En avion ? répéta Becca.

Elle savait qu'en temps normal, il n'était guère facile de voler de Napa à L.A, et encore moins à la veille de Noël.

— Comment as-tu pu avoir un vol ?

— Ce n'est pas moi...

Sa mère s'écarta et jeta un coup d'œil par-dessus son épaule.

— C'est grâce à Lilah.

Lilah ? Les pupilles de Becca se rétrécirent, puis elle ouvrit de grands yeux quand la mère de Trace apparut sur le seuil. Cœur battant, Becca ne parvenait pas à articuler un mot.

— Bonjour, Becca.

— Je... je ne comprends pas, balbutia Becca, retrouvant enfin sa voix.

216

Les deux femmes échangèrent un sourire, mais ce fut Lilah qui parla la première.

— Ce que Spencer et moi avons fait il y a cinq ans était impardonnable, dit-elle d'un ton tranquille. Mais si je suis venue jusqu'ici, c'est justement pour vous demander votre pardon.

Elaine se mordilla les lèvres.

— Et moi aussi. Je t'en prie, bébé, veux-tu nous pardonner ?

Incroyable ! C'était totalement incroyable. Sa mère était venue avec Lilah Ashton pour lui demander pardon ?

Le regard de Becca passa du visage de sa mère à celui de Lilah et comprit qu'elles étaient sincères.

Elle avait perdu cinq précieuses années avec Trace. Une vie ! Pouvait-elle, en toute honnêteté, accorder un pardon total ? Le pouvait-elle ?

Aucune des trois femmes ne bougeait plus, ne parlait plus…

Enfin, Becca ouvrit les bras et hocha la tête.

Il y eut encore plus de larmes et de sanglots étouffés. On sortit des mouchoirs qui passèrent à la ronde et on se tomba mutuellement dans les bras. Becca songea qu'elle avait peut-être le cœur brisé mais qu'il était maintenant beaucoup plus léger. Toutes trois essuyaient encore leurs larmes lorsqu'elles finirent par se séparer. Becca se rendit alors compte qu'elles se tenaient encore toutes trois dans l'entrée de l'appartement.

— Entrez, dit-elle en s'effaçant. Je peux vous offrir du champagne ou faire un peu de café.

— Impossible, chérie.

Elaine adressa un sourire à Lilah.

— Stephen et Lilah m'ont invitée à dîner. Stephen a un frère à Los Angeles. Il est veuf et nous devons le retrouver chez Spago.

— Tu... sors ?

Pour la première fois, Becca remarqua que sa mère portait une veste à sequins sur une robe noire. Lilah était vêtue d'un pull de cashmere crème sur un pantalon de soie du même ton. Et elles sortaient ? Ensemble ? Décidément, la soirée tout entière était de plus en plus étrange et incroyable de minute en minute.

Et moi, alors ? eut-elle envie de s'écrier. C'était quand même Noël, non ?

— Nous nous reverrons demain, dit Elaine en l'embrassant sur la joue. Appelle-moi demain matin au Bonaventure.

Le Bonaventure ? Becca n'osait plus poser de questions. C'était vraiment trop fort, pensa-t-elle, en fermant la porte après le départ des deux femmes. Elle resta là, secouant la tête pour essayer d'arrêter son vertige.

Ni sa mère, ni Lilah n'avaient mentionné le nom de Trace. Savait-il seulement qu'elles étaient ici ?

On gratta légèrement à sa porte. Tirée de ses pensées, elle se dit que les deux femmes avaient voulu la faire marcher en lui disant qu'elles sortaient sans l'emmener. Toujours dans une sorte de brouillard, elle alla ouvrir.

Et là, son cœur s'arrêta de battre.

Trace se tenait devant elle, les mains dans les poches de sa veste de cuir. Voilà qui répondait sans aucun doute à la question de savoir s'il était au courant de la présence des deux mères à L.A.

Becca le fixa, déchirée entre le besoin de se jeter dans ses bras et celui de fulminer.

Puis décida de ne faire ni l'un ni l'autre.

— Puis-je entrer ? demanda-t-il.

— Et si je dis non ?

— Dans ce cas, je t'attendrai dehors.

L'idée qu'il puisse l'attendre pendant sept heures dans le hall la séduisait assez, mais elle finit par s'écarter et, lorsqu'il eut pénétré à l'intérieur, par refermer la porte.

Trace glissa un œil vers la table.

— Tu travaillais ?

— Non. Je me faisais juste un petit festin, histoire de fêter Noël toute seule !

Becca n'avait pas voulu se montrer sarcastique,

mais c'était sorti tout seul. Croisant les bras, elle expira l'air qu'elle avait retenu dans ses poumons.

— Evidemment que je travaillais, reprit-elle, enfin jusqu'à ce que nos mères se manifestent.

Trace se sentit encouragé parce que Becca ne lui criait pas après. Mais, même si elle l'avait fait, il ne lui en aurait pas voulu.

— Que s'est-il passé ? s'enquit-il.

— Elles m'ont demandé de leur pardonner.

La voix et le visage de Becca s'étaient adoucis.

— Et ?

— Je l'ai fait.

— J'en suis heureux.

Trace se rapprocha un peu et vit une lueur d'appréhension luire au fond de ses yeux.

— Et moi, alors ?

Becca se tourna vers la table et joua avec un toast.

— Toi ?

Trace se pencha sur elle, et respira avec délice son parfum familier.

— Veux-tu me pardonner ?

Elle se figea sans répondre.

— Je sais que je suis un imbécile, dit-il, parfaitement conscient de ce fait. Je l'étais il y a cinq ans et je le suis encore. Mais je t'assure que je travaille là-dessus.

220

Il devina qu'elle souriait mais ne put voir son visage. Dieu ! Qu'il aurait aimé le voir, son visage ! songea-t-il.

— Becca.

Il lui posa les mains sur les épaules et la retourna vers lui.

— Je suis navré de ce qu'a fait mon père, mais je le suis plus encore de ne pas t'avoir fait assez confiance pour voir la vérité, pour ne pas être allé te chercher pour te ramener. Je le voulais, j'y pensais chaque jour, mais mon sacré orgueil m'en empêchait.

— J'aurais dû t'avouer la vérité, dit-elle enfin.

Trace secoua la tête.

— Aurions-nous pu être vraiment heureux sachant que nos familles étaient opposées de manière inflexible à ce que nous restions ensemble ? En outre, nous savions tous les deux quelle sorte d'homme était mon père.

Becca ferma les yeux.

— Mais ce qu'a fait ma mère… prendre l'argent et me mentir…

— Elle a mal agi pour de bonnes raisons, conclut tendrement Trace. Elle t'aime. Et s'il y a une chose sur laquelle elle avait raison, c'est que je ne te méritais pas. C'est toujours le cas, mais si tu voulais bien me donner une chance, je passerais chaque jour du restant de nos vies à me rattraper. Je t'aime, ma chérie. Je t'ai toujours aimée.

Becca rouvrit les yeux. Ils étaient pleins de larmes.

— Moi aussi, je t'aime.

Trace effleura ses lèvres avec une infinie délicatesse.

— Quand tu as déclaré que tu retournais à Napa, j'ai paniqué. Je t'avais perdue une fois, je ne pourrais pas te perdre encore. Epouse-moi, Becca.

Il sortit une bague de sa poche et vit les yeux de Becca s'agrandir.

— Ma bague ! Tu as gardé ma bague ? s'exclama-t-elle, les yeux levés vers lui.

Il la glissa à son doigt, là où elle aurait dû être depuis toujours.

— Je n'ai pas pu m'en débarrasser. Elle fait partie de toi, partie de nous. Je t'en prie, dis oui.

Des larmes ruisselaient sur les joues de Becca lorsqu'elle leva la main et contempla, émerveillée, la bague qu'elle avait portée cinq ans auparavant. Un léger sanglot lui échappa quand elle se précipita vers lui et lui noua les bras autour du cou.

— Oui. *Oui !*

Trace savoura le goût de ses larmes lorsqu'elle l'embrassa. Il l'enlaça, la serra contre lui de plus en plus fort, l'étreignit comme cela ne lui était jamais arrivé.

Jamais plus, se jura-t-il, il ne la laisserait s'en aller.

— Nous irons vivre où tu voudras, dit-il en relevant la tête. Nous pouvons rester dans cette pièce si tu le désires, bien que nous puissions avoir besoin de quelque chose de plus grand quand arriveront nos bébés.

— Des bébés ? murmura-t-elle avant de lui adresser un sourire. Nous pourrions sans doute trouver mieux qu'ici, puisque tu es un garçon si riche, et tout et tout.

— Le plus riche de tous, dit-il à voix basse avant de l'embrasser encore une fois.

Becca lui prit le visage entre ses mains. Le bonheur illuminait ses grands yeux.

— Joyeux Noël, Trace.

— Joyeux Noël, Becca.

Il lui rendit son sourire.

— Et pour toujours !

Épilogue

L'annonce officielle du mariage fut comme une vague de fond qui alimenta les rumeurs dans la communauté du vin dispersée tout le long de la côte. Certaines personnes s'imaginèrent qu'il s'agissait d'une erreur d'impression, certaines autres d'une mauvaise blague — d'un goût vraiment exécrable.

Il était tout simplement impossible que le Vignoble Ashton s'unisse au Domaine de Louret. Même Trace qui avait lui-même rédigé l'annonce trouva la nouvelle stupéfiante.

Il se tenait debout à l'entrée de la pièce familiale, et passait en revue les visages de tous ceux qui avaient pu se joindre à la célébration. Près de la cheminée, Megan, son bébé endormi dans les bras, parlait puériculture avec Mercedes tandis que Simon discutait affaires avec Cole et Jared. Assis sur le divan, Anna et Grant partageaient l'histoire des derniers exploits du petit Jack avec Paige et Matt, pendant que Jillian et Seth, son mari, regardaient des photos de la joie des enfants le jour de Noël.

Eli, quant à lui, se tenait près des portes-fenêtres ouvrant sur la salle du petit déjeuner, et enlaçait d'un bras possessif son épouse Lara, en grande conversation avec Dixie, la femme de Cole.

Si ce groupe s'était réuni sous le même toit un an auparavant, songea Trace, il ne faisait aucun doute que le sang aurait coulé.

Ils avaient tous pris avec un certain recul l'offre qu'il leur avait faite et même, Trace le savait, avec quelque suspicion. Ils avaient encore une longue route à parcourir avant de vraiment bien se connaître. Mais ils étaient déjà une famille et il avait le sentiment qu'avant longtemps, ils seraient devenus également amis.

Au cours des semaines passées, il y avait eu une douzaine de réunions, une montagne de paperasserie et ce qui ressemblait à des centaines de signatures, mais les avocats avaient réglé tous les détails, et Les Chais du Soleil étaient nés de la réunion du Domaine de Louret et du Vignoble Ashton.

Le testament laissé par le cupide et avare Spencer Ashton allait désormais être enterré avec lui. Ils allaient prendre un nouveau départ, songea Trace. Le vignoble et ses nombreuses possessions allaient être équitablement partagés et sa mère, partie la veille pour Hawaii avec Stephen, pourrait garder la *Villa Ashton* qu'elle aimait tant.

Unis, ils seraient plus forts, en famille comme en affaires. Le nom des Ashton et Les Chais du Soleil seraient une force avec laquelle il allait falloir compter.

Mais cette fois, ce serait une force positive, conclut Trace.

— Hé, toi !

Becca se leva derrière lui et lui glissa un bras autour de la taille.

— Il est presque minuit, ajouta-t-elle.

En souriant, il l'attira plus près de lui. Elle était revenue à Napa avec lui, la veille de Noël, et y était restée, car elle avait pris la décision d'y installer son studio. Ils avaient fixé en juin la date de leur mariage, mais pas un jour, pas une semaine ne s'écoulait sans que Trace ne souhaitât que ce jour fût déjà là.

Il se pencha et lui chuchota au creux de l'oreille :

— Que dirais-tu d'aller dans un endroit tout à nous pour fêter la nouvelle année ? Il y a bien trop de monde, ici.

— Autant s'y habituer, dit Becca avec un sourire. C'est ta famille.

Sa famille. Le regard de Trace fit de nouveau

le tour de la pièce et il tenta encore une fois de digérer l'énormité de tout cela, avant de se poser de nouveau sur Becca. Qu'elle se trouve là, à côté de lui, là où était sa vraie place, était le plus stupéfiant de tout.

— Viens.

Il la prit par le bras et l'entraîna à l'extérieur sous la véranda.

— Trace, il ne faut p…

Il posa sa bouche sur la sienne pour faire taire sa protestation. Son baiser se fit de plus en plus profond jusqu'au moment où elle finit par soupirer et se presser tout contre lui.

— J'ai quelque chose pour toi, murmura Trace.

Il sortit de sa poche de veste une mince boîte noire.

— Trace, tu ne devrais pas… Oh, mon Dieu !

Quand il ouvrit la boîte, ses yeux s'agrandirent.

— *Trace !*

Les diamants qui entouraient le pendentif de rubis étincelaient sous les douces lumières.

— J'avais l'intention d'attendre un peu…

Trace sortit le bijou de son écrin.

— Mais je désire que tu le portes maintenant, poursuivit-il. Tourne-toi.

— Il est magnifique, murmura-t-elle, haletante,

lorsqu'il ferma la sécurité avant de la faire pivoter vers lui. Mais tu n'aurais pas dû.

— Il va falloir t'habituer à ce genre de chose, dit-il avec un large sourire. Je veux tout te donner.

Des larmes montèrent aux yeux de Becca et elle lui caressa la joue.

— Ne sais-tu pas que tu l'as déjà fait ?

Il se pencha pour l'embrasser encore. Leurs lèvres venaient à peine de se toucher lorsque Trace entendit un homme s'éclaircir la voix.

— Désolé de vous déranger…

Grant et Anna se tenaient dans l'encadrement de la porte, chacun d'eux tenant une flûte à champagne.

— Il est presque minuit. Nous avons tous pensé que vous aimeriez porter un toast.

Le regard de Trace passa de Grant à Anna et il se demanda si lui et Becca avaient l'air aussi bêtement amoureux que ces deux jeunes mariés. *Oui, je suppose que oui,* se dit-il, surpris de ne pas s'en soucier plus que cela.

Ils rejoignirent les autres et aux douze coups de minuit, ce ne fut plus que cris d'allégresse et baisers.

Trace entraîna Becca au centre de la pièce.

— A la famille, dit-il en levant son verre.

— A la famille, répondirent-ils.

228

Ils trinquèrent et burent tous ensemble.

Le regard de Trace fit le tour de la pièce.

Il n'avait aucune idée de ce que leur apporterait l'année nouvelle, mais une chose était certaine, pensa-t-il en étreignant Becca.

Ils n'allaient pas s'ennuyer.

LEANNE BANKS

Captive de la passion

Collection *Passion*

éditions Harlequin

*Cet ouvrage a été publié en langue anglaise
sous le titre :*
PRINCESS IN HIS BED

Traduction française de
ROSA BACHIR

Originally published by SILHOUETTE BOOKS,
division of Harlequin Enterprises Ltd.
Toronto, Canada

Prologue

Génial ! Cette perruque allait lui changer la vie !

Milena pouvait à peine contenir son excitation en retirant de ses cheveux d'un noir de jais le fin diadème serti de diamants et en les recouvrant de la perruque châtain clair. Elle s'était déjà démaquillée et avait échangé sa tenue chic pour une jupe et un pull quelconques achetés quelques mois auparavant.

Les femmes sophistiquées attirent l'attention, tandis que les femmes ordinaires se fondent dans le décor. Or, se faire oublier, c'était exactement ce qu'elle avait l'intention de faire. Il lui restait tant de choses à accomplir avant que sa mère, la reine de l'île de Marceau, ne réussisse à la marier au comte Ferrar !

Elle mit soigneusement les lentilles de contact qu'elle avait commandées sur Internet tout comme son faux passeport. Ses yeux d'un gris remarquable devinrent marron, et lorsqu'elle se regarda, son cœur tressauta. Elle était méconnaissable ! Elle adressa une grimace au miroir de la salle de bains de sa cousine, et fourra le passeport et le reste de ses affaires dans son sac.

La musique de la fête faisait vibrer les murs de l'hôtel particulier parisien.

Prenant une profonde inspiration, elle quitta la salle de bains et se faufila parmi la foule des invités. Ses gardes du corps étaient postés devant la porte d'entrée. Ils avaient pour mission de la protéger, mais aussi, elle le savait, de l'empêcher de s'enfuir. Elle avait eu un mal fou à convaincre sa mère de la laisser assister à la soirée donnée par sa cousine.

Devant la porte, elle se pencha vers le majordome pour ne pas être entendue.

— J'ai besoin de prendre l'air, chuchota-t-elle.

— Bien sûr, mademoiselle.

L'homme ouvrit la porte.

— Merci beaucoup, dit-elle.

Et elle sortit.

Le cœur battant, elle se força à emprunter le long couloir puis à descendre l'escalier sans courir. Le portier héla presque tout de suite avec succès un taxi. La chance était avec elle ! Les nerfs à vif, elle avait pourtant conscience de ne pas être encore tout à fait libre. A l'aéroport Charles de Gaulle, elle passa les interminables barrages de sécurité, les mains moites.

Et si on découvrait que son passeport était faux ? Et si on lui retirait sa perruque ?

Mais ses craintes s'avérèrent infondées : elle monta enfin à bord de l'avion et s'assit pour la première fois de sa vie en classe touriste.

Elle avait donc réussi ! Si seulement Nicolas et Michel, ses frères aînés, pouvaient la voir !

Elle éprouva un soudain accès de culpabilité. Ils allaient s'inquiéter pour elle, c'était certain. Mais elle se souvint du secret qu'ils s'étaient bien gardés de lui révéler : Jacques, leur autre frère que l'on avait longtemps cru mort, était en vie et se trouvait aux Etats-Unis !

Sa colère et sa résolution s'embrasèrent alors comme un feu incontrôlable.

Ah, ils avaient cru qu'elle ne pourrait pas faire face à une telle nouvelle ? Elle allait leur montrer qu'ils avaient eu tort. Mieux, elle allait retrouver son frère et le ramener avec elle ! Une bonne fois pour toutes, elle allait leur prouver à tous qu'elle n'était pas une « princesse inutile ».

L'avion commença à prendre de la vitesse, les moteurs feulèrent, et la force du décollage la plaqua contre son siège.

Une vague d'euphorie submergea Milena. Elle avait réussi à s'enfuir !

Son esprit était déjà en Amérique. Première étape : le Wyoming.

1.

La route étroite serpentait à travers l'obscurité, émaillée çà et là de quelques panneaux indicateurs. Milena s'était acheté un pick-up noir de marque Ford qu'elle conduisait avec dextérité. L'euphorie causée par sa liberté nouvelle était toutefois tempérée par une once d'inquiétude : elle se trouvait quelque part dans le Wyoming, mais elle ignorait où exactement. Elle aurait dû acheter un téléphone portable équipé d'un système GPS, songea-t-elle avec remord.

Non seulement elle ne savait pas où elle se trouvait mais, pire encore, elle devait constamment lutter contre le réflexe de conduire du côté gauche. Pourquoi diable les Américains roulaient-ils du mauvais côté ?

Elle prit un tournant, et ses phares illuminèrent soudain une vache qui se tenait au bord de la route.

Saisie de panique, Milena donna un violent coup

de volant. Elle se déporta vers la droite et fonça dans une clôture. Avant qu'elle puisse reprendre et son souffle et le contrôle de son véhicule, une étable apparut devant elle. Avec un cri d'effroi, elle freina de toutes ses forces.

Trop tard. Elle atterrit dans l'étable.

La dernière chose qu'elle vit fut le volant en train de tourner follement, avant que sa tête ne le heurte. Et là, tout devint noir.

— Un pick-up a percuté l'étable ! Un pick-up a percuté l'étable ! hurla la voix de Gary.

Le jeune cow-boy venait d'entrer en trombe dans le vestibule de la maison.

Réprimant une vague de peur, Jared McNeil se leva et fourra son journal dans le porte-revues. Il pouvait faire une croix sur sa soirée de repos.

— Comment ça, « un pick-up a percuté l'étable » ?

Essoufflé par sa course, Gary agita les bras comme un moulin.

— Un pick-up est sorti de je ne sais où et a heurté l'étable de Roméo.

— Roméo !

Jared sentit la panique monter en lui. Roméo était son meilleur taureau reproducteur et lui rapportait une fortune avec ses saillies. Immédiatement, il saisit ses clés et martela précipitamment les marches du perron, Gary sur ses talons.

— Que s'est-il passé ?

— Je ne sais pas trop. J'ai voulu aller voir si Roméo allait bien, mais j'ai pensé que je ferais mieux de venir vous chercher d'abord.

Jared acquiesça et grimpa dans son véhicule.

— Bon sang, s'il est arrivé quoi que ce soit au taureau, ce chauffard va avoir affaire à moi ! grommela-t-il.

Gary se hissa dans le pick-up juste au moment où il mettait le contact et lui adressa un regard prudent. Tout le monde au ranch savait à quel point Roméo était important.

— Cet taureau est un coriace, avança-t-il. Si ça se trouve, il ne s'est même pas réveillé.

— Roméo est un grand bébé, rétorqua Jared, en s'engageant sur la route poussiéreuse. Il est sûrement en train de beugler de toutes ses forces.

Bon Dieu, il n'avait pas besoin de ça ! En plus d'être le propriétaire du plus grand ranch du sud-ouest du Wyoming, il assurait toutes sortes d'intérims en ce moment. Le maire de la ville avait abandonné sa vie de rancher pour aller s'installer en Floride, et il le remplaçait jusqu'à ce que l'on persuade une bonne âme de reprendre le poste. D'autre part, il avait pris avec lui ses deux petites nièces pendant que sa sœur et son beau-frère se remettaient d'un grave accident de voiture. Et ce n'était pas une mince affaire.

Après le virage, il s'arrêta et sortit de son véhicule, suivi de Gary.

Il faisait nuit noire, et le premier son qu'ils entendirent fut celui du taureau hurlant à la mort. Exactement comme il l'avait prédit.

Il fronça les sourcils.

— J'imagine que c'est bon signe, marmonna-t-il alors que Gary et lui se dirigeaient vers l'étable. Au moins, il n'est pas mort.

Roméo martelait le sol et meuglait de bon cœur. Jared fut soulagé : sa meilleure bête ne semblait pas blessée. Levant la tête, il découvrit le pick-up encastré dans l'étable.

Il se dirigea vers lui, prêt à arracher les yeux au conducteur.

— Hé, mon gars ! cria-t-il. J'espère pour toi que tu as une bonne assurance…

Il s'interrompit lorsqu'il découvrit, évanouie sur le volant, une jeune femme. En jurant dans sa barbe, il ouvrit sa portière.

— Que diable…

Gary le rejoignait.

— Qu'y a-t-il, monsieur McNeil ? Qu'est-ce…

Mais c'est une femme ! dit-il avant de rester bouche bée.

Jared posa une main prudente sur la conductrice. Elle gémit, à son grand soulagement.

— Elle est en vie, murmura-t-il. Mademoiselle ? demanda-t-il en lui tapotant la main.

— Est-ce qu'on appelle les secours ? demanda Gary.

— Attendons encore une minute ou deux, dit Jared en tapotant toujours la main de la jeune femme.

Celle-ci leva légèrement la tête et gémit de nouveau.

— Mon Dieu, murmura-t-elle en français.

Jared ne put réprimer une grimace en voyant le visage de la jeune femme se crisper de douleur.

Les cheveux noirs collés sur sa joue ne suffisaient pas à cacher sa peau veloutée, ses traits fins et bien dessinés. Elle battit des paupières, et ses yeux se posèrent lentement sur lui.

Leur couleur intense, d'un gris clair presque argenté, lui coupa le souffle durant quelques secondes. Il cligna des yeux et, malgré lui, observa la silhouette de la jeune femme. Elle portait un T-shirt court qui soulignait ses seins petits et ronds et n'allait pas jusqu'au jean taille basse qui moulait ses longues jambes.

Elle battit des paupières une nouvelle fois, et ses cils sombres couvrirent ses yeux exotiques.

Jared inspira et huma une bouffée de son parfum. Un genre de parfum qui évoquait le luxe français et l'interdit. Cette femme allait lui causer des ennuis, songea-t-il, contrarié.

— Vous allez bien ? s'enquit-il.

Elle opina légèrement, puis grimaça.

— Oui, je crois, mais j'ai très mal à la tête.

Essayant de situer son accent, qui recelait des traces de français, d'anglais et d'américain, il pointa l'index vers son front.

— Vous allez avoir une sacrée bosse !

Elle regarda par-dessus le volant.

— Et les dégâts ? Sont-ils importants ?

— Je pense que le taureau va bien, mais vous avez fait tomber une bonne partie du mur de l'étable.

— Je parlais de mon pick-up ! précisa l'inconnue d'un ton impérial.

Jared leva les sourcils.

— Je n'ai pas inspecté votre véhicule. Tant que vous avez une bonne assurance, ça devrait aller.

Elle lui adressa un regard vide, et il ressentit un creux au ventre : elle n'avait pas d'assurance, il en mettrait sa main à couper ! Il plissa les yeux. Il avait déjà donné dans le rôle du chevalier qui porte secours à une demoiselle en détresse. Si miss « Yeux d'argent » n'avait pas d'assurance, alors elle devrait payer de sa poche.

— Je suis Jared McNeil. Vous êtes sur ma propriété. Quel est votre nom ?

— Mi...

Elle s'interrompit, et l'angoisse se lut sur son visage.

— Mi... ?

— Mimi, dit-elle avec conviction.

— Mimi comment ?

Elle détourna son regard du sien.

— Deer... man. Deerman. Mimi Deerman. Je vous prie d'accepter mes excuses pour avoir percuté votre étable.

Elle avait prononcé ces paroles avec tant de dignité que Jared eut envie d'opiner et de dire : « Bien sûr. » Mais il se reprit vite.

— Votre compagnie d'assurances se chargera des excuses officielles. Vous êtes de la région ? Y a-t-il quelqu'un que je puisse appeler ? dit-il, bien qu'il connaisse déjà la réponse.

La jeune femme secoua en effet la tête en affichant une légère grimace.

Il éprouva une certaine sympathie pour elle. Il faisait nuit, elle était perdue, et... sans assurance. Une vision d'elle s'acquittant de sa dette auprès de lui par des moyens non conventionnels lui traversa l'esprit. Son pouls s'accéléra, et il chassa la pensée interdite.

— Voulez-vous que je vous conduise à l'hôpital ?

Elle ouvrit de grands yeux affolés.

— Oh, non ! Je vais bien, dit-elle, en descendant lentement du pick-up. J'ai juste besoin de…

Elle s'arrêta, et son visage devint livide.

Sans réfléchir, il lui passa le bras autour de la taille.

— Vous êtes sûre que vous ne voulez pas voir un médecin ?

— Absolument, insista-t-elle. Je pourrais peut-être dormir dans mon camion ?

— Vous ne pouvez pas la laisser dormir dans ce véhicule, intervint Gary. Pas avec une commotion cérébrale !

Jared réprima un grognement.

— J'ai une chambre d'amis. Vous pouvez dormir au ranch. Juste pour cette nuit, ajouta-t-il, pour tout le monde, y compris pour lui-même.

— Je vous suis très reconnaissante.

L'inconnue leva son regard vers lui, et Jared eut l'impression que ses entrailles se tordaient, comme lors d'une brûlure d'estomac. Après tout, il n'était qu'un homme.

Il s'éclaircit la gorge.

— Ce n'est pas grand-chose. Nous réglerons les questions d'assurance demain.

Elle vacilla légèrement, et il la souleva dans ses bras.

— Gary, vois si tu peux clore l'étable pour cette nuit. Sinon, emmène Roméo ailleurs. Nous nous occuperons des dégâts demain matin.

Portant la jeune femme jusqu'à son pick-up, il essaya de ne pas respirer son parfum envoûtant et lutta pour ne pas baisser le regard sur son corps attrayant.

Un jour, sa sœur avait diagnostiqué son problème. Selon elle, il attirait le genre de femmes qui provoquent le chaos, dans la vie en général et dans la sienne propre. L'intrusion de miss Mimi ce soir dans sa propriété en était une nouvelle preuve. En un regard, il sut qu'elle allait donner au mot « chaos » une nouvelle signification.

Des cris de diablotins hurlants résonnaient dans la tête de Milena.

Plissant les yeux, elle grimaça devant la lumière vive qui inondait la pièce. Elle colla les mains contre ses oreilles et glissa sa tête douloureuse sous son oreiller. Qui pouvait donc brailler ainsi ? Sa mère allait faire une syncope devant une telle agitation au palais !

Elle frotta sa joue contre l'oreiller. La texture de la taie était différente…

Elle redressa soudain la tête. Elle n'était pas au palais, se souvint-elle, le cœur battant. Elle était dans le Wyoming !

L'excitation et la peur lui nouèrent l'estomac tandis que les événements de la veille lui revenaient à la mémoire. Son pick-up ! Elle devait le réparer pour continuer à chercher son frère Jacques.

Elle s'assit dans le lit, songeant à l'homme qui l'avait portée jusque chez lui.

Gentil, mais seulement par obligation. Séduisant, si l'on préférait les hommes dominateurs et arrogants, ce qui n'était certes pas son cas : sa famille regorgeait déjà de mâles de ce genre.

La porte de la chambre s'ouvrit brusquement, et deux petites filles entrèrent en trombe, avec sur leurs talons un chien qui aboyait.

— Katie ! Lindsey ! Non ! s'exclama Jared McNeil en apparaissant à son tour.

Il parvint à les arrêter en les attrapant par le dos de leurs chemises de nuit.

— Je vous avais pourtant dit de…

Il s'interrompit en regardant Milena.

— Qui est-ce ? demanda la plus âgée des fillettes.

— Elle est ici, dit-il, hésitant brièvement avant de poursuivre, parce qu'elle a eu une panne avec son véhicule et s'est retrouvée coincée hier soir. Elle s'en va aujourd'hui.

Milena leva les sourcils devant cette explication pour le moins vague.

— Une panne de voiture ? Mon pick-up…

— Mimi Deerman, l'arrêta-t-il d'une voix forte, je vous présente Katie et Lindsey, mes nièces. Elles séjournent chez moi pendant que ma sœur et son mari se remettent d'un accident…

— …un accident de voiture très grave, finit la jeune Katie, la détresse lui voilant ses yeux.

Milena comprit soudain. M. McNeil avait édulcoré les faits de la veille pour ne pas heurter ses petites nièces. Finalement, il remontait un peu dans son estime.

— Oh, dit-elle. Enchantée. Je suis navrée de ce qui est arrivé à vos parents.

Katie regarda son oncle.

— Elle est jolie, dit-elle d'une voix flûtée, mais elle a un drôle d'accent.

Il haussa les épaules en signe d'approbation, puis reconduisit les petites filles vers la porte.

— Helen vous a préparé votre porridge. Viens,

Léo, dit-il au chien. Vous et moi pourrons régler la question de l'assurance dans quelques minutes, ajouta-t-il à l'intention de Milena, en lui lançant un regard par-dessus son épaule

Milena se figea. *Quelle* assurance ?

Voyant son hôte l'observer, elle sourit pour cacher son désarroi.

— Pas de problème. Après tout, un mur d'étable, ça ne coûte pas si cher, non ?

Trente minutes plus tard, à l'énoncé de la somme, elle faillit pourtant tomber du fauteuil de cuir dans lequel elle était installée, dans le bureau de Jared McNeil.

Elle secoua la tête, désemparée.

— Ça ne peut pas valoir tant que ça !

— Sans compter les réparations pour votre pick-up.

— Les réparations ne doivent pas coûter très cher. Seul l'avant du véhicule a été touché.

Il lui adressa un regard plein de pitié.

— Vous seriez étonnée de connaître le prix de la main-d'œuvre.

Elle ouvrit la bouche pour protester, mais les deux nièces de Jared arrivaient en courant.

— Helen est tombée, annonça Katie. Elle dit qu'elle ne peut pas poser le pied par terre.

— Seigneur ! dit Jared en se levant. Où est-elle ?

— En bas de l'escalier, au sous-sol.

— Nous finirons cette discussion dans quelques minutes, soupira-t-il. On dit que les ennuis viennent par série de trois, mais c'est faux. Les miens me tombent dessus par série de dix.

— Helen ? interrogea Milena.

— C'est mon employée de maison. Elle dormait déjà quand je vous ai ramenée ici hier soir.

Elle éprouva un élan de compassion envers Jared. Entre la charge de ses nièces, son intrusion dans son étable et la chute d'Helen, elle voyait bien que les choses n'allaient pas comme il le voulait.

Cependant, elle aussi avait ses problèmes. Elle avait emporté assez d'argent pour vivre confortablement durant un mois, mais le pick-up avait coûté plus que prévu. Elle ne pouvait pas retirer d'argent avec sa carte bancaire, sinon on retrouverait facilement sa trace, et sa seule tentative d'émancipation serait terminée avant qu'elle ait pu vivre quoi que ce soit.

Sa confiance en elle commença à retomber comme un ballon qui se dégonfle.

Et si sa famille avait raison ? Si elle était trop inconsciente pour prendre soin d'elle ou de quoi que ce soit d'important ? Si elle était vraiment une princesse inutile ?

Ces questions poignardaient une part d'elle-même qu'elle gardait secrète. Une princesse n'était pas censée manquer de confiance en elle, et si tel était le cas, il lui était interdit de le montrer. A l'idée de retourner à Marceau, elle en avait l'estomac noué. Comme souvent cette année…

Fermant les yeux, elle inspira profondément et tenta de se rassurer.

Elle venait à peine d'arriver. Soit, elle avait heurté un obstacle sur la route, une étable plus exactement, mais cela ne voulait pas dire qu'elle devait abandonner son projet ! Il lui faudrait improviser, voilà tout.

Jared McNeil apparut dans l'embrasure de la porte, une main enfouie dans ses cheveux bruns désordonnés.

— Vous sauriez vous occuper d'enfants ? dit-il sur un ton hautement sceptique.

Le doute dans son regard sombre réveilla une colère familière en elle. Elle avait souvent vu la même expression sur le visage de sa mère et de ses frères.

— Oui, bien sûr, affirma-t-elle.

Elle aussi avait des neveux et nièces, et puis elle avait été une enfant elle-même, après tout !

— En temps normal, je ne vous demanderais pas ça, expliqua Jared. Mais je pense qu'Helen s'est foulé la cheville. Ça veut dire que je dois l'emmener à l'hôpital pour qu'on la soigne. Je ne veux pas emmener les filles avec moi.

— Je m'occuperai d'elles, proposa Milena spontanément.

Cela ne devait pas être bien compliqué. Les deux fillettes semblaient adorables.

— Vous en êtes sûre ?

— Tout à fait, dit-elle, l'irritation perçant dans sa voix.

Elle se leva pour être à la hauteur de Jared. Ce qui ne suffit pas, puisqu'il la dépassait de quinze bons centimètres. Pour compenser, elle leva le menton.

— Eh bien, soupira son interlocuteur, je suis coincé, alors il faudra bien que je fasse avec vous. Je vais vous donner mon numéro de portable, en cas de problème. Vous devrez aussi leur préparer à déjeuner.

Elle cligna des yeux. Le personnel du palais ne l'avait plus autorisée à pénétrer dans les cuisines depuis que le gâteau qu'elle avait essayé de faire avait explosé dans le four.

Il hocha la tête comme s'il avait lu dans ses pensées.

— Des sandwichs CBC feront l'affaire, dit-il.

Elle refusa de lui laisser deviner qu'elle ignorait la signification de CBC.

— Oui, j'en suis sûre.

— Katie peut vous aider si vous êtes dans le pétrin.

Cela devenait insultant !

— Quel âge a Katie ? demanda-t-elle.

— Cinq ans, mais elle aime se rendre utile. Quelque chose me dit que vous n'avez pas dû passer beaucoup de temps dans une cuisine, marmonna-t-il.

Il sortit une carte de son bureau et pointa un numéro de téléphone.

— Appelez-moi si vous avez le moindre problème.

— Il n'y en aura pas, le rassura-t-elle en tendant la main vers la carte.

— Je veux votre parole, dit-il, sans lâcher le carton.

Elle soutint son regard, et à son indignation se mêla une étrange envie de relever le défi.

Cet homme semblait être tout ce qu'elle n'était pas : sûr de lui, accompli, réussissant tout ce qu'il entreprenait. Elle lui enviait toutes ces qualités et était bien décidée à les acquérir elle aussi.

— Je vous donne ma parole d'honneur, dit-elle froidement.

Elle soutint son regard sans ciller et vit un éclair traverser ses yeux bleus. Cela lui procura une sensation enivrante, comme après quelques verres de champagne. Le charme sensuel du rancher lui fit baisser sa garde, et elle ne put détourner le regard.

Il pressa la carte de visite dans sa main, et le contact de sa paume chaude et marquée de callosités la fit tressaillir.

L'espace de quelques secondes, elle se demanda si Jared ferait preuve de la même assurance en tant qu'amant. Il savait sans aucun doute comment amener une femme à assouvir ses désirs, et lui-même devait assouvir les désirs de sa partenaire avec une aisance à couper le souffle…

Une petite voix intérieure la mit en garde, et elle se reprit.

Ce n'était qu'un homme de rencontre, songea-t-elle en refoulant une sensation de malaise. Le coup reçu à la tête avait dû affecter sa raison. Elle étudierait sa curieuse réaction plus tard. Elle allait s'occuper des fillettes ce matin, et puis elle reprendrait sa route.

D'ici ce soir, elle aurait oublié jusqu'au nom de Jared McNeil.

2.

Milena connaissait les capitales de tous les Etats du monde. Elle parlait quatre langues couramment et avait eu son diplôme d'université avec mention très bien.

Alors pourquoi diable personne ne lui avait-il appris à changer une couche ? Les auxiliaires de puériculture du palais se chargeaient de cette tâche particulière auprès de ses neveux avec une dextérité telle qu'elle avait toujours manqué ça.

Or, si la petite Lindsey allait bientôt fêter son troisième anniversaire, elle n'était pas tout à fait prête à quitter le monde des couches. C'était humiliant, mais Milena dut bel et bien se faire expliquer par Katie la marche à suivre.

Elle espérait juste que la couche ne tomberait pas. Dans sa volonté de ne pas la serrer trop fort, elle craignait d'avoir versé dans l'excès inverse.

Le déjeuner s'ensuivit, et elle fronça les sourcils

en se souvenant que Jared avait suggéré qu'elle aurait besoin d'aide dans ce domaine aussi. S'il n'avait pas utilisé d'abréviation pour le nom du sandwich, elle n'aurait pas eu le moindre problème. Elle était quand même capable d'étaler du beurre de cacahuètes et de la confiture sur des tranches de pain !

Après le déjeuner, elle lut environ dix-huit livres aux fillettes dans l'espoir qu'elles fassent une sieste. En vain. Désespérée, elle joua à se déguiser avec elles, leur mit du rouge à lèvres, du vernis à ongles, les coiffa et les laissa même essayer le diadème qu'elle avait fourré dans son sac lorsqu'elle s'était enfuie de la soirée.

Lorsqu'elle vit réapparaître Jared avec Helen, une femme d'une cinquantaine d'années qui portait un plâtre et marchait en s'aidant de béquilles, elle fut heureuse d'avoir tenu sa promesse.

Mais Jared, lui, ne semblait pas du tout ravi.

— Je peux sûrement faire la cuisine, disait Helen. Mais je ne pourrai pas m'occuper des filles tant que j'aurai mes béquilles.

— Non, en effet, et trouver une remplaçante va être…

Il s'interrompit et passa une main dans ses cheveux.

Helen lança un regard vers Milena et lui adressa un sourire las.

— Je ne pense pas vous avoir déjà rencontrée, mademoiselle. Je suis Helen Crosby. Jared m'a parlé de vous. Mimi, c'est ça ?

— Oui. Ravie de vous connaître. Je suis désolée pour votre chute. Vous devriez vous asseoir et vous reposer. Vous avez eu une journée terrible.

Helen regarda Jared.

— Elle est charmante, dit-elle, l'air surpris.

Milena se raidit. Jared n'avait pas dû parler d'elle en termes très flatteurs.

Elle étudia le visage du rancher, mais ses traits rudes restèrent impénétrables. Elle n'était pas dupe. Elle avait vu ses frères afficher la même expression un nombre incalculable de fois.

— Je vous accompagne dans votre chambre, dit-il à Helen sur un ton bourru.

— Peut-être, commença Helen, pensive… Peut-être que Mimi serait d'accord pour s'occuper des enfants ?

Jared et Milena secouèrent la tête avec la même énergie.

— Oh, non ! s'exclama Milena.

— Aucune chance, dit Jared en même temps.

Même si Milena était tout à fait d'accord avec lui, le ton de Jared l'agaça.

Helen haussa les épaules.

— Eh bien, ça va prendre une semaine ou deux

pour faire réparer son pick-up, alors il faudra bien qu'elle séjourne quelque part.

Mais pas ici ! songea Milena.

— Pas ici ! dit Jared.

Elle fronça les sourcils, de nouveau irritée par le ton de sa voix.

— Et vous avez dit qu'il pourrait y avoir un problème avec son assurance, ajouta Helen. Vous pourriez peut-être trouver un accord pour le dédommagement de l'étable ?

— Un accord ? répéta Milena.

— Je ne pense pas qu'elle soit qualifiée, dit Jared abruptement.

— Je pourrais la guider, dit Helen, avant de pousser un soupir. Bon, vous aviez raison, Mimi, je ferais mieux d'aller m'allonger. Je suis sûre que vous réglerez tous les deux cette situation au mieux des intérêts de chacun.

L'esprit de Milena se mit à bouillonner pendant que Jared aidait Helen à se rendre dans sa chambre. Elle arpenta la pièce de long en large.

Jouer les nounous ? Passer un marché ? C'était ridicule. Comment serait-elle supposée être indépendante, si elle restait enfermée ici ? A la limite, ce serait mieux d'être prisonnière à Marceau plutôt que de...

Jared revint dans la pièce et lui décocha un regard qui lui tapa sur les nerfs.

— Voulez-vous me dire si vous avez une assurance, oui ou non ?

Milena déglutit, la gorge soudain nouée.

— Je viens juste d'acheter le camion et je n'ai pas encore…

— C'est bien ce que je pensais, l'interrompit-il en avançant vers elle. Pas d'assurance. Comment comptez-vous payer les dégâts ?

Elle se mordit la lèvre. Elle n'avait pas l'habitude que les gens envahissent son espace vital sans lui en demander la permission.

— Eh bien, je vais vous payer. Mais pas tout de suite, voilà tout.

— Quand ?

Elle s'éclaircit la gorge.

— Dans un mois, peut-être deux.

Il la regarda, médusé.

— Vous croyez vraiment que je vais accepter une reconnaissance de dette venant de *vous* ?

Insultée, elle ouvrit la bouche pour protester, puis se souvint qu'elle était là sous un faux nom. Jared avait, malheureusement, des raisons de ne pas lui faire confiance.

— J'espérais que oui.

Il serra la mâchoire et secoua lentement la tête.

— Pas question. Je ne me ferai plus jamais avoir par un joli minois. Nous allons écouter la suggestion d'Helen. J'accepte que vous travailliez pour moi afin de payer votre dette. Helen vous supervisera.

Milena fut sous le choc.

— Me *superviser* ! reprit-elle, à deux doigts d'exploser. Je n'ai jamais…

— Je m'en doutais, dit-il, la coupant dans son élan. J'étais sûr que vous n'aviez pas beaucoup d'expérience avec les enfants. Voilà pourquoi Helen vous supervisera.

Milena secoua la tête en signe de dénégation.

— C'est insensé.

— C'est aussi mon avis : ce n'était guère prévoyant de votre part de ne pas souscrire d'assurance.

La remarque était cinglante. Milena se rebella contre l'idée qu'elle ne pouvait pas se débrouiller seule. Elle n'était peut-être pas familière des problèmes du quotidien, mais elle apprendrait.

Elle releva le menton.

— Et si je refuse ?

— Dans ce cas, vous pouvez aller faire du stop sur-le-champ, dit-il, désignant la porte de la tête. Votre camion ne peut pas rouler.

Luttant contre la sensation d'être prise au piège, elle chercha mentalement une autre solution et n'en trouva pas.

— Vous n'avez pas vraiment le choix, résuma-t-il, le regard voilé par un mélange d'émotions. Moi non plus, d'ailleurs.

Milena ferma les yeux un instant, cherchant à retrouver un minimum de tranquillité d'esprit, puis elle les rouvrit sur l'homme responsable de son tourment.

— Combien de temps ? demanda-t-elle, ravalant sa fierté.

Son interlocuteur se dirigea vers la porte.

— Aussi longtemps que j'aurai besoin de vous, jeta-t-il. Je vais aller voir mes bêtes. Faites dîner les filles et donnez-leur un bain.

Milena haleta longtemps après avoir regardé s'éloigner la silhouette fabuleuse de Jared McNeil. Elle essayait de comprendre ce qui venait de se passer. En quelque sorte, elle venait d'être embauchée. Pourtant, elle n'allait gagner aucun salaire. Et par-dessus le marché, elle était devenue nounou !

Elle commença à prendre toute la mesure de la situation. Elle imagina ses frères éclatant de rire en apprenant la nouvelle. Sa mère ne trouverait pas ça drôle du tout, songea-t-elle, frissonnant à l'idée de sa réaction réprobatrice. Avait-elle déjà tout gâché ? La réponse à cette question la narguait comme son pire cauchemar.

On tira sur son jean, ce qui la sortit de son désarroi.

Elle baissa les yeux et découvrit Katie et Lindsey, leurs petits visages tendus vers le sien. Son cœur s'adoucit.

Elles étaient vraiment adorables ! Energiques et exigeantes, mais adorables. Comme c'était touchant qu'elles viennent ainsi vers elle !

— La couche de Lindsey est pleine, annonça Katie avec componction.

Un son inhabituel réveilla Jared à 2 heures du matin. Levant la tête de l'oreiller, il entendit craquer les marches de l'escalier.

Pourvu que ce ne soit pas Helen qui essaie de descendre, ou une des filles !

Il écouta encore et perçut de nouveaux bruits. Il était épuisé, mais savait qu'il ne se rendormirait pas avant d'être sûr que les filles étaient bien couchées. En bougonnant, il se leva de son lit, enfila un jean et descendit au rez-de-chaussée.

Il remarqua tout de suite la lumière allumée dans la cuisine. Espérant que Katie n'essayait pas de faire une razzia dans la boîte à gâteaux, il s'arrêta net en découvrant le spectacle qui s'offrait à lui.

Vêtue d'une nuisette de soie dont une bretelle avait glissé sur son épaule, Mimi sirotait un verre d'eau. Avec ses cheveux ébouriffés et ses longues jambes dénudées, elle ressemblait à une catastrophe sexy sur le point d'arriver.

Il s'éclaircit la gorge, ce qui la fit sursauter au point qu'elle se renversa de l'eau sur la poitrine. L'humidité fit coller la nuisette à sa peau.

— Qu'est-ce que vous…

— J'ai entendu du bruit, j'ai cru que c'était les filles, expliqua-t-il.

Il leva les yeux des seins de la jeune femme et détourna son esprit de ses pensées indécentes. Il avait depuis longtemps choisi de rester chaste.

— Je suis désolée de vous avoir dérangé, dit Mimi en attrapant précipitamment un torchon pour tamponner l'étoffe. J'avais soif et je n'arrivais pas à dormir.

— J'aurais cru que vous seriez morte de fatigue, après une journée entière avec les petites.

— Je l'étais, admit-elle en haussant les épaules, attirant de nouveau l'attention de Jared sur sa poitrine. Mais je me suis réveillée. Le décalage horaire, j'imagine.

Il croisa son regard.

— Un décalage de combien d'heures ?

Elle baissa les paupières comme pour se protéger de sa question.

— Je n'ai pas compté, dit-elle d'un ton léger avant de sourire. Vous pouvez retourner au lit.

Il opina, glissant les mains dans ses poches.

— Qu'allez-vous faire ? demanda-t-il.

— Je vais aller dans le salon. Puis-je allumer la télévision, si je ne mets pas le son trop fort ?

Elle avait demandé cela d'une voix guindée, comme si elle n'avait pas l'habitude de demander la permission pour quoi que ce soit. Elle respirait le luxe, un luxe qui ajoutait à sa sensualité. De ses cheveux soyeux brillants et bien coiffés jusqu'à son élocution et son ton parfois trop formel, en passant par ses ongles vernis, tout en elle donnait l'impression qu'elle était cultivée et riche. Une fille de très bonne famille, sans doute, mais pour le moins malchanceuse en ce moment.

Un goût amer emplit la bouche de Jared tandis que lui revenait à la mémoire le souvenir d'une femme semblable qui avait traversé sa vie autrefois. Il avait joué les preux chevaliers, et pour quel résultat ? Elle l'avait quitté du jour au lendemain. Il connaissait la chanson.

Mimi était peut-être captivante, mais il ferait mieux de refouler les pulsions qu'elle éveillait chez lui.

— Vous pouvez regarder la télévision, mais la lecture est plus efficace en cas d'insomnie.

— Vous dites ça par expérience ?

Il sentit le regard interrogateur de Mimi le parcourir,

et sa peau le picota. Irrité, il tenta d'oublier cette sensation.

— En effet. Suivez-moi, dit-il en prenant la direction du couloir. Je vais vous montrer la bibliothèque.

Il ouvrit une porte, alluma la lumière et agita la main vers les rangées de livres.

— Voici le résultat de quatre générations d'amoureux des livres.

Milena écarquilla les yeux en longeant les hautes étagères.

— Brillant. Vous avez un large choix de titres, dit-elle.

Elle caressa les rayonnages de la main. Le mouvement de ses doigts sur le dos des livres provoqua de nouveaux picotements chez Jared.

« Brillant. » Une camarade d'université anglaise avec qui il était resté en contact utilisait souvent le même mot.

— Vous venez d'Angleterre ?

Toujours absorbée par les livres, elle secoua la tête.

— Non, mais j'y ai vécu quelques années. De la poésie française… Jamais je n'aurais cru en trouver dans un ranch du Wyoming !

Elle ouvrit le livre et lui adressa un regard approbateur.

— Cette édition a quatre ans.

— J'ai étudié à Princeton, et j'aimais la littérature, dit-il.

Elle haussa les sourcils, comme si elle était impressionnée.

— Je n'aurais pas cru cela de vous non plus.

— Nous sommes ranchers depuis trois générations, mais ma famille tenait à ce que j'étudie sur la côte Est. Ils voulaient que je sois un homme accompli.

— L'êtes-vous ? demanda-t-elle, une lueur de défi dans les yeux.

Une lueur qui lui rappela que cela faisait bien longtemps qu'il n'avait pas eu de femme entre ses bras. Mais non, il ne mordrait pas à l'hameçon.

— Je suis trop occupé pour ça. Servez-vous.

— Merci, j'y compte bien.

Il quitta la pièce et remonta dans sa chambre en essayant de chasser l'image des longues jambes de Mimi et le son de sa voix douce. Il n'était pas faible, mais il n'était qu'un homme. Le destin faisait preuve d'un sens de l'humour douteux en lui envoyant cette femme séduisante et sensuelle dans la longue abstinence qu'il s'était imposée.

Apparemment, Mimi cachait quelques secrets, des secrets qu'il n'aurait pas dû avoir envie de percer à jour. Que lui importait de savoir d'où venaient son accent et ses manières distinguées ? Ou ce qui l'amenait dans le Wyoming ? Ou encore à combien d'hommes elle avait brisé le cœur, une fois qu'elle avait obtenu d'eux ce qu'elle désirait ?

Son pouls s'accéléra à cette seule pensée. Ce n'était qu'une supposition, mais à en juger par ses regards aguicheurs, elle devait être fondée.

Il prit une profonde inspiration et fixa son lit vide. Une image de Mimi allongée dans une position tentante assaillit son esprit. Jurant dans sa barbe, il se mit à faire les cent pas. Dépité de voir à quel point il était perturbé, il essaya de s'expliquer à la fois sa réaction vis-à-vis de la jeune femme et sa détermination à l'éviter.

Ce n'était qu'une femme après tout. Et elle ne resterait pas bien longtemps. Il ne la laisserait pas investir son cœur comme Jennifer l'avait fait. Non, cela n'arriverait pas !

Lorsqu'il se glissa entre les draps et éteignit la lumière, il avait à peu près réussi à la chasser de son esprit.

Le lendemain, comme à son habitude, Jared se leva le premier.

Après avoir pris une douche, il descendit dans la cuisine manger quelque chose avant de partir. En passant devant la bibliothèque, il remarqua que la lumière y était toujours allumée. Pestant contre le manque de considération de Mimi, il poussa violemment la porte… Et s'arrêta pile en découvrant la jeune femme endormie dans un fauteuil, un livre sur l'éducation ouvert sur sa poitrine.

Un curieux mélange d'émotions s'empara de lui. Même endormie, elle était exotique et séduisante, avec ses épais cils noirs, ses lèvres pulpeuses, ses cheveux soyeux et sa peau veloutée. Il ressentit l'étrange besoin d'attraper un plaid pour l'en couvrir.

Secouant la tête, il souleva le livre.

La belle endormie battit des paupières. Elle le regarda pendant un long moment, à travers des yeux ensommeillés.

— Dites-moi que je suis en train de rêver et que ce n'est pas le matin, gémit-elle.

Il eut un petit rire.

— Désolé, duchesse. Vous ne rêvez pas, et nous sommes bien le matin.

Elle repoussa les cheveux qui lui barraient le visage et se redressa dans le fauteuil.

— Duchesse ? répéta-t-elle.

— C'est un surnom que je vous ai trouvé. Vous avez l'air d'être une femme habituée aux belles choses…

Elle le fixa, puis rit.

— Oh, c'est brillant ! J'ai hâte de le dire à…

Elle s'interrompit soudain.

— De le dire à qui ? demanda-t-il, intrigué.

Elle réfléchit une seconde.

— Aux filles. Elles adorent s'inventer des identités, alors elles seront ravies de savoir qu'oncle Jared joue au même jeu qu'elles.

Peu convaincant, songea-t-il. Pourquoi Mimi était-elle si secrète ? Qu'avait-elle à cacher ?

— Hum, dit-il, sans essayer de cacher le doute dans sa voix.

Il promena un doigt sous le titre du livre qu'elle avait commencé.

— Alors, on apprend sur le tas ?

Elle sourit et se tint droite.

— Non, je révise. Quel temps fera-t-il aujourd'hui ? demanda-t-elle, changeant de sujet.

— Chaud. Peut-être devriez-vous sortir un arroseur, ou alors les filles essaieront de vous convaincre de les emmener nager dans l'étang.

Elle se raidit.

— Nager ?

— Oui. Vous savez, quand on bat des pieds et des mains dans l'eau.

Elle secoua la tête.

— Nous n'irons pas nager. Où est l'arroseur ? Comment le fait-on marcher ?

Venait-elle de la planète Mars ? se demanda

Jared. Comment pouvait-on ignorer ce qu'était un arroseur ?

— Il y en a une demi-douzaine dans le garage. Il suffit d'en visser un au tuyau, de tourner le robinet et de laisser les petites courir sous l'eau et crier.

— Pourquoi doivent-elles crier ?

— Elles crient parce que c'est amusant et que l'eau est froide, dit-il en l'observant. Vous avez peur de l'eau ?

— Pas du tout, dit-elle, levant le menton. J'en bois tous les jours.

Elle avait très bien compris sa question, se dit Jared.

— Je voulais dire, vous avez peur de nager dans l'eau ?

— Ce n'est pas mon activité favorite.

— Vous avez failli vous noyer ?

— Pas moi, dit-elle. Mon frère, quand il était tout petit. Alors après ça, ma mère ne nous a jamais autorisés à nager sans une stricte surveillance.

— D'où venez-vous ? demanda-t-il.

Mimi rencontra son regard et soupira.

— De l'est de l'Atlantique, répondit-elle sur un ton vague en se levant pour quitter la pièce. Si vous voulez bien m'excuser. Je ferais bien de me doucher avant que les filles ne se réveillent.

Jared la suivit, dangereusement intrigué.

— Vous ne voulez pas prendre le livre ? demanda-t-il.

Elle se retourna et tendit la main.

— Si. Merci.

Jared ne lâcha pas le livre et soutint son regard.

— Pour quelle raison êtes-vous dans le Wyoming ? demanda-t-il calmement.

Elle le fixa, comme si elle ne pouvait pas lui faire assez confiance pour lui révéler au moins un de ses secrets. Et soudain, il éprouva le besoin excessif de connaître *tous* ses secrets.

— C'est une longue histoire, jeta-t-elle.

Elle lui prit le livre des mains et le laissa en plan — de la même façon qu'elle avait laissé des dizaines d'autres hommes en plan, soupçonna-t-il.

Milena joua avec Katie et Lindsey durant toute la matinée, puis — en désespoir de cause — les emmena dehors l'après-midi. Elle se cassa un ongle en vissant l'arroseur, mais cela en valait la peine, rien que pour entendre les petites filles rire et crier de joie. L'autre avantage était qu'elles furent si fatiguées qu'elles allèrent se coucher tôt.

Milena apprécia tant l'effet du jet d'eau qu'elle répéta l'activité les deux jours suivants. Le troisième jour, cependant, le temps se rafraîchit. Aussi emmena-t-elle les fillettes faire une promenade.

Ce soir-là, au moment de se mettre au lit, Lindsey se montra agitée.

— Veux Tiki, réclamait-elle désespérément.

Tiki était la peluche préférée de la petite fille. Celle-ci traînait son oiseau défraîchi partout avec elle. Pourtant, Milena et Katie fouillèrent la maison en vain. Le doudou était introuvable, et Lindsey se mit à pleurer à gros sanglots.

Ses cris déchirèrent le cœur de Milena. Helen se reposait, Jared n'était pas encore rentré, et elle se sentit désemparée comme jamais auparavant.

— Maman a dit à Lindsey que serrer Tiki contre elle, ce serait comme la tenir dans ses bras jusqu'à ce qu'elle sorte de l'hôpital, expliqua Katie.

— Oh, mon chaton ! dit Milena en caressant la tête de Lindsey. Tu sais quoi ? Si tu essaies de dormir, je resterai debout toute la nuit s'il le faut pour retrouver Tiki.

La lèvre de Lindsey tremblait, mais elle plaça son pouce dans sa bouche, opina, et posa la tête sur son oreiller.

Emue par le courage de cette enfant de deux ans à peine, Milena lui caressa les cheveux et déposa un baiser sur son front.

— Tu es une petite fille courageuse. Maintenant, essaie de dormir, et moi je vais chercher Tiki.

Elle fouilla de nouveau dans toute la maison et dut se rendre à l'évidence : Lindsey avait dû laisser tomber sa peluche durant leur promenade. Attrapant un parapluie et une lampe torche, elle sortit dans la nuit orageuse.

Lorsque Jared rentra de la réunion de mise au point du budget du comté, il ne rêvait que de deux choses : avaler un sandwich et s'écrouler dans son lit.

Jouer les maires intérimaires mettait ses nerfs à rude épreuve. La dernière absurdité en date était l'idée de Clara Hancock d'organiser une grande fête pour l'anniversaire du comté. Comme par hasard, tous les membres du comité s'étaient mis d'accord pour décréter que son ranch à lui était le lieu idéal pour cela !

Jared bougonna en traversant la cour sous la pluie. Il avait été envahi et dérangé tant de fois les semaines précédentes que la dernière chose qu'il souhaitait était de donner une fête ! Il poussa un autre grognement en remarquant que plusieurs lumières étaient encore allumées. La duchesse ne pouvait-elle donc pas en éteindre quelques-unes en montant se coucher ? Lui aussi, il aurait préféré être endormi à cette heure !

Lorsqu'il y entra dans la cuisine, son labrador noir, Léo, agita la queue avec paresse pour le saluer mais ne quitta pas sa place sous la table. S'étant préparé un sandwich, Jared s'affala sur une chaise, prêt à mordre dans son encas, quand Katie apparut à la porte en se frottant les yeux.

— Hé, ma chérie. Qu'est-ce que tu fais debout ?

— Est-ce que Mimi a retrouvé Tiki ? demanda Katie en lui grimpant sur les genoux.

— Tiki ? dit-il, se rappelant qu'il s'agissait de la peluche de Lindsey. Qu'est-ce qui lui est arrivé ?

— Lindsey l'a perdu aujourd'hui. Mimi a dit qu'elle le chercherait toute la nuit s'il le fallait. Elle n'est pas dans son lit.

Katie se frotta de nouveau les yeux.

— Je crois que Lindsey a perdu Tiki pendant la promenade, dit-elle.

— Quelle promenade ?

— Nous avons beaucoup marché aujourd'hui.

Des picotements parcourent la nuque de Jared.

— Où ça ?

— Partout.

Les picotements s'intensifièrent.

— Mimi n'est pas allée chercher Tiki dehors, n'est-ce pas ?

273

— Je sais pas, dit Katie. Peut-être. Elle a dit qu'elle le chercherait toute la nuit.

Jared étouffa un juron.

— Est-ce que je peux en avoir un morceau ? demanda Katie.

Avec un soupir, il donna à sa nièce la moitié de son sandwich et fourra l'autre moitié dans sa bouche. Après l'avoir terminé, il se leva et se hâta d'emmener Katie dans sa chambre. L'idée que Mimi puisse errer sous la pluie lui nouait l'estomac. La jeune femme ne donnait pas l'impression d'être une amazone.

Il mit Katie au lit tout en lui posant quelques questions sur leur promenade, puis il redescendit et attrapa un ciré. Sa lampe torche préférée n'était pas dans la cuisine, ce qui était bon signe. Si la duchesse n'avait pas assez de bon sens pour rester à l'abri par une nuit d'orage, au moins elle avait eu la présence d'esprit de prendre une lampe avec elle. Il sortit, et la pluie lui frappa le visage. Quelle soirée de chien !

3.

La porte de l'étable s'ouvrit avec un tel fracas que Milena crut mourir de peur.

Jared se tenait dans l'embrasure, la fixant d'un air terrible, son long ciré noir flottant au vent tandis que l'eau gouttait de son chapeau noir.

L'espace d'une seconde, elle refoula la peur folle qu'il sorte un revolver. Elle brandit sa seule arme de défense : Tiki, l'oiseau en peluche de Lindsey.

— On ne vous a jamais dit qu'il ne fallait pas partir à la recherche de quoi que ce soit au milieu de la nuit quand on n'est pas du coin ? dit-il en avançant vers elle.

Le cœur de Milena battait à se rompre.

— On m'a enseigné de nombreuses règles, dit-elle, en songeant qu'elles concernaient surtout l'étiquette royale. Mais je ne me souviens pas de cette règle en particulier.

— Vous auriez pu vous perdre ! fit-il remarquer.

Milena fronça les sourcils. Même si elle s'était en effet perdue, elle n'appréciait pas le sous-entendu qu'elle ne pouvait pas prendre soin d'elle-même.

— Vous auriez pu tomber et vous blesser, insistait Jared.

Rien ne lui ferait avouer à ce tyran qu'elle était effectivement tombée et qu'elle sentait sur sa cuisse un vilain hématome en souvenir de sa chute.

— Je suis trempée, mais je vais bien.

— Et, de temps en temps, des animaux sauvages et affamés viennent nous rendre visite, dit-il d'un air entendu.

Elle n'avait pas pensé à cela, mais ce n'était pas arrivé.

— Je n'ai vu aucun animal sauvage et affamé, rétorqua-t-elle dignement.

A part *lui*.

Il serra la mâchoire, puis opina.

— Très bien, puisque vous n'avez rencontré aucune difficulté et que vous semblez ravie d'être là, je vous laisse apprécier votre soirée dans l'étable. Moi, je rentre. Faites en sorte d'arriver à l'heure pour préparer le petit déjeuner des filles, duchesse.

La panique et l'indignation submergèrent Milena.

— Vous ne pouvez pas me laisser ici ! s'exclama-t-elle.

Il s'arrêta net et la dévisagea comme si elle était une extraterrestre.

— Je vous demande pardon ?

Elle ouvrit la bouche, mais rien ne sortit. Bon sang ! Une première pour elle.

Elle s'éclaircit la gorge et ravala du même coup sa fierté.

— Je… euh… Je voulais dire que j'apprécierais beaucoup si vous vouliez bien me reconduire à la maison.

Elle s'interrompit un instant et ravala encore un peu d'amour-propre.

— Il semble que je me sois perdue, avoua-t-elle.

Il pencha la tête sur le côté.

— Perdue ? Vous avez bien dit que vous vous êtes perdue en sortant sous la pluie en pleine nuit ?

Dans son pays, Milena aurait pu faire renvoyer — voire exiler — cet homme pour avoir employé ce ton avec elle. Mais elle ne savait que trop bien qu'elle n'était pas dans son pays, ni sur son terrain.

— Oui. Auriez-vous l'amabilité de me reconduire chez vous ?

Il laissa échapper un long soupir.

— Avez-vous conscience que c'était imprudent

d'aller chercher cette peluche dehors une nuit pareille ?

— J'admets que la tâche aurait été plus facile dans la lumière du jour. Mais Lindsey était bouleversée, et la seule façon de la convaincre de dormir était de lui promettre que je chercherais Tiki toute la nuit s'il le fallait. Je l'ai retrouvé, dit-elle, levant le menton. Même dans le noir.

Le regard de Jared s'adoucit.

— En effet. Etes-vous prête à rentrer, ou y a-t-il un endroit où vous aimeriez aller ? dit-il sur un ton placide.

— Le seul endroit où je voudrais me trouver, c'est dans un bain brûlant.

Son regard glissa sur elle comme une brise chaude, puis s'arrêta sur son visage.

— Ça peut se faire. Prête ?

Elle acquiesça.

— Il y a juste une dernière chose, dit-elle.

— Laquelle ?

— Je vous dois un nouveau parapluie.

Elle leva le parapluie au métal froissé et fit la grimace.

— Le vent l'a retourné à peine cinq minutes après que j'ai quitté la maison.

Jared rit.

— C'est notre vent du Wyoming qui a soufflé

278

en votre honneur. Nous sommes loin de l'océan, mais nous avons des tempêtes violentes en toute saison. Si vous n'y prenez garde, cela peut vous faire trembler. Il n'y a pas de place pour les froussards au Wyoming.

Risquant un regard vers l'homme grand et fort qui la guidait vers sa demeure, Milena prit conscience que le vent n'était pas la seule chose qui la faisait trembler.

Alors qu'ils approchaient de la maison, Jared remarqua que Mimi semblait ralentir. Il posa son bras contre son dos et la poussa à avancer.

— Fatiguée ?

Elle hocha la tête.

— Et j'ai un peu froid aussi.

Il baissa les yeux vers elle.

— Vous claquez des dents.

Elle lui adressa un sourire de façade.

— C'est idiot, n'est-ce pas ? Il ne peut pas faire si froid.

— Mais vous êtes trempée jusqu'aux os. Et lorsque le soleil se couche, la température chute brusquement.

Elle hocha de nouveau la tête.

Le silence stoïque de la jeune femme le contrariait. Cela semblait si capital pour elle de donner l'impression de pouvoir se débrouiller seule qu'elle évitait de demander du secours quand elle en avait le plus besoin.

— Vous êtes sûre que tout va bien ?

Mimi opina en silence. Mais elle trébucha, et il la rattrapa de justesse. Elle tremblait de tout son corps. En jurant dans sa barbe, il la souleva pour la porter jusqu'à la maison.

— Ce n'est pas nécessaire, protesta-t-elle. Je peux marcher. Ce n'est pas si loin.

— Il faut qu'on échappe à cette pluie, bougonna-t-il, en respirant l'odeur de l'eau mêlée à son parfum. Je marche plus vite que vous en cet instant.

— Ce n'est pas poli de se vanter.

— Je ne me vante pas, j'énonce un fait.

— Ce n'est pas la peine de vous donner des airs.

— Je ne me donne pas des airs. Nous avons tous nos points forts. Moi, j'ai plus d'énergie, et vous, vous avez...

Il s'arrêta, réfléchissant à ce qu'il pourrait dire.

— Quoi donc ? demanda-t-elle.

Plus de sex-appeal dans son petit doigt que la plupart des femmes dans leur corps entier.

— De plus longs cheveux, dit-il enfin, conscient du ridicule de sa réponse.

— « De plus longs cheveux », répéta-t-elle en fronçant les sourcils.

— C'est ça. Que pensiez-vous que j'allais dire ?

— De l'éducation, des bonnes manières…

— Et la langue bien pendue, dit-il, incapable de résister.

Elle le dévisagea comme s'il avait dit la chose la plus effrontée qu'elle ait jamais entendue.

— Je pense que, dans ce domaine, nous sommes à égalité !

Il sourit, la portant sur les marches du perron et jusque dans le couloir.

— Vous pouvez me reposer maintenant, protesta-t-elle.

— Pas encore, dit-il, montant l'escalier jusqu'à la salle de bains.

Il la posa sur le tapis et ouvrit le robinet à fond.

— Merci beaucoup pour votre aide, mais je peux m'occuper de mon propre bain.

Etait-ce l'heure tardive ou le ton prude de sa voix ? Il ne résista pas à l'envie de la taquiner.

— Etes-vous sûre de ne pas avoir besoin d'aide ? Je ne voudrais pas que vous vous endormiez ou que vous vous noyiez dans ma baignoire.

Sa rescapée mourait peut-être de froid, mais ses yeux lançaient des flammes.

— Si c'est une tentative de séduction, dit-elle d'une

voix plus douce que le miel, vous devez travailler quelque peu votre technique d'approche.

— Je suis persuadé que vous êtes plus habituée au champagne et aux diamants.

— Pas vraiment. Je suis plus habituée aux bonnes manières.

— Aux hommes qui cèdent à vos moindres caprices, vous voulez dire.

La jeune femme ouvrit les lèvres et écarquilla les yeux comme s'il avait touché un point sensible.

Cela lui procura une certaine satisfaction, mais en revanche il dut refouler le désir de poser ses lèvres sur les siennes pour savoir enfin quel goût elles avaient.

— Vous pouvez partir maintenant, déclara-t-elle de ce ton hautain qui avait le don de l'irriter.

— Comme il vous plaira, duchesse, dit-il en quittant la salle de bains.

Elle lui ferma la porte dans le dos moins d'une seconde après qu'il eut franchi le seuil.

« Calme-toi, calme-toi ! » marmonna-t-il. Mais son sens des responsabilités aiguisé le fit attendre près de la porte, au cas où elle s'évanouirait.

Il perçut le bruit des vêtements mouillés s'écrasant sur le sol, et son esprit lui fournit les images correspondant aux sons. Elle retirait en premier la chemise collée sur ses seins ronds. Puis il entendit deux bruits sourds. Ses tennis, soupçonna-t-il, suivies de ses chaussettes. Ensuite, son pantalon. Il pouvait l'imaginer en train de remuer son postérieur attirant pour se libérer de la toile de jean mouillée. Ses longues jambes étaient nues à présent. Quel genre de sous-vêtements portait-elle ? Un coordonné de soie, un string ?

Une décharge de désir inopportune le saisit au niveau de l'aine.

Il ferma les yeux, mais les images lubriques continuèrent. Il aurait presque pu jurer avoir entendu le claquement de son soutien-gorge avant qu'elle ne libère sa poitrine. Ses tétons étaient sans doute tendus à cause du froid. Oh, les réchauffer avec sa bouche…

Lorsqu'il entendit l'eau gicler et qu'elle entra dans la baignoire, il ravala un grognement. Quelques secondes plus tard, il l'entendit pousser un long gémissement sensuel, ce qui eut le même effet sur lui que si elle l'avait caressé à un endroit intime.

Sentant le désir monter en lui à chaque seconde, il se força à rester encore deux minutes, torrides et insupportables, puis il se dit qu'il avait fait tout ce qu'il pouvait pour Mimi, en dehors de la prendre dans son propre lit pour qu'ils se réchauffent mutuellement.

Il s'éloigna en maugréant.

Cette femme était tout à fait comme son ex-fiancée. Mais il ne pouvait ignorer le fait que Jennifer n'aurait jamais bravé l'orage pour ramener le doudou de sa nièce. L'image de Mimi nue dans la baignoire allait le torturer le reste de la nuit, mais l'image d'elle accroupie et trempée dans cette étable, brandissant Tiki, allait le hanter plus longtemps encore.

Toujours en grommelant, il ôta ses vêtements mouillés.

Il réentendait la voix moqueuse de sa sœur : « Tu attires le chaos comme un aimant. »

Il aurait pu laisser la duchesse passer la nuit dans cette étable. Il aurait pu ! Mais non, le sens des responsabilités avait été instillé en lui si tôt que le sang avait couru dans ses veines. Il avait de trop nombreuses fois joué les bons Samaritains pour des femmes en quête d'un chevalier servant. Toutefois, Mimi ne semblait pas être du genre à user de ruse féminine pour le faire obéir. Cela l'intriguait, en plus du fait qu'elle n'avait pas tenté de fuir ses responsabilités avec les enfants.

Il mit ses vêtements à sécher sur des cintres dans sa salle de bains personnelle et se rua sous la douche. Une douche rapide et chaude, et ensuite il irait dormir. Tandis que l'eau se répandait sur lui, il ne put s'empêcher d'imaginer à quoi ressemblerait le corps trempé et nu de Mimi contre le sien. Grimaçant quand son corps réagit à cette vision attirante, il ne put se résoudre à finir par une dose d'eau froide. Après s'être essuyé et avoir enfilé un pantalon de pyjama, il descendit se servir un verre de scotch. Un bon *Macallan* de vingt-cinq ans d'âge, voilà ce qu'il lui fallait. L'alcool lui brûla la gorge. Décidant qu'il pouvait s'autoriser un deuxième verre ce soir, il se resservit et remonta.

Alors qu'il parvenait en haut de l'escalier, la porte de la salle de bains s'ouvrit, et Mimi sortit dans un nuage de vapeur, recouverte d'une serviette.

Le court morceau de tissu-éponge pendait dangereusement au-dessus de ses seins, et très haut sur ses cuisses. Sa peau luisait, et ses cheveux mouillés étaient encore plus noirs que d'habitude. Elle jeta un coup d'œil au verre d'alcool.

— Quelle bonne idée. Est-ce que c'est pour moi ?

Il ouvrit la bouche pour répondre que non, mais l'expression de Mimi le fit changer d'avis. Il s'éclaircit la gorge.

— Effectivement.

— C'est du scotch ? demanda-t-elle, lui prenant le verre des mains.

Il opina puis la regarda pencher la tête en arrière et boire d'une traite. Elle plissa les yeux.

— Parfait. Du *Macallan*. Vingt-cinq ans d'âge, non ?

Il approuva, surpris.

— Comment le savez-vous ? Vous ne m'avez pas l'air d'être une experte en spiritueux.

— Un ami de mes frères m'a éduquée dans ce domaine.

— Et qu'en pensait votre père ?

Le regard de Mimi s'assombrit.

— Mon père est décédé.

Jared ressentit son chagrin pendant un instant.

— Je suis navré. Moi aussi, j'ai perdu mes parents.

— Oh, ma mère est bien vivante ! D'aucuns pourraient dire qu'elle l'est un peu trop. Et puis il y a mes frères, dit-elle en grimaçant. Quand Nicolas a appris que son ami m'avait fait goûter à ses meilleurs alcools, il l'a banni du palais.

Elle s'éclaircit la gorge.

— Façon de parler, bien entendu, corrigea-t-elle. Je voulais dire : de la maison.

— Votre mère semble mener la maisonnée d'une main de fer.

Mimi fit une moue.

— C'est bien vrai.

Elle passa la langue sur ses lèvres.

— C'est un très bon scotch. Merci encore, dit-elle, lui tendant le verre.

Puis elle jeta un coup d'œil à sa serviette, prenant enfin consciente qu'elle était très peu couverte.

— Je suppose que je devrais aller me coucher. Bonne nuit, monsieur Mc…

— Appelez-moi Jared, coupa-t-il, ne supportant plus cette expression formelle alors que Mimi se tenait devant lui à moitié nue.

Elle posa le regard sur lui, et il reçut l'impact du mélange de séduction et de secret de ses yeux d'argent. Bon sang ! Mieux valait garder ses distances. Elle représentait le chaos, et il n'avait pas besoin de ça dans sa vie. Néanmoins, elle n'était pas tout à fait la petite fille gâtée, superficielle, écervelée et incapable qu'il avait imaginée. Une femme prête à braver une nuit noire et pluvieuse du Wyoming pour un doudou en peluche devait avoir du cœur et de la volonté. Du tempérament aussi, songea-t-il : si Mimi était une piètre cuisinière, elle serait sans aucun doute capable de prouesses au lit.

— Jared, dit-elle, roulant son nom en bouche comme un bon vin. Bonne nuit.

Et elle se détourna, mais pas si vite que la serviette ne bouge, dévoilant un côté de son sein nu, ce qui donna à Jared très envie d'en voir plus.

Se torturant lui-même, il la regarda marcher le

long du couloir, une part de lui priant pour que la serviette tombe carrément, et une autre se maudissant de céder à la tentation de la contempler.

Le soir suivant, Milena réussit à fatiguer les petites filles suffisamment pour les mettre au lit de bonne heure.

N'étant pas d'humeur à regarder la télévision, elle alla lire dans la bibliothèque, sans parvenir à étouffer le sentiment d'agitation qui grandissait en elle : elle n'avait pas avancé d'un pouce dans ses recherches pour retrouver son frère, et même si elle adorait Katie et Lindsey, elle ne pouvait pas s'occuper d'elles indéfiniment. Et puis, il y avait Jared. Elle fronça les sourcils en songeant au rancher. L'opinion que Jared McNeil avait d'elle n'aurait pas dû lui importer mais, pour quelque obscure raison, c'était le cas. Elle ne supportait pas l'idée qu'il la prenne pour une bimbo sans cervelle. Se renfrognant, elle quitta la bibliothèque.

Sur un coup de tête, elle décida d'explorer le sous-sol.

Dans la première pièce, elle découvrit des équipements sportifs divers : un sac de clubs de golf, des battes de base-ball, ainsi que des balles et des gants, un ballon de football, une table de ping-pong et une table de billard. Elle songea aux épaules puissantes de Jared, dignes d'un grand sportif…

Ouvrant une porte, elle fut surprise de découvrir une petite cave à vins. Elle lut quelques étiquettes et fut plus étonnée encore. Rien qui approche la cave du palais familial, mais impressionnant tout de même !

Revenant à la salle de détente, elle remarqua une deuxième porte sur le mur d'en face et la franchit. Il lui fallut un moment pour trouver l'interrupteur, mais quand elle y parvint, son cœur fit un bond : les murs étaient recouverts de fleurets, tandis que les équipements de protection nécessaires occupaient une étagère.

Une salle d'escrime ! Qui aurait pu le croire ?

Des souvenirs de son frère lui apprenant en secret les bases de ce sport lui revinrent à l'esprit. Elle se rappela les bouffées d'adrénaline lorsqu'elle essayait de maîtriser chaque mouvement. Elle avait une folle envie de progresser, mais quand sa mère avait eu vent de ces leçons, elle y avait tout de suite mis un terme.

S'approchant du mur, elle saisit un des fleurets avec précaution et glissa son doigt le long de l'acier froid de la lame.

— Attention !

Elle sursauta au son de la voix de Jared. Prenant

une inspiration pour se calmer, elle jeta un regard vers l'arrivant.

— Je n'ai pas tenu un fleuret dans ma main depuis au moins dix ans, confia-t-elle.

Il posa ses mains, larges et belles, sur ses hanches minces, attirant son attention sur son corps. La première fois qu'elle l'avait vu, elle avait fait l'erreur de ne voir que ses muscles, et pas son esprit. A présent, le mélange de puissance physique et d'intelligence qu'il représentait lui donnait des palpitations.

Jared leva les sourcils.

— Que diable faisiez-vous donc avec un fleuret, il y a dix ans ?

— J'apprenais l'escrime. Mon frère me donnait des cours, jusqu'à ce que ma mère l'apprenne.

— Pas assez féminin ?

Milena haussa les épaules.

— Sans doute. J'adorais ça. C'était comme de jouer aux échecs, en plus physique.

Il acquiesça.

— C'est vrai. C'est mon père qui m'a initié. Je n'ai plus pratiqué depuis sa mort, mais je n'ai pas pu me résoudre à transformer cette pièce.

— C'est une agréable surprise. Est-ce que vous êtes doué ? dit-elle en scrutant son visage.

Son interlocuteur la fixa un moment, puis il rit et se frotta le menton.

— Je suis sans doute un peu rouillé, mais je pourrais me défendre en duel.

— Apprenez-moi, décida-t-elle, les mots sortant de sa bouche malgré elle.

Jared inclina la tête sur un côté.

— Cela sonne comme un ordre, duchesse, dit-il d'une voix de velours.

L'impatience, et un sentiment plus obscur, vibrèrent en elle. Elle ne pouvait s'expliquer cette envie qu'elle nourrissait depuis des années de faire de l'escrime.

— Excusez-moi. J'ai toujours voulu apprendre, et quand ma mère a mis fin à mes leçons, j'ai été terriblement frustrée. Cela semble l'occasion rêvée. Vous voulez bien ? S'il vous plaît ?

Jared resta un moment à réfléchir, puis il haussa les épaules.

— Je peux vous donner quelques cours.

Il attrapa un équipement de protection et le lui tendit.

— On ne compte pas les points, on ne fait que s'entraîner, dit-il.

Une bouffée d'adrénaline monta en Milena tandis qu'elle endossait le gilet.

— Ça me va. Après le fleuret, vous pourrez peut-être m'apprendre l'épée ?

— Restons-en au fleuret pour commencer. Faites-moi voir votre mise en place… Pas mal, dit-il avec un signe d'approbation.

Et ils commencèrent le cours.

Milena se concentra avec intensité sur chacune des instructions de Jared. Après quelques instants, celui-ci fut d'accord pour la laisser ferrailler librement. Elle s'élança et para aux coups. Elle ne se souvenait pas s'être sentie aussi vivante depuis bien longtemps. Voire jamais. Son cœur cognait dans sa poitrine alors qu'elle essayait de suivre Jared. Il était meilleur qu'il ne l'avait laissé penser, mais cela ne la décourageait nullement.

— Vous vous débrouillez plutôt bien. Ne vous lancez pas sans vous protéger, conseilla-t-il.

Il avait trouvé la juste mesure entre les encouragements et les instructions.

— Vous êtes agile, pour votre gabarit, fit-elle remarquer.

Jared lui toucha la poitrine de la pointe de son fleuret, et elle soupira.

— Vous êtes un excellent professeur. Vous me donnez envie de vous battre !

Il eut un petit rire qui vibra en elle comme une onde de choc.

— Je pense que vous voudriez battre n'importe qui.

Elle s'arrêta.

— Qu'est-ce qui vous fait dire cela ?

— Votre esprit de compétition très marqué, dit-il. Rien de mal à cela.

— Je ne me suis jamais vue comme ça.

— Peut-être n'en avez-vous jamais eu l'occasion ? Ce n'est pas un défaut. Certaines personnes considèrent l'esprit de compétition comme une grande qualité.

— Même chez une femme ? demanda-t-elle, songeant à tous les conseils de sa mère visant à ne pas malmener l'ego masculin.

Son interlocuteur opina.

Intriguée, tiraillée entre des émotions contradictoires, elle repoussa son masque.

— Cela ne vous dérange-t-il pas qu'une femme soit combative ?

— Non, dit-il, repoussant à son tour le sien, les yeux brillants à cause de l'effort. Je trouve ça sexy.

Elle plongea son regard dans le sien et ressentit comme une décharge électrique. A cet instant, Jared McNeil était l'homme le plus séduisant qu'elle ait jamais rencontré. Sa force, aussi bien mentale que physique, était irrésistible. Une pensée interdite lui traversa l'esprit, et son cœur battit la chamade.

Si elle s'était trouvée au palais, un pareil moment d'intimité avec un homme, sans chaperon, se serait vite achevé. Mais elle n'était pas au palais. Elle était seule, et libre de ses choix.

Son cœur battit de plus belle. Comment Jared réagirait-il si elle l'embrassait ? Aurait-elle le courage d'obtenir la réponse à cette question ?

« Il n'y a pas de place pour les froussards au Wyoming. »

L'excitation de la leçon courant encore dans ses veines, elle soutint le regard de Jared, fit un pas vers lui, puis un autre. Et encore un autre, jusqu'à ce qu'elle ne soit plus qu'à quelques centimètres. Elle se mit sur la pointe des pieds, mais il était encore trop grand, hors d'atteinte.

— Penchez-vous, murmura-t-elle.

Les yeux de Jared s'assombrirent.

— Cela sonne comme un autre ordre, duchesse.

La possibilité qu'il puisse la rejeter la fit trembler de peur. Une peur qu'elle masqua par de la colère.

— Je ne vous supplierai pas.

Juste au moment où elle tournait la tête, il attrapa son menton entre ses doigts.

— Inutile, dit-il.

Et il prit possession de ses lèvres.

4.

Milena se préparait à un baiser charnel qui allait l'emporter comme un torrent. La caresse sensuelle des lèvres de Jared sur les siennes la surprit. Comment sa bouche pouvait-elle être à la fois ferme et douce ? Il remua les lèvres dans un mouvement de va-et-vient envoûtant, qui lui donna l'impression que le sol se dérobait sous ses pieds.

Juste au moment où elle croyait pouvoir reprendre son souffle, il attrapa sa lèvre inférieure entre les siennes et l'aspira doucement. Puis il glissa la langue entre ses lèvres, et ce fut comme si tout tournait autour d'elle.

Elle voulut se presser contre lui, mais leurs gilets de protection formaient une barrière frustrante. Même cela ne pouvait cacher la force de Jared, et c'était cette force qui la fascinait. Il n'était pas le genre d'homme à demander la permission, mais il n'était pas non plus le genre à s'imposer à quiconque. Ce mélange était si séduisant !

Elle l'embrassa de plus belle, glissant sa langue sur la sienne, qu'elle trouva à la fois avide et pleine de retenue. Qu'arriverait-il si Jared laissait libre cours à ses pulsions ? Penchant la tête sur le côté, elle écarta un peu plus les lèvres. Il saisit l'occasion et l'embrassa plus profondément.

Vaguement, elle entendit le bruit sourd d'un fleuret heurtant le sol. Jared plongea une de ses mains dans ses cheveux tandis que l'autre se posait sur son dos pour l'attirer encore plus près de lui. L'évidence de son désir pour elle provoqua un frisson jusque dans son intimité.

Elle avait été si surveillée durant sa vie entière qu'elle ne s'était jamais octroyé plus que quelques instants volés de préliminaires. La virginité avait toujours été très importante aux yeux de sa mère. Une princesse vierge pouvait attirer un fiancé de premier choix, un mari qui contribuerait à la prospérité de Marceau. Que l'époux contribue au bonheur de Milena ou non figurait bien plus bas sur la liste des critères maternels.

Le sentiment de Milena sur sa propre virginité était partagé. Ce statut l'embarrassait. Toutefois, elle n'avait encore rencontré personne qui lui donnât envie d'en changer. Elle n'était d'ailleurs pas certaine de vouloir franchir le pas maintenant... Mais une chose au moins était sûre : elle voulait qu'ils enlèvent tous deux leurs gilets !

Elle recula d'un pas et retira son équipement.

— Qu'y a-t-il ? demanda Jared, les yeux assombris.

Elle tira sur son gilet.

— Vous n'êtes pas assez près.

Les narines du rancher frémirent, et il quitta son gilet avant de l'attirer de nouveau contre lui.

— Je peux arranger ça, murmura-t-il, et il reprit sa bouche comme si elle était de miel.

Alors qu'elle sentait sa température augmenter, Milena se rappela que ni un chaperon ni un garde du corps n'allait venir les interrompre. Cette idée lui donna le vertige. Elle était seule, et libre de faire ce qu'elle voulait.

Tout ce qu'elle voulait.

S'abandonnant contre son partenaire, elle savoura le contact de son torse ferme contre ses seins. Ses tétons se durcirent d'excitation, et elle goûta la sensation d'être délicieusement consumée. Respirant son parfum de musc, elle en voulut plus et plongea les doigts dans ses cheveux.

Quand il plaqua son bas-ventre contre elle, elle retint son souffle.

Une des mains de Jared se referma autour de

ses côtes et remonta vers ses seins. Elle en eut le souffle coupé. Il continua de l'embrasser, et elle ne tenait pas du tout à l'interrompre. C'était comme si elle était en chute libre et qu'elle n'en finissait pas de tomber.

Dans une caresse sensuelle, il approcha la main de son sein. Quand il en effleura la courbe, elle réprima un gémissement de plaisir. Un feu et un désir inconnus grondèrent en elle. Elle eut envie d'ouvrir sa chemise, de sentir sa peau nue contre la sienne.

Plus vite. Plus vite. Plus vite.

Son sang pulsant à ses oreilles, elle sortit la chemise de Jared de son pantalon et glissa sa main sur son ventre chaud et plat. Jared émit un râle de plaisir, aussi s'aventura-t-elle plus haut sur son torse.

Soudain, la main de Jared arrêta la sienne. Il interrompit leur baiser et marmonna un juron. Quand il la regarda, ses yeux reflétaient le désir et le doute.

— Qu'êtes-vous en train de faire, bon sang ?

Alors que son désir franchissait encore un brouillard de barrières intérieures, Milena ouvrit la bouche, mais aucun son n'en sortit.

— Je… Je…

Elle referma la bouche, horrifiée, et déglutit. Elle qui ne bégayait jamais !

298

— Si vous croyez que jouer avec moi est…, commença Jared.

Elle secoua la tête et passa la langue sur ses lèvres où le goût de Jared était encore présent.

— J'avais envie de vous embrasser, dit-elle, sa voix sonnant rauque à ses propres oreilles.

Il secoua la tête et recula.

— Je ne sais pas à quoi vous êtes habituée, duchesse, mais si vous cherchez une distraction…

— Vous êtes un… un homme, dit-elle, incapable de retenir ses paroles.

Il soutint son regard, et une réaction primaire la secoua comme un tremblement de terre. C'était si fort qu'elle dut serrer les genoux.

Jared émit un autre juron et se passa une main dans les cheveux.

— Je ne sais ni quelle est votre éducation ni quelle est votre expérience, mais c'est vers bien plus qu'un simple baiser que nous allions, là sur ce tapis.

L'appréhension, vite suivie par l'anticipation, la submergea. En un instant, elle sut ce qu'elle voulait. Son esprit était peut-être troublé par leur baiser, mais elle comprit avec certitude son propre désir.

— Je vous ai dit que je voulais que vous m'appreniez.

Il s'arrêta net. Ses narines tremblaient imperceptiblement.

— L'escrime, dit-il sur un ton ferme.

Elle prit une inspiration pour retrouver ses esprits, mais rien ne changea en elle. Quelque chose lui disait que rien ne pourrait la faire changer d'avis sur cette question. Seulement, il lui fallait réfléchir à la façon de procéder.

Elle n'avait jamais séduit un homme jusqu'au bout. Comment Jared allait-il prendre son manque d'expérience sexuelle ? Après tout, c'était un homme d'honneur. L'homme avec qui elle avait envie d'avoir une aventure. Une aventure dont elle chérirait le souvenir après avoir épousé celui que sa mère aurait choisi pour le bien de Marceau. Il lui vint à l'esprit que, sans le savoir, Jared était une des raisons pour lesquelles elle était venue dans le Wyoming. Jared, et son frère. Mais pour des motifs très différents.

Elle essaya de changer de ton, de diminuer l'intensité de leur échange. Ramassant les fleurets, elle pria pour qu'il ne remarque pas ses mains tremblantes.

— Ce baiser vous a déplu ? réussit-elle à dire d'un ton léger.

— Je vous avais prévenue de ne pas jouer avec moi.

— Au contraire, dit-elle. Je pense que vous travaillez si dur que vous avez sans doute besoin de distraction.

Elle remit les fleurets en place.

300

— Mais inutile de nous disputer, continua-t-elle. Merci pour la leçon. Au fait, je voulais vous demander quelque chose depuis un moment : avez-vous entendu parler d'un certain Jack Raven ?

Faisant face au mur, elle compta en attendant la réponse qui tarda à venir.

Un. Deux. Trois. Quatre. Cinq.

— Eh bien, oui.

Le cœur de Milena s'emballa. Elle résista au désir de se retourner. Elle ne voulait pas que Jared voie son visage à cet instant. Elle était peut-être prête à partager son corps, mais pas ses secrets.

— Il possède le meilleur restaurant de fruits de mer du Wyoming. Cela dit, comme nous sommes très loin de l'océan, il n'a pas beaucoup de concurrence. Son établissement est à environ quarante-cinq minutes d'ici.

Elle hocha la tête et se retourna lentement.

— Pourquoi cette question ? demanda Jared.

Elle sourit et haussa les épaules.

— J'adore les fruits de mer.

Le lendemain, Milena emmena les filles faire une promenade jusqu'à son pick-up endommagé.

Gary, l'employé du ranch, vint discuter avec elle et les filles et, au cours de la conversation, il offrit de réparer le véhicule durant son temps libre. Selon lui, la remise en état ne prendrait que quelques jours. Lorsqu'elle lui confia qu'il avait réalisé son rêve, le jeune homme rougit violemment.

Excitée à l'idée qu'elle pourrait visiter le restaurant de Jack Raven dans moins d'une semaine, Milena traversa la journée le cœur léger. Le soir, elle retourna dans la salle d'escrime, mais Jared ne se montra pas. Sa présence importait peu, se dit-elle. Elle pouvait travailler sa technique sans lui.

Deux jours plus tard, Gary l'informa que son véhicule serait prêt le lendemain, mais que la peinture restait à faire.

Milena éloigna ce détail d'un revers de la main. Elle se moquait bien de l'esthétique, du moment qu'elle pouvait se déplacer !

Heureuse de la nouvelle, elle descendit dépenser son énergie dans la salle d'escrime après que les fillettes se furent endormies. Elle se concentra sur sa mise en place et sur son jeu de jambes.

— Je vois que vous vous êtes entraînée, déclara Jared depuis le couloir.

Elle se retourna au son de sa voix, le cœur battant, surprise de constater à quel point elle était heureuse de le voir.

— Merci. Je prends ça comme un compliment.

Il alla jusqu'au mur et choisit un fleuret, puis il empoigna un équipement de protection.

— Prête pour une autre leçon ?

— Je le suis depuis longtemps.

Il lui jeta un bref coup d'œil, comme s'il essayait de déterminer si sa réponse était à double sens.

Ce n'était pas le cas, songea-t-elle en rougissant, mais cela aurait pu. Oui, elle avait décidé de prendre Jared comme amant. Il était peut-être sa seule chance dans la vie de se choisir un partenaire. Le séduire serait peut-être difficile, mais elle était très déterminée.

— J'espérais ne pas vous avoir effrayé, dit-elle avec un sourire.

Il baissa la tête, incrédule.

— Vous pensiez que j'avais été intimidé par votre technique ?

— Plutôt par mon manque de technique, rétorqua-t-elle sur un ton léger. J'ai un grand désir d'apprendre et je veux m'entraîner, mais mon niveau est pitoyable, inutile de le nier.

Jared plongea le regard dans ses yeux d'un gris ensorcelant et essaya, avec un succès relatif, de les déchiffrer. Mimi avait employé une voix séductrice.

Il lui semblait qu'elle ne parlait pas seulement d'escrime, mais aussi de sexe.

Bien sûr, c'était peut-être lui qui s'imaginait des choses. Après leur baiser fougueux de l'autre soir, il avait dû prendre une bonne douche froide. Il aurait dû passer la soirée à faire de la paperasse, mais le fait de savoir la jeune femme au sous-sol l'avait troublé. Il avait écarté l'idée d'un autre cours d'escrime aussi longtemps qu'il l'avait pu, et finalement il avait cédé. Au fond, pourquoi ne s'offriraient-ils pas quelque distraction ? Tant qu'il empêcherait Mimi de l'attirer dans son drame secret, quel qu'il soit, il demeurerait indemne.

— Voyons alors si nous pouvons améliorer votre niveau, dit-il en mettant son masque en place. En garde, duchesse.

Il fut surpris de constater à quel point il aimait combattre contre Mimi. Elle était très volontaire. Si elle était moitié aussi résolue dans un lit, elle pourrait envoyer un homme à l'hôpital, songea-t-il.

Il remporta une nouvelle manche, et sa partenaire tapa du pied en ôtant son masque.

— Allez au diable ! dit-elle, le fusillant des yeux. Vous êtes sûrement lassé de me battre aussi facilement.

Ne pouvant réprimer un petit rire, il secoua la

304

tête. Il ne fallait pas qu'il se laisse influencer par sa beauté et sa vivacité d'esprit.

— Vous seriez furieuse si je vous avais concédé ne serait-ce qu'un centimètre.

Elle prit un air renfrogné et leva le menton.

— Vous pourriez au moins être un peu plus élégant à propos de votre supériorité.

— C'est vous qui mentionnez ma supériorité à tout bout de champ.

— C'est vrai, mais c'est parce que vous ne cessez pas de l'afficher, dit-elle d'une voix sombre, trahie par un sourire qui donna des picotements à Jared.

— Je peux arrêter là, proposa-t-il.

— Non. Non, je vous en prie.

L'honnêteté dans son regard le frappa comme un coup de fleuret inattendu.

C'était trop... Trop facile de l'aimer. Il ferait mieux de partir avant de risquer de la prendre au mot, concernant l'offre qu'elle semblait lui faire.

Quittant son équipement de protection, il reposa le fleuret à sa place.

— Je ferais mieux d'y aller. Je dois passer un coup de fil à propos de ce fichu anniversaire du comté. Tout le monde veut que l'on donne une fête dans mon ranch. Je ne sais pas du tout comment on organise une fête pour autant de monde.

— Je pourrai vous aider, dit Mimi.

Cette offre le désarçonna. Il lui jeta un coup d'œil.

— Que voulez-vous dire ?

— Je veux dire que j'ai de l'expérience dans l'organisation de fêtes.

Plus curieux qu'il ne devrait, il avança vers elle.

— Quel genre de fêtes ?

Elle haussa les épaules.

— De toutes sortes. Des petites et des grandes. J'ai même aidé à superviser quelques mariages.

— Le vôtre ? ne put-il s'empêcher de demander.

Elle cligna des yeux, l'air offensé.

— Non. Je n'ai jamais été mariée.

Elle s'interrompit une demi-seconde.

— Et vous ? demanda-t-elle.

Il fit un signe de tête négatif.

— J'ai failli, une fois.

— Que s'est-il passé ?

— Elle ne voulait pas vivre dans le Wyoming.

— Eh bien, je peux comprendre qu'on se sente isolé ici quand on est habitué à vivre en ville.

— C'est vrai. Le secret pour ne pas étouffer, c'est de voyager.

— Tout à fait d'accord, dit-elle avec un grand hochement de tête.

— Vous savez ce que c'est que d'étouffer ?

306

— C'est le moins qu'on puisse dire, dit-elle sur un ton laconique.

— Où avez-vous fait votre service ?

Elle fronça les sourcils.

— Que voulez-vous dire ?

— Dans quel endroit vous sentiez-vous à l'étroit ?

Elle agita la main.

— Oh, je pense que c'était plus la situation que le cadre.

— Qui était ?

Elle haussa les épaules et regarda dans le vide.

— Chez moi.

Jared déglutit. Les miettes d'informations que laissait tomber Mimi ne faisaient qu'accroître sa curiosité.

— C'est là que vous avez organisé des fêtes ? Chez vous ?

— Certaines d'entre elles, dit-elle d'un ton vague. Pourquoi me demandez-vous cela ?

— Vous m'avez offert vos services. Je pensais que ce serait une bonne idée d'en savoir plus sur votre expérience.

Il fit une petite moue.

— Cela pourrait avoir un lien avec l'expérience que vous disiez avoir avec les enfants.

Elle leva la tête d'un air altier.

— Est-ce que vous sous-entendez que je m'occupe mal de vos nièces ?

— Pas du tout, duchesse. Mais Katie ne sait pas garder un secret, et elle m'a dit qu'elle avait dû vous aider à changer la couche de Lindsey.

Mimi leva de nouveau le menton.

— Ce qui prouve que j'apprends vite et que l'on peut me faire confiance.

Elle tourna les talons.

— Mais si vous préférez organiser votre fête vous-même, je n'ai pas besoin de…

— Oh, non.

Il secoua la tête et plaça son pouce et son index autour du poignet de la jeune femme avant qu'elle puisse s'échapper.

— Vous m'avez fait une proposition. Vous ne pouvez pas la reprendre maintenant.

Elle le regarda comme s'il était fou.

— Vous ne savez plus ce que vous dites. Je peux faire *ce que je veux* !

— Eh bien, je ne sais pas où on vous a élevée, mais mon père m'a appris qu'une personne intègre ne revient pas sur sa parole.

Elle ouvrit la bouche comme pour argumenter puis se ravisa. Elle plissa les yeux vers lui un long moment.

— C'est une chose de plus que j'apprécie chez vous, dit-elle enfin calmement, à sa grande surprise.

— J'ignorais que vous appréciiez quoi que ce soit chez moi, duchesse.

Elle roula des yeux.

— Allons, vous n'êtes pas idiot. Vous savez que j'admire votre force. J'aime aussi votre intelligence. Et j'apprécie que vous soyez un homme de parole.

Jared se mit à rire.

Il n'allait pas laisser ses compliments lui tourner la tête. C'était comme ça que les femmes calculatrices embobinaient les hommes. Si le coup de la demoiselle en détresse ne marchait pas, elles essayaient la flatterie. Ça ne marcherait pas avec lui. Il avait passé un marché avec lui-même et refusait de revenir dessus : plus jamais il ne tomberait pour une demoiselle en détresse. Hors de question.

— Et je suis sûre que vous êtes conscient d'avoir un corps très sexy, dit-elle sur le même ton anodin qu'elle aurait pu prendre pour parler de la pluie et du beau temps.

A son grand désarroi, Jared sentit le désir monter en lui.

— En tant que femme, je me demande…

Il ne devrait pas s'y laisser prendre. Non, il ne devrait pas ! Mais sa curiosité l'emporta.

— Quoi donc ?

Elle eut un haussement d'épaules sexy et insouciant.

— Des tas de choses.

Elle semblait à la fois audacieuse et timide, ce qui le rendait perplexe. En apparence, elle lui faisait des avances. Mais il savait par expérience que c'était plus compliqué que ça.

Excité malgré lui, il grinça des dents, irrité.

— Eh bien, je vous apprendrai quelque chose sur le fait de se poser des questions. Se poser des questions sur la mauvaise personne peut vous attirer des ennuis, dit-il.

Et il quitta la pièce avant qu'elle puisse réagir. Avant qu'il puisse s'abandonner au besoin impérieux de la soulever dans ses bras, de l'allonger sur le matelas et de...

Alors qu'il regagnait son bureau, son corps et son esprit le raillèrent : se poser des questions pourrait bien lui attirer des ennuis, à lui aussi.

5.

— D'accord, d'accord. Je ne peux rien refuser à mes nièces adorées, céda Jared, ébouriffant les cheveux de Katie et de Lindsey en train d'engloutir leurs tartines. Je vous emmène nager dans le lac.

Les petites filles poussèrent des cris de joie.

Jared sourit puis jeta un regard à Milena.

— Vous pouvez nous accompagner.

Elle se raidit, comme chaque fois qu'on lui parlait de nager. Jared avait toujours l'air de la mettre au défi. Aussi déterminée soit-elle à tout faire pour qu'il ne la méprise pas, cette fois elle n'était pas sûre d'être à la hauteur.

— Je n'ai pas de maillot de bain.

— Pas de problème. Nous en avons plusieurs, pour les invités.

— Mais, euh…

Il pencha la tête sur le côté.

— Vous ne risquez rien. Si vous le souhaitez, vous pourrez porter un gilet de survie.

Katie, devinant le problème, se tourna sur sa chaise et fixa Milena.

— Tu as peur de l'eau ? demanda-t-elle.

Elle détestait l'idée que sa phobie puisse gâcher le plaisir des fillettes.

— Je n'ai pas beaucoup d'expérience, dit-elle, la gorge nouée.

— Oncle Jared s'occupera de toi. C'est un très bon nageur. Il crie si on fait quelque chose de dangereux.

Milena prit une inspiration prudente et s'apprêta à affronter son destin.

— Est-ce que tout le monde portera un gilet de survie aujourd'hui ? demanda-t-elle.

Il hocha la tête.

— Tous les quatre.

Il frappa dans ses mains.

— Les filles, allez chercher vos maillots pendant que je vais en dénicher un pour Mimi.

Les fillettes descendirent de leur chaise et filèrent au pas de course.

Milena sentit le regard de Jared posé sur elle.

— Je ne laisserai personne se noyer, dit-il à voix basse.

Elle perçut distinctement ce bourdonnement

312

d'abeilles qui semblait ne jamais disparaître entre eux, mais tenta de ne pas y prêter attention.

— J'en suis sûre. C'est idiot, cette angoisse.

— Eh bien, vous avez dit qu'il y a eu un accident dans votre famille. Apparemment, votre mère vous a surprotégée. Les enfants sentent la peur à des kilomètres.

— C'est malheureusement vrai.

Elle se souvint de sa mère dont les mains devenaient blanches d'anxiété chaque fois que ses frères partaient nager. Cette vieille angoisse lui parut soudain comme un fardeau inutile. Qui aurait cru qu'un rancher du Wyoming lui offrirait tant d'occasions de progresser et de finir des choses inachevées ?

Elle regarda Jared.

— Bon, je crois qu'il me faut un maillot.

— Je vous en rapporte un tout de suite, dit-il, l'approbation dans ses yeux la faisant haleter. Mais je vous préviens. Aucun d'eux n'est haute couture.

C'était le moins que l'on puisse dire ! songeait-elle une demi-heure plus tard en enfilant un horrible maillot une pièce de couleur marron.

Elle aida les filles à mettre leur maillot et les tartina de crème solaire. Après avoir préparé quelques sandwichs, elles rejoignirent Jared dans le vestibule, et il pointa du doigt l'horloge de son grand-père.

— Je me faisais des cheveux blancs à vous attendre, les filles. Pourquoi avez-vous été si longues ?

Katie baissa ses lunettes de soleil en plastique et agita son index vers lui.

— Mimi dit que nous, les filles, nous devrions toujours mettre de la crème solaire pour ne pas être fripées trop tôt. Tu as mis de la crème toi ?

— Non, mais je suis sous le soleil en permanence.

— Alors je parie que tu vas être fripé.

Milena réprima un rire devant l'affirmation franche de Katie, mais ne put manquer le regard noir que Jared lui lança.

— Vous êtes prévenu, dit-elle.

— D'accord, d'accord. Allons au lac avant que le soleil ne se couche, marmonna-t-il en ouvrant la porte.

Tous deux attachèrent les filles dans leurs sièges auto puis montèrent dans le pick-up. Jared emprunta la route pavée jusqu'à un chemin de poussière sinueux. Un magnifique lac apparut à l'horizon, et l'eau bleue rappela à Milena la mer entourant Marceau.

— C'est joli, commenta-t-elle.

— Ça regorge de poissons, dit-il. Et l'eau est chaude.

— Vraiment ?

— Oui, et nous pêchons toujours après avoir nagé, dit-il en descendant du pick-up.

Oh, mon Dieu ! songea Milena, l'esprit empli d'images de vers, d'hameçons et de poissons visqueux. Elle redressa les épaules et se rappela que cela ne durerait que quelques heures, et qu'elle sortirait de cette épreuve grandie.

Quand Jared enleva son T-shirt et son jean, elle oublia toutes ses bonnes résolutions et ne put s'empêcher de le contempler. Il avait un corps à déconcentrer n'importe quelle femme. De ses larges épaules à son torse musclé et imberbe, de son ventre plat à ses cuisses puissantes, il était l'incarnation de la vigueur masculine. Dieu merci, elle pouvait se cacher derrière ses lunettes de soleil !

Elle aida les filles à enfiler leur gilet de survie et sourit quand elles poussèrent des cris de joie en sautant du plongeoir. S'asseyant elle-même sur le bord, elle retarda aussi longtemps qu'elle put le moment de sauter.

— A votre tour, appela Jared. Venez, avant que nous ne vous traitions de poule mouillée.

Milena se mordit la lèvre et s'écorcha le haut des cuisses en sautant. L'eau glacée lui coupa le souffle. Jared fut tout de suite à côté d'elle, la calmant en posant les mains sur elle. Il avait l'air si à l'aise que c'en était énervant. Il n'avait pas la chair de poule, et ses cheveux sombres étaient rejetés en arrière, tandis que sa bouche arborait un large sourire.

— Vous voyez ? Ce n'était pas si difficile, dit-il, faisant du surplace à côté d'elle.

— L'eau est glacée ! Je ne peux pas croire que vous ayez mis ces enfants dans l'eau délibérément.

— Elles ne sont pas en sucre, elles peuvent le supporter. Ce sont des filles du Wyoming, dit-il, une lueur de défi dans les yeux. Elles sont coriaces.

— Vous m'avez menti.

Il eut un petit rire dont le son résonna en elle. Elle avait une de ces envies de le frapper !

— Tout est relatif. Je peux vous certifier qu'il n'y a pas d'iceberg dans ce lac.

— Si, moi, marmonna-t-elle, claquant des dents. Et dire que j'ai récolté des échardes pour ça !

Jared fronça les sourcils.

— Quelles échardes ?

— Sur le bord, quand j'ai sauté…

Milena se sentit gênée.

— Oh, peu importe, dit-elle.

Jared comprit soudain.

— Oh, sur votre…

316

Il posa une main sur la bouche, essayant sans succès de masquer un sourire.

— C'est vraiment dommage, dit-il. Etant donné que vous avez un très joli…

Il fut interrompu par Katie qui arrivait en barbotant entre eux.

— Elle a l'air fâché. Qu'est-ce que tu lui as fait ? demanda la petite fille à Jared.

— Je n'ai rien fait du tout ! protesta-t-il.

— Un très joli quoi ? demanda Milena, savourant l'embarras de Jared.

Après tout, lui aussi l'avait mise mal à l'aise plus souvent qu'à son tour.

Jared se tut une fraction de seconde.

— Un très joli coup de pied. Elle sait très bien jouer au ballon, comme Lindsey et toi.

Katie afficha un large sourire, et tous les quatre passèrent une demi-heure à s'amuser dans l'eau.

Milena appréciait l'homme joueur que devenait Jared quand il était en compagnie de ses nièces. Il les taquinait, riait et jouait à les attraper. Il avait même eu le culot de lui mettre la tête sous l'eau à plusieurs reprises. La seule autre fois où elle avait eu la tête sous l'eau, c'était ses frères qui s'étaient joyeusement chargés de la tâche. Tous ses autres amis avaient été trop intimidés pour jouer avec elle. Elle s'imagina en train de demander à sa mère d'inclure l'humour dans la liste des qualités requises pour son mari, et elle secoua la tête.

Lorsque les lèvres de Lindsey devinrent bleues, ils mirent fin à la baignade. Katie sortit en premier, suivie de Milena. Jared finit la marche avec Lindsey dans ses bras.

— J'ai jeté un œil sur ces échardes quand vous avez grimpé à l'échelle, dit Jared. Il faudra les enlever.

Elle se sentit gênée, mais refusa de s'abandonner à ce sentiment.

— Etes-vous en train de me proposer votre aide ? demanda-t-elle.

C'était elle qui le défiait, pour une fois.

Il ouvrit la bouche, surpris.

— Vous ne dites rien ? Ça veut dire que nous avons un nouveau concurrent dans la course des poules mouillées ? plaisanta-t-elle avant de se tourner pour essuyer Katie.

Quelques minutes plus tard, tous les quatre engloutissaient les sandwichs beurre de cacahuètes-confiture et la limonade qu'ils avaient emportés.

Durant tout le déjeuner, Milena sentit le poids du regard de Jared sur elle. Personne hormis elle ou un médecin n'allait retirer les échardes du haut de ses cuisses, mais cela lui avait fait du bien de le taquiner à ce sujet.

Jared alla chercher deux cannes à pêche et une boîte d'appâts à l'arrière de son véhicule.

— Voyons si nous pouvons tirer notre dîner de ce lac.

— Je peux essayer ? Je peux essayer ? s'écria Katie, dansant d'un pied sur l'autre.

Lindsey mit son pouce dans sa bouche et chercha la main de Milena.

— Je pense que l'une de nous est prête à faire une sieste, dit Milena, penchant la tête vers Lindsey. Si vous voulez pêcher tous les deux, je peux emmener Lindsey à la maison et revenir vous chercher plus tard.

Jared la regarda et secoua la tête d'un air consterné.

— Avec mon pick-up ? Vous voulez conduire *mon* pick-up ?

Insultée par la réaction de Jared, elle leva le menton.

— Ce n'est pas si loin.

— C'est déjà trop loin, dit-il, toujours en secouant la tête. Je vous emmène, Lindsey et vous, puis Katie et moi reviendrons.

— Je veux pêcher, marmonna Lindsey, le pouce dans la bouche.

— Mais tu es fatiguée, mon chaton, dit Milena en caressant les cheveux presque secs de la petite

319

fille. Bon, d'accord. On peut peut-être les regarder pendant un moment.

Elle s'assit sur la berge et prit Lindsey sur ses genoux. Caressant la tête de la fillette, elle regarda Jared aider Katie à mettre un appât sur un hameçon et à plonger sa ligne dans l'eau. Après quelques minutes, il vint près d'elle.

— Vous aviez raison, elle était bonne pour la sieste.

— J'avais raison aussi pour le fait de conduire. Gary m'a dit que je pourrai reconduire très bientôt, dit-elle, incapable de résister.

Il arqua les sourcils.

— Gary ? Qu'est-ce qui lui fait dire ça ?

— Parce qu'il répare mon véhicule après ses heures de travail.

Jared la fixa pendant une minute complète.

— Et comment le payez-vous ? demanda-t-il à voix basse.

Le ton de sa voix provoqua chez Milena une curieuse sensation.

— Je paie les pièces, mais il m'a dit que la main-d'œuvre serait gratuite.

Avec un sourire, elle ajouta :

— Il m'a dit aussi que je ne devais pas m'attendre à ce qu'il soit comme neuf.

Il se passa une main sur le visage et opina.

— Vous vous doutez, bien entendu, qu'il attend plus qu'un baiser de votre part ?

Elle le regarda, bouche bée.

— Il s'est toujours comporté en parfait gentleman.

— Peut-être, mais vous n'ignorez pas quel effet vous avez sur…

Il haussa les épaules.

— … sur les hommes, finit-il.

Milena détourna le regard vers le lac. A dire vrai, elle ne savait pas vraiment l'effet qu'elle faisait aux hommes. Elle savait seulement l'effet que son titre et sa position sociale avaient sur eux. Le regard intense de Jared provoquait une onde de chaleur en elle et lui donnait l'impression d'être une séductrice. Un sentiment plutôt agréable. Que Jared puisse la désirer sans la connaître était une sensation enivrante.

Elle se pencha lentement vers lui.

— Pourquoi ne me le montrez-vous pas ? murmura-t-elle.

— Vous montrer quoi ?

— L'effet que je fais sur les hommes.

Il plissa les yeux et recula.

— N'importe quel homme peut vous le montrer.

— Je n'ai pas demandé à n'importe quel homme.

Les yeux de Jared s'enflammèrent.

— Duchesse, vous cherchez les ennuis.

Elle vit ses biceps se contracter avec la même tension que celle qu'elle éprouvait. Juste au moment où elle allait trouver une réponse à la fois concise et aguicheuse, Katie poussa un cri de joie.

En un instant, Jared fut aux côtés de sa nièce et l'aida à sortir le poisson de l'eau. Lindsey se réveilla en sursaut, en fronçant ses petits sourcils.

— Tout va bien, la rassura Milena. Katie est excitée parce qu'elle a attrapé un poisson.

Lindsey ouvrit des yeux tout ronds et se redressa pour mieux profiter du spectacle.

Après que Katie et Jared eurent réussi à prendre le poisson, tous quatre retournèrent à la maison.

Fatiguées par leur sortie, les filles allèrent faire une sieste sans tarder. Après une longue douche chaude, Milena tenta de retirer les échardes de ses cuisses. Elle réussit à en ôter deux, mais la position était inconfortable, aussi décida-t-elle de remettre la tâche à plus tard.

Profitant de la sieste des petites, elle alla trouver Gary qui lui dit que son véhicule ne serait pas prêt

322

avant le lendemain. Faisant taire son impatience de reprendre la route, elle retourna à la maison et apprit que Jared projetait d'emmener Katie et Lindsey voir leurs parents au centre de rééducation. Ceux-ci allaient bientôt sortir et pourraient petit à petit recommencer à s'occuper de leurs filles.

Bientôt, se dit Milena, elle n'aurait plus de raison de rester. Cette idée provoquait en elle des sentiments contradictoires. D'un côté, elle était contente d'avoir enfin la liberté de rechercher son frère. De l'autre, curieusement, elle rechignait à l'idée de partir. En grande partie à cause de Jared McNeil.

Cet homme la troublait. Il la contrariait car il semblait la défier en permanence. Non seulement elle voulait toujours relever le défi, mais elle voulait le gagner. Le fait qu'il la sous-estime lui déplaisait. Et puis, inutile de le nier, elle passait beaucoup de temps à se demander quel genre d'amant il pouvait bien être.

Ressentant le besoin de se changer les idées, elle descendit au sous-sol et escrima contre le mannequin d'entraînement. Deux heures plus tard, découragée par son peu de performance, elle remit son fleuret en place et s'apprêta à remonter. Lorsqu'elle atteignit la poignée de la porte, celle-ci s'ouvrit sans qu'elle la touche.

Jared apparut dans l'embrasure.

— Je me demandais où vous étiez passée.

Il la détailla des pieds à la tête.

— Vous n'avez pas l'air gai, observa-t-il.

A la fois ravie de le voir et ennuyée qu'il lui fasse autant d'effet, elle laissa échapper un soupir.

— J'ai combattu contre le mannequin.

— Et ?

Elle passa devant lui.

— Et le mannequin a gagné.

Il eut un petit rire.

— C'était si mauvais que ça ?

Elle fronça les sourcils.

— C'était horrible. Comme si je n'avais jamais touché un fleuret de ma vie.

— Peut-être que vous vous entraînez trop. Essayez de prendre un jour de repos.

Elle acquiesça, songeant que si tout se passait comme prévu, elle pourrait visiter le restaurant de son frère le lendemain soir.

— Bonne idée. Où sont les filles ? Je vais vous aider à les mettre au…

— C'est déjà fait. Elles ont eu une grosse journée et sont presque tombées de sommeil, dit-il.

Milena fut stupéfaite.

— Je ne vous ai même pas entendu arriver !

— Vous étiez trop occupée à essayer de battre mon mannequin.

Elle haussa les épaules, trop frustrée par Jared, par l'état de son véhicule et par tout le reste pour répondre.

— Merci d'avoir couché les filles. Je crois que je vais…

— Je suis prêt, coupa-t-il.

Quelque chose dans le ton de la voix de Jared lui donna le vertige. Elle le regarda avec attention, et l'intensité masculine dans ses yeux lui noua l'estomac.

— Prêt pour quoi ? osa-t-elle demander.

Il approcha d'elle et fit glisser ses doigts le long de ses cheveux.

— Prêt à vous montrer l'effet que vous avez sur les hommes… Sur moi.

Sa voix était grave et sexy, et elle éprouva une soudaine appréhension. Elle avait cru que cela prendrait plus de temps pour le séduire. En fait, elle s'était même demandé si elle arriverait jamais à faire de lui son amant. Son cœur s'emballa. Etait-elle prête pour ça ? Elle regarda le corps musclé de Jared, le désir brûlant dans ses yeux. Etait-elle prête pour lui ?

Elle entendit une petite voix intérieure la railler : « froussarde ». Elle se redressa. C'était peut-être

la seule chance de sa vie de se choisir un amant.
Sa seule chance. Elle retint son souffle.

— A moins que vous n'ayez changé d'avis, dit
Jared, la voix pleine de défi et de promesses.

Elle en eut la bouche sèche.

— Non, je n'ai pas changé d'avis.

Il fit un signe d'approbation et lui prit la
main.

— Allons dans ma chambre.

Le cœur battant, elle le laissa la conduire dans
l'escalier. Son esprit et son pouls fonctionnaient
à toute vitesse. Avait-elle pensé à tout ? Etait-elle
sûre de ce qu'elle faisait ?

A mi-chemin, elle l'arrêta.

— Je dois vous demander quelque chose. Avez-
vous…

Elle ne trouva pas de façon élégante de formuler
sa pensée.

— Euh…

— Quoi ? demanda-t-il, le mouvement de son
pouce sur l'intérieur de son poignet lui procurant
une distraction terrible.

— Une contraception, dit-elle enfin.

— Oui. Je prendrai soin de vous. Ne vous
inquiétez pas, dit-il, levant sa main et l'embrassant
à l'endroit où il l'avait caressée.

Ils n'avaient pas encore pénétré dans sa chambre

que, déjà, l'excitation l'étourdissait. Il l'attira à l'intérieur et alluma deux lampes.

— On ne devrait pas en éteindre une ? demanda-t-elle alors qu'il la prenait contre lui.

— Je veux vous voir.

Elle ne l'aurait pas cru possible, mais son cœur cogna encore plus fort dans sa poitrine.

Puis Jared se pencha et l'embrassa, et ce fut comme si la pièce se mettait à tourner. Il glissa la langue juste à l'intérieur de sa lèvre inférieure, comme s'il voulait la dévorer. Ses seins s'alourdirent. Posant la main sur le haut de son jean, il l'embrassa plus profondément tout en jouant avec les boutons de sa braguette.

L'excitation monta en elle, et elle éprouva le besoin vital de le toucher. Elle glissa les mains sous sa chemise, sur son ventre, et il inspira profondément en arrêtant ses caresses.

Déconcertée, elle leva les yeux vers lui.

— Puis-je vous enlever votre jean ? dit-il en déposant un baiser sur son cou.

— Oui, murmura-t-elle.

Oui, il pouvait faire tout ce qu'il voulait.

Reprenant possession de sa bouche, Jared baissa doucement son pantalon. Elle était impatiente qu'il retire sa chemise, mais peut-être que ça pouvait attendre. Encore quelques secondes. Le désir qui la consumait la stupéfia.

Il se mit à genoux, embrassant son ventre et ses genoux tout en lui ôtant ses chaussures et son jean.

Lorsqu'il se releva, elle glissa de nouveau la main sous sa chemise, et il laissa échapper un gémissement qui la mit d'humeur coquine.

— Duchesse, vous êtes incorrigible ! C'est moi qui suis supposé vous montrer.

— Cela ne veut pas dire que je ne peux pas vous toucher, n'est-ce pas ?

Il gémit encore.

— J'imagine que non. Mais c'est à moi de vous montrer en premier.

Il lui reprit les mains et lui donna un baiser fougueux qui lui fit tourner la tête.

— Allongez-vous sur le lit.

— D'accord, dit-elle, les genoux chancelants, en s'affalant sur le grand lit.

Elle leva les yeux vers Jared pour graver cet instant dans sa mémoire. Il allait être son premier amant, le premier et le seul qu'elle pourrait choisir. Il était si sexy, avec ses cheveux ébouriffés, ses yeux noirs de désir, ses lèvres encore humides de leurs baisers. Elle ressentit son envie, même s'il ne la touchait pas.

— Je veux que vous fassiez encore une chose, Mimi.

Elle ferait tout ce qu'il demanderait de cette voix mi-rauque mi-soyeuse.

— Mettez-vous sur le ventre.

6.

Curieuse de savoir pourquoi il lui faisait cette demande, Milena se retourna et retint son souffle, tous les sens en alerte.

— La pince à épiler est juste là. Ça ne devrait prendre que quelques minutes.

Ces mots terre-à-terre firent leur chemin dans son cerveau embrumé par le désir.

— Une pince à épiler !

Elle commença à se retourner, mais la main puissante de Jared la cloua sur le matelas.

— Restez tranquille, ordonna-t-il.

Mortifiée, puis folle de rage, elle lui donna un coup de pied. Et rata sa cible.

Bon sang ! Le goujat l'avait laissée croire qu'ils allaient faire l'amour, qu'il était si excité qu'il ne supportait pas qu'elle le touche, alors que tout ce qu'il voulait, c'était lui retirer ses échardes !

Il lui enserra les chevilles comme un étau.

330

— Calmez-vous, duchesse. Si je ne vous retirais pas ces échardes, cela pourrait s'infecter, et ce ne serait pas de chance pour moi de découvrir que vous n'avez pas d'assurance maladie.

Elle était si furieuse que d'abord le souffle lui manqua.

— Lâchez-moi ! hurla-t-elle enfin. Je vous interdis de me toucher.

— Ça n'avait pourtant pas l'air de vous déplaire il y a une minute encore, lui rappela-t-il de sa voix de velours maintenant insupportable.

— C'est différent, maintenant. Lâchez-moi !

— Pas avant de m'être occupé de ces pointes.

— C'est de l'abus de pouvoir. Il doit y avoir une loi contre ça, ragea-t-elle.

Si seulement elle pouvait claquer des doigts et transposer ce scénario à Marceau ! Ses gardes du corps le tueraient ou, à tout le moins, ils lui briseraient les genoux.

— Désolé, duchesse, si vous voulez que je vous libère, il faudra me laisser vous enlever ces éclats.

Un instant auparavant, songea-t-elle, amère, il avait semblé vouloir quelque chose de bien différent. Une nouvelle vague d'humiliation l'envahit, mais elle eut la sensation désagréable que Jared la maintiendrait dans cette position la moitié de la nuit s'il le jugeait nécessaire. Un grognement monta dans sa gorge.

— Je vous déteste de m'avoir joué ce vilain tour, dit-elle.

— Très bien, dit-il. Détestez-moi, pourvu que vous vous teniez tranquille.

Il relâcha son emprise sur ses chevilles, et Milena laissa lourdement tomber ses jambes sur le lit. Pendant que Jared opérait, elle compta jusqu'à cent et se consola en imaginant toutes sortes de châtiments.

Le mettre sur un chevalet de torture. Trop facile. Le décapiter. Trop rapide. Lui faire une épilation du maillot. Des cris de douleur à glacer le sang emplirent son esprit. Le fantasme lui donna une satisfaction extrême.

Elle sentit un pincement et sursauta.

— Aïe !

— C'est terminé, dit-il, sautant du lit comme s'il avait deviné qu'elle voulait lui arracher les yeux. La dernière était plus profonde que les autres.

Elle descendit du lit et fixa Jared.

— Cela vous a plu de vous payer ma tête ?

— Je n'essayais pas de me payer votre tête. Je savais que ce serait difficile de vous convaincre de me laisser vous enlever ces échardes.

— Et vous n'avez pas pensé à me le demander, tout simplement ? dit-elle sur un ton accusateur.

— Si, pendant une demi-seconde. Mais si vous êtes honnête avec vous-même, vous admettrez que vous ne m'auriez pas laissé faire si je vous l'avais demandé d'entrée de jeu.

— Vous êtes mal placé pour parler d'honnêteté !

Milena bouillonnait de rage, comme un volcan au bord de l'éruption. Si furieuse qu'elle pouvait à peine garder ses pensées claires, elle attrapa son jean et se dirigea vers la porte. Elle avait envie de démolir ce goujat, de lui marteler le torse de ses poings. Quel culot ! La déshabiller en prétextant qu'il allait lui faire l'amour ! Sa poitrine se comprima d'indignation.

Puis une idée émergea à travers le brouillard de sa colère. Elle prit une profonde inspiration en songeant au plan audacieux qui se dessinait dans son esprit.

Avait-elle assez de cran pour le mettre en œuvre ? Elle repensa à la façon dont Jared avait joué avec ses émotions et son désir. Oh, oui, elle aurait le cran !

Prenant une autre inspiration pour se calmer, elle ouvrit la porte puis s'arrêta. Tournant le dos à Jared, elle ôta sa chemise et dégrafa son soutien-gorge.

— Que diable êtes-vous en train de faire ?

— J'ai presque fini, dit-elle, descendant son slip le long de ses cuisses et le tenant d'un doigt.

Elle se retourna, complètement nue, serrant son jean, sa chemise et son soutien-gorge dans une main et son slip dans l'autre. Elle regarda Jared la dévorer du regard et réprima une onde de chaleur malvenue.

Il avança vers elle, et elle leva la main.

— Je voulais juste que vous sachiez…, dit-elle d'une voix haletante.

La colère et l'excitation faisaient battre son cœur à cent kilomètres à l'heure.

— … ce que vous manquez, finit-elle.

Sur ces paroles, elle lança son slip dans la direction de Jared et quitta la pièce.

Jared était à deux doigts de courir après Mimi. Pour tenir ce magnifique corps dans ses bras et lui montrer l'effet qu'elle provoquait chez lui, de toutes les manières possibles.

Le dernier petit tour qu'elle venait de lui jouer l'avait stupéfié. La vision de son corps nu, la façon dont elle avait réagi à ses baisers quelques instants auparavant, défilaient en boucle dans son esprit. Il avait les nerfs à fleur de peau, et une érection qui n'était pas près de s'éteindre.

La jeune femme l'avait embrassé comme une femme décidée à donner autant qu'elle recevait. Le contact de sa main sur son ventre l'avait excité au plus haut point. Cela avait été si facile de l'imaginer en train de descendre cette main délicate plus bas, là où son désir était le plus fort. Lorsqu'elle l'avait embrassé, il avait eu une vision de sa bouche avide dérivant sur tout son corps, le rendant fou, le conduisant à la jouissance.

Il aurait voulu toucher ses seins, poser sa bouche sur ses tétons sombres, mais il savait qu'il n'avait pas assez de contrôle pour cela. A cet instant, il mourait encore d'envie de franchir la porte de sa chambre et de lui faire l'amour. Elle lui avait offert un bel aperçu de son corps à la fois mince et pulpeux, de sa gorge laiteuse jusqu'à ses seins en forme de pêches, de la courbe délicate de sa taille à la toison bouclée recouvrant sa féminité, entre les cuisses soyeuses. Ce n'était que trop facile, trop tentant de s'imaginer plonger dans son intimité humide et accueillante…

Un râle monta de ses entrailles jusqu'à sa gorge. Il se passa une main sur le visage et jura.

Il avait eu la femme la plus sexy et la plus consentante qui soit dans son lit, et qu'avait-il fait ? Il avait retiré des échardes de ses cuisses, au lieu de s'engouffrer entre elles. L'expression blessée et indignée dans ses yeux l'avait fait se sentir coupable, et il lui avait fallu toute sa concentration pour se focaliser sur ses échardes et non sur son postérieur rebondi.

Le pire dans toute cette histoire, c'est qu'il n'y

avait pas que son corps. Mimi était en train de lui rentrer dans la peau. S'il n'avait pas tenu à elle, il se serait moqué de ses égratignures. Elle était encore trop impériale à son goût, mais il devait admettre qu'il l'avait mal jugée. Elle recelait tant de secrets qu'il brûlait de connaître !

Il fallait l'admettre, elle n'était pas du même genre que son ex-fiancée. Elle venait peut-être d'un milieu aisé, mais elle avait mis de l'ardeur au travail. Il aimait son entrain, la façon dont elle s'occupait de ses nièces. Et son sens de l'humour vis-à-vis d'elle-même, qui l'avait pris par surprise.

Il aimait la façon dont elle le regardait quand elle pensait qu'il ne le voyait pas. Il avait lu l'admiration et le feu dans ses yeux d'argent. Il avait apprécié la manière dont elle lui avait fait part de son désir pour lui, sans détours. Elle cachait peut-être une pelletée de secrets, mais elle avait été honnête sur son envie de lui. Plus honnête que lui-même envers elle…

Cette idée lui laissa un goût amer dans la bouche. Fermant les poings, il baissa les yeux vers le petit morceau de soie qu'elle lui avait lancé avant de partir.

Dire qu'il aurait pu la tenir dans ses bras ce soir et vivre une nuit enfiévrée ! Les regrets le tenaillèrent. Même s'il savait que ce n'était pas raisonnable, il la désirait. Il voulait être consumé par le feu qu'il avait vu dans ses yeux. Il était resté chaste bien trop longtemps.

Il passa le pouce sur l'étroit bout de tissu et gémit, toujours en érection. Il était resté de marbre pendant longtemps, mais maintenant il était en feu. Et il avait comme l'impression qu'il devrait prendre des douches froides bien après que Mimi eut quitté son ranch.

Deux jours plus tard, Milena attendait, impatiente, dans le restaurant de fruits de mer de Jack Raven. Après avoir commandé un repas, elle avait demandé à parler au propriétaire.

Le restaurant grouillait d'activité. Par-dessus le cliquetis d'assiettes et de couverts, une musique grecque jouait en fond sonore, et les serveurs se démenaient pour gagner leurs pourboires.

Difficile de croire qu'un moment aussi capital allait avoir lieu ! Elle s'apprêtait à voir son frère pour la première fois ! L'anticipation provoqua des crampes dans son estomac tandis que les secondes s'égrenaient.

Un homme aux cheveux bruns, l'air débordé, arriva de la cuisine. Il posa son regard sur elle et sourit. Milena sentit son cœur s'emballer. Etait-ce son frère ? Cet homme semblait plus proche de la quarantaine que de la trentaine. Dès qu'elle verrait ses yeux, elle serait fixée.

Il lui tendit la main en approchant de sa table.

— Bonsoir. Je suis Jack Raven. Nous sommes ravis que vous ayez pu vous joindre à nous ce soir. Le serveur m'a dit que vous vouliez me voir.

Il jeta un coup d'œil à son assiette encore pleine et fronça les sourcils.

— Vous n'aimez pas notre cuisine ?

Elle secoua la tête en signe de dénégation.

— Oh, c'était délicieux, mais je n'ai plus faim. Je voulais juste avoir l'occasion de vous féliciter.

Elle brûlait de voir ses yeux, mais l'éclairage était faible. Cédant à la curiosité, elle se souleva de son siège comme pour le rapprocher de la table.

Des yeux bruns ! Cet homme avait les yeux bruns. Son cœur se serra. Son frère avait hérité des yeux gris clair des Dumont…

Il lui adressa un sourire bienveillant.

— C'est très gentil à vous. Au fait, votre accent… Vous n'êtes pas d'ici, n'est-ce pas ?

— Vous non plus, dit-elle, essayant de masquer sa déception.

Il rit, d'un rire sonore et franc.

— Vous marquez un point. Mademoiselle ?

— Deerman. Mimi Deerman.

— Mimi Deerman, reprit-il, regardant ses yeux de

plus près. Vous avez des yeux très rares. Magnifiques. Revenez nous voir, cela me fera plaisir. Je m'assurerai que le chef prépare un plat spécialement pour vous.

— Merci, dit-elle, appréciant la chaleur du restaurateur et regrettant qu'il ne soit pas son frère.

Elle le regarda partir et se renfonça dans sa chaise avec un soupir. Si cela avait pu être aussi facile ! Et maintenant ?

Distraite, Milena paya la note, ajouta un pourboire et rentra au ranch.

Quand elle arriva, elle se gara un peu à l'écart et leva les yeux vers la vaste demeure, rechignant à y entrer : Jared serait sans doute là, pour lui poser des questions ou la harceler.

Chaque fois qu'elle pensait à la façon dont celui-ci l'avait traitée deux jours plus tôt, elle se sentait humiliée. Ses pensées et ses émotions enflèrent en elle, et elle eut l'impression de ne plus pouvoir respirer. Elle ouvrit la fenêtre. Les événements des dernières semaines l'assaillirent, et elle se sentit découragée. Elle avait échappé à ses gardes du corps depuis deux semaines en rêvant d'accomplir de grandes choses, et de quoi pouvait-elle se vanter ?

A son crédit, elle savait maintenant comment

changer une couche et faire un sandwich au beurre de cacahuètes et à la confiture. Et elle avait réussi à garder les nièces de Jared en vie pendant qu'elles étaient sous sa surveillance.

A son débit, elle avait cassé son véhicule, avait été forcée de jouer les nounous gratuitement et s'était ridiculisée en escrime. Elle avait échoué à retrouver son frère. Elle avait même échoué à séduire Jared !

La peur terrible qu'elle cachait tout au fond d'elle remonta à la surface. Et si elle était réellement incapable d'accomplir quoi que ce soit de valable ? Si elle ne *pouvait pas* se débrouiller seule ? Si elle n'était bonne qu'à poser pour les photographes et porter un diadème avec grâce ?

Ces questions la taraudèrent, ravivant ses blessures. Une boule se forma dans sa gorge, et ses yeux la picotèrent. S'abandonnant à sa tristesse, elle posa la tête sur le volant et se mit à pleurer.

Elle n'était qu'une bonne à rien, une princesse inutile ! Les mots résonnaient comme autant de coups de poignard dans son cœur. Elle tenait entre ses mains sa seule chance de faire ses preuves, et elle était en train de tout gâcher.

— Le dîner était donc si mauvais ?

Elle sursauta en entendant la voix de Jared si près. Elle tourna la tête pour le voir tandis qu'il se penchait contre la vitre du pick-up. Si fort, si sûr de lui, si insupportable ! La dernière personne au monde qu'elle souhaitait voir !

Gênée, elle essuya ses larmes.

— De quoi parlez-vous ? dit-elle. Qu'est-ce que vous faites ici ?

— Votre dîner au restaurant marin de Jack Raven, c'était si mauvais ?

Elle roula des yeux.

— C'était délicieux. Comment savez-vous que je suis allée là-bas ?

— Gary m'a dit qu'il vous avait indiqué la route à suivre. Vous avez fait ce que vous vouliez ?

Le découragement la tenaillant encore, elle soupira.

— Pas vraiment.

Elle lui jeta un regard plein de ressentiment.

— Qu'est-ce que vous faites ici ?

Il pencha la tête sur le côté.

— Eh bien, duchesse, je craignais que vos sanglots ne réveillent hommes et animaux dans un rayon de dix kilomètres.

Elle en resta bouche bée.

— Mes sanglots ?

La gêne et l'indignation livrèrent bataille en elle.

— Je n'étais pas en train de sangloter !

— On aurait dit que si…

Dégoûtée par lui et par elle-même, elle secoua la tête et se mit à remonter sa vitre.

— Vous êtes impossible. Vous êtes l'homme le plus insensible que…

Il posa la main sur la vitre, l'empêchant de la fermer.

— J'ai réussi à arrêter vos pleurs, non ? demanda-t-il avec une lueur de défi familière dans les yeux.

Elle le fixa un long moment.

— J'ai aussi réussi à vous faire oublier ce qui vous faisait peur, n'est-ce pas ?

Il haussa ses épaules puissantes, lui offrant une nouvelle diversion.

— Alors je dois être bon à quelque chose, finit-il.

Elle lui décocha un regard noir.

— Peut-être que c'est là le problème. Vous êtes bon pour des tas de choses, dit-elle. Trop de choses. Alors que moi j'essaie d'en trouver ne serait-ce qu'une ou deux pour lesquelles je sois douée.

— Je pourrais aisément vous en citer deux, dit-il, le regard chargé de suggestions sensuelles qu'elle n'était pas assez naïve pour croire.

— Oh, mais je n'en doute pas, railla-t-elle, incrédule.

Il ouvrit la portière du pick-up.

— Venez, dit-il.

Elle se braqua.

— Et si je refuse ?

— Dans ce cas, je vous traînerai de force. Venez donc, allons marcher, dit-il en la tirant par la main.

Elle le regarda de travers mais, ne se voyant pas entamer une discussion embarrassante qui finirait par lui échapper, elle obéit comme toujours.

— Cela ne vous est pas venu à l'esprit que je pourrais ne pas avoir envie de vous voir ?

Jared posa le bras sur son dos et la guida le long du chemin.

— Si, mais quand vous êtes bouleversée, vous ne savez pas toujours ce qui est le mieux pour vous.

— Alors que vous, vous le savez ?

Elle s'écarta de lui.

— Si vous faites une seule allusion à ces échardes…, commença-t-elle.

— J'avais l'intention de ne plus jamais en parler. Vous avez gagné cette bataille haut la main.

— Pas tout à fait, dit-elle, se revoyant allongée sur le lit de Jared.

Il s'arrêta et se tourna vers elle.

— Avez-vous pris des douches froides et perdu le sommeil depuis deux jours ? demanda-t-il abruptement.

L'intensité de son regard la déconcerta. Elle ouvrit la bouche, mais il lui fallut quelques secondes pour articuler des mots.

— Euh, non.

— Alors, je dirais que vous avez gagné.

— C'est drôle, je n'ai pas l'impression d'avoir gagné, mais ce n'est pas nouveau, murmura-t-elle.

Il leva la main vers son menton et le lui releva pour qu'elle rencontre son regard.

— Qu'est-ce que vous voulez dire ?

— Vous êtes la dernière personne qui puisse comprendre, dit-elle, le contact de la main de Jared faisant battre son cœur.

— Essayez toujours, dit-il.

— Je l'ai déjà fait.

Son regard passa sur elle comme une brise chaude, et il promena doucement son pouce sur sa bouche.

— Essayez encore, dit-il. Dites-moi de quoi vous vouliez parler.

Le cœur de Milena palpita. Encore un défi ! Elle poussa un soupir de soulagement voilé de déception : Jared voulait pénétrer ses pensées, pas son corps.

Haussant les épaules, elle recula et regarda au loin.

— J'ai l'impression d'être une perdante et de ne servir à rien.

— C'est faux !

344

— Non, ça ne l'est pas, dit-elle avec fièvre. Je vous avais dit que vous ne comprendriez pas. Vous êtes bon dans tout ce que vous faites. Alors que moi… Je ne suis douée pour rien, sauf peut-être pour organiser des réceptions et casser un pick-up de temps à autre.

— Vous avez fait du bon travail avec mes nièces. Et vous êtes douée pour l'escrime, pour une débutante.

— Je suis une piètre escrimeuse.

Il soupira et tendit la main pour l'attirer vers lui.

— Vous avez joué de malchance ces derniers temps. Cela arrive à tout le monde. Ce n'est pas aussi clair pour nous les humains que ça l'est pour les animaux.

A la fois déconcertée et rassurée par le mur solide de son torse, elle le regarda avec des yeux étonnés.

— Pourquoi parlez-vous des animaux ?

— Pour mettre les choses en perspective, dit-il, la conduisant sur le chemin menant à la maison. Prenez Roméo, par exemple.

— A quoi bon ? dit-elle.

Jared se mit à rire.

— Roméo a réussi. Il ne fait qu'une chose, mais il la fait si bien qu'il me rapporte une fortune.

— Je ne vois pas ce que les saillies ont à voir avec ma situation. Vous le mettez avec une vache, il lui fait son affaire et…

— Ce n'est pas tout à fait comme ça que ça se passe. Beaucoup de saillies se font *in vitro*.

Elle le fixa, surprise.

— Oh, mon Dieu, murmura-t-elle, consternée. Alors, comment faites-vous ? Vous lui montrez des photos de belles vaches sexy ?

Jared rit de bon cœur.

— C'est un peu plus mécanique que ça.

Elle se couvrit les oreilles instinctivement.

— Je crois que je ne veux pas en savoir plus.

— Ce que je veux dire, c'est qu'il ne lutte pas contre son destin, dit Jared, penchant la tête à seulement quelques centimètres de la sienne. Ne luttez pas contre *votre* destinée.

Milena déglutit. Sa poitrine se serra d'angoisse, et elle ne put s'empêcher d'entendre dans ces mots les accents de sa mère. En ce qui concernait Marceau, sa destinée était d'être jolie pour les photographes et d'épouser un homme qui pourrait contribuer à la prospérité financière, politique ou commerciale du petit royaume. Elle était révoltée par sa destinée. Depuis toujours. Elle voulait plus, mais elle ignorait quoi au juste.

Se perdant dans les yeux de Jared, elle vit dans

son regard quelque chose qui l'enjoignait à creuser la question davantage.

— Quand me laisserez-vous voir qui vous êtes vraiment ? dit-il.

Elle eut soudain du mal à respirer.

— Je pense que vous m'avez bien vue l'autre soir.

— Je veux parler de ce qui se passe ici, dit-il, posant un doigt sur son front.

Un autre défi ! Qu'elle n'avait pas la force de relever. Hors de question, elle se sentait trop faible. Pour faire de l'esprit avec Jared, elle avait besoin de toutes ses ressources.

— Pas ce soir, répondit-elle, reculant d'un pas déterminé.

— On ne vous a jamais dit que vous étiez une femme diablement frustrante ?

Elle percevait effectivement dans la voix de Jared de la frustration. Une frustration qui reflétait si bien ses propres émotions qu'elle rit.

— Personne, hormis dans ma famille. Et vous ?

Il lui lança un regard indigné.

— Que voulez-vous dire ?

— On ne vous a jamais dit que vous étiez un homme diablement frustrant ?

Il ouvrit la bouche, puis la referma et plissa les yeux.

Sa réaction amusa Milena.

— Ça ne peut signifier qu'une chose, conclut-elle. On vous l'a dit tant de fois que vous ne pouvez même plus les compter.

— Vous cherchez les ennuis.

— Je l'ai déjà fait. Ce soir, j'ai la migraine.

Il lui décocha un sourire ravageur.

— Ma chère, je pourrais vous faire oublier votre migraine.

7.

« Je pourrais vous faire oublier votre migraine. »

L'offre de Jared continuait de danser dans l'esprit de Milena comme un fruit défendu. Elle avait fait de son mieux pour le séduire, et il l'avait humiliée. Après la mésaventure de l'autre soir, elle avait pourtant espéré qu'une autre occasion se présente. Et cette fois, les avances venaient de Jared ! Mais maintenant qu'elle pouvait l'avoir, elle n'était pas sûre de savoir jouer les séductrices expérimentées.

Ce soir, les fillettes passaient la nuit avec leurs parents, qui pouvaient appeler Jared si nécessaire. Agitée, ne sachant que faire, elle essayait de se noyer dans le travail. Assise dans un fauteuil de la bibliothèque, porte fermée, elle ajouta de la limonade sur sa liste de fournitures longue de deux mètres. Jared lui avait demandé d'oublier le champagne lorsqu'elle passerait les commandes pour l'anniversaire du comté.

Du coin de l'œil, elle vit la porte s'ouvrir, et son cœur fit un bond. Elle avait évité Jared depuis le soir où il l'avait surprise en train de pleurer.

— Cela fait un moment que je ne vous ai pas vue dans la salle d'escrime, Mimi.

Jared s'appuya contre le chambranle de la porte et la regarda.

— Vous en avez assez ? demanda-t-il.

— Non, j'ai été prise par les préparatifs de l'anniversaire du comté.

Il hocha la tête.

— Bon. Pas de champagne, hein ?

— Pas de champagne.

Mais elle n'avait pas exclu le caviar, songea-t-elle, l'ajoutant mentalement à sa liste dans un mouvement de rébellion.

— Puisque les filles sont de sortie, j'ai du temps pour vous donner un cours. Si vous décidez que vous êtes partante, je serai au sous-sol, dit-il avant de s'éloigner.

« Partante » ?

Milena fixa la porte. Sa colère et sa température corporelle montèrent immédiatement. Baissant les yeux, elle vit qu'elle avait froissé sa liste dans sa main. Comment Jared parvenait-il à la mettre hors d'elle aussi facilement ? Elle devrait être capable de l'ignorer. Elle avait ignoré beaucoup d'autres hommes, et ses frères n'avaient jamais eu de difficulté à s'amuser avec leurs conquêtes avant de les abandonner. Décidément, elle avait besoin de pratique si elle voulait rattraper son retard sur eux. Prenant une inspiration, elle déplia le papier et jeta un coup d'œil à la porte restée ouverte.

Autant prendre cette fichue leçon d'escrime.

En descendant les marches, elle prépara son ego à une nouvelle défaite. Jared était en train de décrocher les fleurets du mur lorsqu'elle entra dans la pièce.

— Vous n'avez jamais pensé à lever des poids ? demanda-t-il en lui tendant un masque et un gilet.

— Pourquoi ? Je croyais que la dextérité était le plus important en escrime.

— Soulever des poids musclerait votre main, et vous vous fatigueriez moins vite. Il y a des poids dans la pièce à côté, si ça vous dit.

Il la détailla du regard puis plongea ses yeux dans les siens. Une étincelle craqua en elle.

— Bon, échauffons-nous, puis nous travaillerons sur la riposte.

Milena hocha la tête. Cela convenait à son humeur. Les autres fois, Jared s'était concentré sur la défense. La riposte était une rapide action offensive après une parade. Avec un peu de chance, elle passerait l'heure qui allait suivre à piquer Jared McNeil de son fleuret.

Trois quarts d'heure plus tard, elle était en sueur. Chaque fois que Jared lui donnait une instruction, elle se mettait en place presque avant lui. Elle commençait à prévoir dans quel sens il allait se déplacer.

— Vous vous débrouillez très bien, dit-il.

— Merci. Devons-nous arrêter là ?

— Encore trois manches ?

Elle approuva d'un hochement de tête, sautillant sur place pour rester concentrée.

— Le vainqueur gagne une partie de jeu de la vérité, dit-il, se mettant en position de salut.

Milena fit de même.

— Le jeu de la vérité ?

— Oui, vous savez, ce jeu où l'on choisit entre un gage et dire la vérité. Inoffensif, dit-il. En garde !

Elle lui en donna pour son argent et réussit même à gagner la première manche. Elle était si heureuse qu'elle sauta de joie. Les joues rouges d'excitation, elle attaqua encore, mais Jared la remit en position de défense et remporta la deuxième manche. Il avait deux touches d'avance, alors elle tenta un mouvement nouveau pour elle. Jared fut pris par surprise, mais pas assez longtemps. Il se reprit et remporta la troisième manche.

352

Repoussant son masque, il émit un sifflement admiratif.

— Vous avez fait beaucoup de progrès. Notamment en rapidité.

Elle repoussa à son tour son masque, luttant contre des sentiments contradictoires.

— Vous ne vouliez pas me laisser gagner cet engagement, n'est-ce pas ?

Il la fixa un long moment puis se mit à rire.

— Moi, laisser gagner une faible femme ? Ce n'est pas mon style. Et vous n'êtes pas faible.

Elle respira mieux.

— Alors, je vous ai vraiment battu ?

— Dans une manche sur trois, rappela-t-il.

L'euphorie s'empara de Milena.

— Certes, mais il n'empêche que j'ai gagné.

— *Une* manche, insista-t-il, avant d'afficher un sourire en lui reprenant le fleuret. Vous aimez gagner, n'est-ce pas, duchesse ?

— Gagner contre vous, ce n'est pas rien. Je pense qu'il n'est pas nécessaire de caresser votre énorme… ego dans le sens du poil, mais vous savez que vous êtes doué.

— Assez doué pour remporter deux manches sur trois, ce qui veut dire que vous me devez un tour de jeu de la vérité.

Elle agita une main indifférente.

— Vérité ou gage, peu importe.

— Alors, que choisissez-vous ?

La lueur féroce qu'elle lut dans ses yeux la mit mal à l'aise. Elle n'était pas persuadée d'avoir compris les règles de ce jeu, mais une chose était sûre : elle ne souhaitait pas répondre à ses questions, et il en avait sans doute quelques-unes à poser.

— Un gage.

Jared acquiesça et s'approcha d'elle.

— Embrassez-moi, dit-il. Pendant cinq minutes entières.

Elle resta bouche bée.

— Cinq minutes ?

Elle allait fondre comme neige au soleil si elle accédait à sa requête !

— Et si je choisis la vérité ?

Il secoua la tête.

— Une fois que vous avez choisi, vous ne pouvez pas revenir en arrière. Mais c'est bon pour cette fois. Alors, qui cherchiez-vous au restaurant de Jack Raven ?

Elle se mordilla les lèvres. C'était comme de choisir entre la peste et le choléra. Mais elle ne pouvait pas se dérober. C'était sans doute ce qu'il attendait d'elle. Même si elle ne voulait ni l'embrasser ni rien révéler sur sa famille, il allait bien lui falloir faire quelque chose. Elle regarda la bouche de Jared. Son

354

cœur battit dangereusement fort. Non, pas question de l'embrasser.

Prenant une profonde inspiration, elle se dit qu'elle ne resterait pas ici assez longtemps pour que Jared puisse lui causer du tort.

— Mon frère. Je recherchais mon frère.

Il se figea sur place. Elle lut le choc dans ses yeux d'un bleu profond, et vit presque la fumée lui sortir des oreilles tandis que son esprit fonctionnait à toute vitesse.

— Quel frère ? Combien de frères avez-vous ?

— Cinq, mais il y en a un que je ne connais pas.

Il approcha d'elle, et à chaque pas qu'il faisait elle se sentit plus nerveuse, et en même temps plus soulagée.

— Cela a-t-il un rapport avec celui qui s'est presque noyé ?

Elle approuva d'un hochement de tête.

— Etiez-vous doué pour les puzzles quand vous étiez petit ?

Jared haussa les épaules.

— Assez, oui.

Une litote, soupçonna-t-elle. Y avait-il quoi que ce soit qu'il fît mal ?

— Quelle est la suite de l'histoire ?

— A cette époque, il était tout petit. Ma famille

355

était en vacances aux Bermudes. Mon père et l'un de ses frères avaient emmené les enfants faire du bateau, un après-midi. Un terrible orage est arrivé, et Jacques...

Elle se reprit. Il n'était plus connu sous le nom de Jacques Dumont aujourd'hui.

— Jack est tombé par-dessus bord. Mon oncle et mon père ont failli se noyer en essayant de le retrouver, mais c'était comme s'il avait disparu. Les recherches n'ont rien donné. Nous pensions qu'il était mort. Jusqu'à l'année dernière, quand nous avons reçu une lettre égarée, avec une boucle de ses cheveux et un bouton de la veste qu'il portait le jour de l'accident.

— C'est pour ça que vous êtes venue dans le Wyoming, dit-il.

— En grande partie, oui, admit-elle.

— Je suis étonné que votre famille vous ait laissée mener vos recherches toute seule.

— Je suis une grande fille, quoique ma famille ait tendance à l'oublier, dit-elle d'un ton sec. Même s'ils pensent que je ne devrais pas connaître la vérité...

Jared leva les mains.

— Attendez. De quoi parlez-vous ?

— Du syndrome de la « petite dernière ». Ils pensent que je ne suis capable de rien, ce qui est

356

compréhensible puisque je ne suis pas douée pour grand-chose, dit-elle, détestant la façon dont sa voix tremblait. J'ignore pourquoi je vous raconte tout ça, puisque vous partagez sans doute leur opinion.

— Hé, dit-il, haussant légèrement les épaules. Ne parlez pas de vous de cette façon ! Vous n'avez jamais eu l'occasion de faire vos preuves, mais c'est le cas maintenant. Je vous ai déjà dit que vous aviez fait un travail génial avec les filles. Et vous venez de me battre en escrime.

Il secoua la tête.

— Ne vous dévalorisez pas. Et ne laissez personne le faire.

Ce fut comme si elle avait été frappée par la foudre. Ebahie par la façon dont il venait de prendre sa défense, elle fixa Jared, bouche bée.

Un nombre incalculable de gardes du corps avaient pris sa défense à cause de son titre, mais elle ne se souvenait pas que quelqu'un l'ait défendue pour ce qu'elle était vraiment. La force dans le regard de Jared la toucha au plus profond d'elle-même. Avec lui, elle avait l'impression de pouvoir tout réussir ! Elle était tout sauf inutile.

Jared lui passa une main dans les cheveux et en enroula une mèche autour de ses doigts. Il posa d'abord les yeux sur ses lèvres avant de se pencher pour l'embrasser.

Le désir et un sentiment plus profond et plus puissant jaillirent en elle. Elle leva les mains jusqu'au visage de Jared et se délecta à caresser ses cheveux, appuyant sa bouche plus fort contre la sienne.

La passion entre eux explosa, brûlant la raison, la logique et la peur.

Milena savait seulement qu'elle voulait être aussi près de Jared que possible. Sentir le battement de son cœur sous sa paume. Elle tira sur le gilet de protection de Jared, et il lut dans ses yeux sa requête silencieuse. Il retira sa protection, puis la sienne, tout en la couvrant de baisers. Elle lui enleva aussitôt sa chemise et posa les mains sur son torse.

Jared laissa échapper un soupir et ferma les yeux, puis les rouvrit. Devant l'expression de son regard, le cœur de Milena battit d'anticipation.

— Cette fois, je ne vous arrêterai pas, dit-il. Même si cela me tue.

Une vague d'excitation la parcourut, et elle remonta sa main à l'endroit où battait son cœur. Il prit de nouveau sa bouche dans un baiser ardent, pendant qu'elle s'autorisait à explorer librement les contours musclés de son torse et de son ventre.

Il la possédait par ses baisers profonds et enivrants qui la laissaient sans repères. Elle n'avait plus conscience que de lui. Tout s'évanouissait autour d'eux. La bouche de Jared toujours soudée à la sienne, elle se rendit à peine compte qu'il défaisait les boutons de sa chemise. Elle retint son souffle et sentit son soutien-gorge se relâcher. Elle eut juste le temps d'inspirer avant de se retrouver à demi nue devant lui.

— Je rêvais de faire ça depuis si longtemps, murmura Jared.

Il fit dériver sa bouche humide jusqu'à sa gorge, puis sur sa poitrine, et referma les lèvres autour d'un de ses tétons.

Une onde de chaleur la parcourut, et ses jambes chancelèrent.

Jared la pressa contre lui et la fit s'allonger sur le sol. S'étendant à son tour, il l'embrassa encore et elle se cambra contre lui, brûlant de sentir son torse érafler ses tendres tétons.

— J'ai trop envie de toi, marmonna-t-il contre sa bouche. Bon sang, je suis trop excité !

Milena s'agita contre lui, serrant ses biceps, glissant les doigts partout sur lui, se délectant de la texture de sa peau. En parcourant son large dos, elle buta sur son jean et grimaça.

— Pourquoi es-tu encore habillé ?

Elle glissa les mains sous la taille de son pantalon pour toucher ses fesses.

Il jura dans sa barbe.

— Tu ne m'aides pas à ralentir !

— J'ignorais que c'était ce que je devais faire, murmura-t-elle, l'impatience dans sa voix augmentant encore son excitation.

En grommelant, il recula et retira son jean. Avant qu'elle puisse cligner des yeux, il avait ôté son caleçon.

Milena l'observa, paralysée par la vue de sa virilité puissante. Au premier regard, la taille de son membre l'impressionna. Dans sa gorge, une boule d'appréhension et d'excitation se forma. Elle pourrait avoir mal. Mais c'était ce qu'elle voulait, se rappela-t-elle. Elle ne pouvait pas dire à Jared à quel point elle manquait d'expérience. Sa pire crainte était qu'il arrête là.

Elle tendit les mains.

— Tu es trop loin, dit-elle.

Jared gémit, la laissant l'attirer sur elle. Il s'appuya sur ses coudes. Elle aima sentir son poids sur elle, s'abandonna au plaisir de se sentir entourée par lui. Cela ne fut presque trop court. Puis il posa la bouche sur ses seins, taquinant les pointes déjà dressées qui devinrent hypersensibles. Sa bouche coquine et attentive provoqua des ondes de plaisir en elle, et elle se souleva pour en avoir encore plus.

Devinant les réactions de son corps, il continua de faire glisser ses lèvres jusqu'à son ventre, provoquant le chaos dans ses sens. Il lui retira son jean, et elle retint son souffle quand il descendit encore, embrassant l'intérieur de sa cuisse. Puis il apposa la bouche chaude sur sa partie la plus secrète et la plus sensible.

Il frotta sa langue sur elle dans un mouvement répétitif qui lui fit perdre tous ses repères. Elle ne pouvait plus ni respirer ni penser. Elle approcha des cimes du plaisir et du supplice. Car Jared la touchait comme s'il avait repéré au premier regard ses zones érogènes. Il savait ce qu'il faisait. Et elle réagissait d'instinct.

Sa langue la caressa encore, et elle frissonna. Il poussa un gémissement de satisfaction.

— Tu es si délicieuse dans ma bouche !

Le désir éclata alors en elle et se glissa hors de sa gorge. Elle ne put arrêter les sons. La tension devint insupportable, et elle se cambra contre les lèvres avides de son amant. Celui-ci aspira le centre de sa féminité dans sa bouche, et un spasme de plaisir pur la secoua.

Elle eut le souffle coupé devant la force des sensations qui ricochèrent en elle.

Lorsqu'elle reprit sa respiration, elle croisa le regard de Jared. Un regard si brûlant qu'elle eut l'impression de se consumer. Il extirpa un paquet en aluminium de la poche de son jean, le déchira et déroula le préservatif sur son membre dressé. Voulant tout de lui, voulant le prendre comme lui l'avait prise, elle se redressa pour l'atteindre, mais il secoua la tête et glissa une cuisse entre ses jambes. L'espace d'une seconde, elle fut consciente de la rudesse de sa cuisse contre sa peau, mais il se pressait déjà à la porte de son intimité. En un mouvement sûr, il la pénétra.

La sensation de brûlure la prit par surprise, et elle tressaillit, haletante.

Il la regarda dans les yeux, l'air dubitatif.

— Ne me dis pas que… Non, ce n'est pas possible…

Jared commença à se retirer, et ce fut comme si un vent de panique soufflait sur elle. Elle croisa les jambes autour de lui.

— Tu ne vas pas me rejeter une seconde fois, n'est-ce pas ? dit-elle.

— Es-tu vierge ?

Elle ne put résister au besoin de se tortiller sous son regard dur.

Il étouffa un juron.

— Cesse de bouger, intima-t-il.

— Cesse de me regarder comme si tu n'approuvais pas ce que nous faisons.

— Oh, j'approuve, d'accord. J'approuve tant que je pourrais exploser. Mais tu n'as toujours pas répondu à ma question.

— Je crois que je ne le suis pas, dit-elle, songeant que ce n'était pas très gentil de sa part de l'embarrasser en cette première fois.

— Tu *crois* ? demanda-t-il, incrédule. Et moi je crois que c'est une chose que l'on sait avec certitude.

— Eh bien, d'accord, je suis sûre de ne pas l'être.

Il hésita une fraction de seconde.

— Et il y a cinq minutes ?

Elle soupira.

— On m'a toujours dit que le sexe était une partie de plaisir, mais je commence sérieusement à en douter.

— Il y a cinq minutes ? la pressa-t-il, nullement découragé par l'impatience de Milena.

— Ce n'est pas très flatteur pour moi. D'abord, tu m'as déshabillée en me faisant croire que tu me ferais l'amour. Au lieu de cela, tu m'as retiré des échardes. Maintenant, tu me fais passer un interrogatoire...

— Veux-tu bien répondre à ma question ?

— Tu promets de ne pas t'arrêter ?

Il la regarda, incrédule, puis secoua la tête et rit.

— C'est promis.

— Disons que j'étais extrêmement inexpérimentée il y a cinq minutes.

— C'est-à-dire ?

— Je n'avais *aucune* expérience, là. Maintenant, pouvons-nous reprendre là où nous en étions restés ? demanda-t-elle, rouge d'embarras. Ou alors, il vaut peut-être mieux oublier...

Toujours en elle, il s'appuya sur ses coudes, son visage à seulement quelques centimètres du sien.

— Pourquoi ne m'as-tu rien dit ? J'aurais pu m'y prendre autrement.

— C'était très bien, jusqu'à ce que tu commences à me poser des questions, répliqua-t-elle.

Elle remua alors que son corps commençait à s'ajuster au sexe de Jared.

Il ferma les yeux, comme s'il souffrait.

— Essaies-tu de me faire perdre tout contrôle ?

Voir le désir brut dans ses yeux provoqua en elle une vague d'excitation et de satisfaction toute féminine.

— Ce n'est que justice. Toi, tu m'as bien fait perdre mon contrôle, non ? dit-elle, ondulant sous lui, savourant l'idée de détenir un pouvoir sur lui.

Il referma les mains sur ses hanches comme un étau et secoua la tête.

— Pas cette fois. Pas pour ta première fois.

Elle essaya en vain de bouger.

— Ce n'est pas aussi plaisant que je le croyais...

Elle s'interrompit quand il glissa une de ses mains entre leurs deux corps et trouva la source de son plaisir avec une précision infaillible.

— Ooh ! s'exclama-t-elle.

Frottant son pouce contre elle, provoquant un tourbillon de sensations, il commença à bouger lentement. La conjugaison de sa main sur son endroit le plus sensible et de son membre ondulant en elle était exquise.

— Oh, c'est si…

Milena se cambra d'instinct, et Jared gémit. Il continua à aller et venir jusqu'à ce qu'elle soit brûlante et impatiente.

— Alors, c'est plaisant maintenant ? la taquina-t-il en la touchant, en l'emplissant de lui.

— C'est…

Il vint en elle encore une fois, et la sensation lui fit oublier ce qu'elle allait dire.

Plaisant était un mot faible pour décrire ce qu'elle éprouvait ! Elle se sentait tout à la fois excitée, grisée et en sécurité. Elle goûtait la saveur étourdissante d'une liberté toute nouvelle. L'air de la pièce devint vaporeux, et le monde disparut. Elle était emplie de Jared, se délectait des mouvements de ses muscles quand il se reposait sur ses coudes et allait et venait lentement en elle. Elle avait si chaud qu'elle transpirait. Elle était si bouleversée qu'elle ne savait pas si elle pourrait supporter cela une minute de plus.

Elle ondula des hanches, allant chercher ce que son corps réclamait.

— Je veux…

Les yeux chargés de désir, il se tendit.

— Tu n'es pas la seule à vouloir, dit-il.

Le rythme entre leurs deux corps s'accéléra, lui coupant le souffle.

De plus en plus vite, le sol se déroba sous elle alors que son corps était comme sur orbite. Elle sentit Jared se raidir au moment de sa jouissance et s'agrippa à lui de toutes ses forces. Il plongea sa tête contre son épaule. Leurs deux souffles se mêlèrent, et elle s'abandonna contre Jared, ventre contre ventre, cuisse contre cuisse. Elle ne s'était jamais sentie aussi proche de quelqu'un de toute sa vie.

Il leva la tête et posa sur elle un regard voilé par l'émotion.

Le sentiment de lui appartenir, la satisfaction sexuelle, et un sentiment plus profond, plus tendre firent naître une pression dans sa poitrine.

— Ça va ? demanda-t-il en lui caressant la joue.

Elle hocha la tête, essayant de reprendre son souffle.

— Oui, mais je veux recommencer.

Il s'arrêta, chercha son regard.

— Quand ?

— Tout de suite.

Il ferma les yeux.

— Tu vas avoir mal demain.

— J'ai bien eu des courbatures à cause de l'escrime. Et j'aime cela bien plus que l'escrime.

8.

Cela faisait bien longtemps que Jared n'avait pas partagé son lit avec une femme comme Mimi. Il songea à son ex-fiancée et secoua la tête. Il n'avait *jamais* eu une femme comme Mimi dans son lit. C'était la raison pour laquelle il la regardait dormir, à 5 heures du matin, après qu'ils eurent passé la nuit à embraser son lit.

Il avait parcouru chaque centimètre de son corps, mais il avait encore des interrogations à son sujet. Le corps de Mimi lui avait apporté des réponses. Il lui avait appris ce qu'elle aimait. Elle appréciait les caresses sûres et fermes. Elle aimait être excitée, mais pas trop longtemps. Elle affectionnait les longs baisers qui lui coupaient le souffle et le laissaient fou de désir. Elle était peut-être vierge jusqu'à hier, mais elle apprenait vite. Et, s'il n'y prenait garde, elle l'achèverait.

A son regard, à ses caresses, il avait compris qu'elle

aimait son corps et qu'elle lui faisait confiance. Du moins, en partie. Des secrets couvaient encore sous sa peau soyeuse. Quand elle lui avait avoué rechercher son frère disparu, elle aurait pu tout aussi bien envoyer un laser dans le mur de protection qu'il avait érigé contre elle. Quand elle avait déclaré qu'il la prenait pour une incapable, il avait su qu'il devrait lui prouver le contraire. Il n'avait jamais rencontré quelqu'un qui ait autant besoin de croire en soi-même.

Il devinait qu'elle venait d'un milieu aisé. Elle avait été surprotégée, voilà pourquoi elle se sentait perdue dans la vie réelle. Puisqu'elle avait une famille si protectrice, il se demanda si son manque de connaissances pratiques avait été calculé. Si elle ignorait comment s'attirer des ennuis, elle ne pourrait pas en causer beaucoup. Pourtant, maintenant, c'était comme si elle rattrapait le temps perdu.

Mais elle ne resterait pas longtemps, il le savait bien.

Il entendit une petite voix intérieure le mettre en garde, claire et distincte, et il avait bien l'intention de l'écouter. Ce n'est pas parce qu'il avait laissé Mimi entrer dans son lit qu'il devait aussi la laisser entrer dans son cœur. Certes, elle avait apporté de la chaleur et de la lumière dans sa maison, et il appréciait sa présence. Sans trop s'impliquer, il pourrait l'aider à retrouver son frère, et il ne dirait pas non à quelques nuits de plaisir. En partant, elle reprendrait son cœur et lui le sien, et tous deux auraient de jolis souvenirs. C'était mieux ainsi.

Le soleil filtra à travers les rideaux, et la pièce fut illuminée par la douce lumière de l'aube.

Respirant le parfum fleuri des cheveux de Mimi, il la regarda et fut saisi par l'angoisse. C'était le genre de femme avec qui un homme rêverait de danser au clair de lune. Son visage endormi était doux, et sa bouche gonflée de baisers échangés, immobile. Elle dormait sur le côté, le drap blanc recouvrant le haut de ses seins. Quand il souleva une mèche de ses cheveux noirs sur son front, elle s'agita. Son mouvement fit descendre le drap, révélant ses mamelons d'un rose foncé.

Jared se souvint de ses seins dans ses mains, dans sa bouche. Il se souvint à quel point elle était réceptive. Le désir afflua dans son aine. Ne voulant pas la réveiller mais cédant à ses charmes, il s'approcha d'elle, collant le torse contre son dos, glissant une main autour de sa taille. Elle blottit son postérieur contre son entrejambe, et il redécouvrit le sens du mot torture.

Il resta immobile, mais il était sensible à chaque respiration de Mimi. Son postérieur nu bougea de nouveau, et il réprima un gémissement. Peut-être que ce n'était pas une bonne idée après tout. Il l'entendit bâiller. Etait-elle en train de se réveiller ?

Elle posa la main sur la sienne et soupira, ondulant encore contre son membre en érection.

— Tu es la femme la plus agitée que j'aie jamais connue, murmura-t-il.

— Bonjour, dit-elle d'une voix sexy et ensommeillée. Serais-tu en train de te plaindre ?

— Oui et non, dit-il d'une voix sombre.

— Pourquoi ?

Il soupira.

— Oui, parce que c'est un supplice chaque fois que tu bouges contre...

— Contre quoi ? demanda-t-elle, remuant quand elle se retourna légèrement. Oh, dit-elle, lorsqu'elle comprit la situation.

— Et non, parce qu'il y a certains avantages dans cette position et dans ta tendance à bouger, dit-il, remontant sa main jusqu'à ses seins.

— Quel genre d'avantages ?

Il trouva son téton et le titilla jusqu'à ce qu'il se raidisse. Mimi bougea encore. Jared enfouit son visage dans le creux de son cou, respirant son parfum, se laissant tomber dans un puits de désir.

— Tu veux que je te le dise ou que je te le montre ?

— Les deux, dit-elle. J'aime le son de ta voix.

— D'accord, obéit-il, même s'il trouvait difficile de parler en étant distrait pour le corps incroyable de Mimi. Un des avantages, c'est que j'ai beaucoup de liberté avec ma main. Je peux toucher tes seins et jouer avec tes tétons.

Il étendit la main pour couvrir ses deux seins et se réjouit quand elle se cambra sous sa paume. Une fois de plus, son corps lui indiquait ce qu'elle voulait. Il roula un de ses tétons entre son pouce et son index, et elle gémit de plaisir.

— Tu aimes ? demanda-t-il.

— Oui.

Il sut ce qu'elle voulait, et il était plus qu'enclin à la satisfaire. Descendant sa main jusqu'à son ventre et plus bas encore, entre ses jambes, il constata qu'elle était gonflée de désir, prête à l'accueillir.

— Comme ça ? demanda-t-il, sentant son petit bouton sensible s'épanouir sous sa caresse.

— Oh, ouiiii !

Sa voix était comme un ronronnement.

Il inséra un doigt en elle tout en continuant de frotter son pouce sur son point érogène. Sa peau devint chaude, son souffle de plus en plus court et sexy. Elle écarta un peu plus les jambes, et cette invitation le fit presque jouir. La confiance qu'elle lui accordait était irrésistible.

C'était lui maintenant qui avait chaud, et qui avait du mal à respirer de façon régulière. Elle émit un son doux et sensuel d'approbation, et son corps se cambra lorsqu'elle atteignit l'extase.

— Oh, tu… C'est… Ooh…

Elle s'interrompit et haleta, comme si elle ne trouvait pas ses mots.

— C'était merveilleux, mais je te veux en moi…

Incapable de se retenir plus longtemps, Jared s'introduisit dans son intimité étroite et humide.

Elle émit un son de surprise et se figea.

— Ça va ? demanda-t-il.

Il l'espérait, car il était sur le point d'exploser.

Elle remua, et il gémit.

— Je ne savais pas, dit-elle, en bougeant encore. Je ne savais pas que tu pouvais le faire dans cette position. Encore une chose, j'aimerais t'embrasser.

— Garde ça en tête, dit-il, et il se mit à aller et venir en elle.

Ils ondulèrent à l'unisson, et cela ne prit pas longtemps pour qu'elle se désagrège de nouveau, tandis qu'il atteignait le septième ciel.

Les jours suivants, Katie et Lindsey vinrent de moins en moins souvent. Milena essayait de s'occuper avec l'organisation de la réception, mais elle regrettait ses journées chargées avec les fillettes. Ce qui l'angoissait plus que tout, cependant, c'était de réaliser à quel point Jared lui manquait quand il s'en allait travailler.

Contrariée, elle descendit dans la salle d'escrime et entreprit de se battre contre le mannequin d'entraînement. Sa concentration au plus bas, elle ne fit guère mieux que la dernière fois qu'elle s'était entraînée seule.

La perspective de retourner à Marceau lui donnait des sueurs froides. Sa mère serait furieuse, ses frères lui feraient des reproches. Elle ne voulait pas rentrer, mais elle n'avait aucune idée de l'endroit où son frère se trouvait, et l'argent qu'elle avait prévu ne ferait pas long feu.

Les visages réprobateurs de ses frères et de sa mère vinrent la hanter. Elle sentit le poison de l'échec s'infiltrer dans ses veines. Elle n'avait pas retrouvé Jacques. Sa famille ne trouverait pas ses compétences en puériculture très impressionnantes, et cela causerait un sacré scandale quand ils apprendraient qu'elle avait perdu sa virginité. Car ils l'apprendraient ! En tant que membre de la famille royale, elle devait laisser inspecter son corps de façon régulière.

En revanche, vivre avec Jared lui procurait

un sentiment de sécurité. Elle se sentait désirée, presque normale. L'intimité qu'ils partageaient lui donnait envie de tout lui dire, mais elle avait bien trop peur qu'il la rejette s'il savait qui elle était vraiment.

Et plus son mensonge durait, plus elle se sentait piégée.

Elle enfonça son fleuret dans le mannequin dans un geste de frustration.

— Le but, c'est de la toucher de la pointe, pas de l'étriper comme un poisson, observa Jared dans son dos.

Milena sursauta au son de sa voix.

— Oh ! J'ignorais que tu étais là.

Elle secoua la tête, perplexe.

— Tu as bien dit *la* toucher ?

— Jennifer, dit-il en s'assombrissant.

Elle leva les sourcils.

— Quel joli nom pour un mannequin si laid ! Est-ce qu'elle tient son nom de quelqu'un de réel ?

— Oui. Mon ex-fiancée. Elle a accouru vers moi quand elle était embarquée dans un scandale financier, et puis elle a épousé son avocat au lieu de moi.

Milena cligna des yeux et regarda encore le mannequin.

— Je vois la ressemblance, dit-elle, ses lèvres se tordant dans une grimace.

— Comment ça ? Tu n'as jamais vu Jennifer.

— Je voulais dire, sur le plan de l'intelligence. Pour qu'elle te quitte pour un avocat, elle devait être vraiment stupide.

Jared la regarda un long moment, pendant lequel elle vit une dizaine d'émotions passer dans ses yeux.

— Comment peux-tu être sûre que cet avocat n'était pas meilleur que moi ?

— Parce que je te connais. Et je n'ai jamais rencontré d'homme meilleur, dit-elle, la vérité de sa phrase la frappant elle-même.

— Peut-être que tu n'en as pas rencontré beaucoup, risqua-t-il.

— J'en ai rencontré des dizaines. Non, des centaines plutôt.

— Des centaines ? demanda-t-il, arquant un sourcil incrédule.

— Des centaines, affirma-t-elle.

Voire des milliers. Elle songea à tous ces hommes à qui elle avait serré la main, avec qui elle avait dansé ou discuté lors de réceptions et d'événements officiels.

— Pourquoi tenais-tu tant à détruire Jennifer ?

Elle haussa les épaules.

— J'essaie juste de passer ma frustration sur elle.

— Qu'est-ce qui te frustre ? dit-il, levant la main pour lui caresser le menton.

Il était si proche que Milena fut troublée. Elle détourna le regard pour reprendre ses esprits.

— Je pensais à mon frère.

— Lequel ?

— En fait, tous, avoua-t-elle à contrecœur. Mais surtout Ja…

Elle s'éclaircit la gorge pour faire oublier la prononciation française de Jacques. Elle retira son gant.

— Jack, reprit-elle. Cela va te paraître stupide, mais maintenant que les filles ne sont plus là, la maison me semble si vide !

Il rit.

— Ne me dis pas que tu as trop de temps pour toi ? La réception pour l'anniversaire du comté est dans à peine quelques jours.

Elle agita la main d'un geste indifférent.

— J'ai déjà tout réglé.

— La bibliothèque aussi aurait besoin de ton aide.

— Quel genre d'aide ? demanda-t-elle, sa curiosité piquée au vif.

— Beaucoup de livres tombent en ruine, et

377

nous n'avons trouvé personne pour en faire l'inventaire.

— Et cette Clara dont tu m'as parlé ? Celle qui a insisté pour donner la fête du comté dans ton ranch ?

Jared secoua la tête.

— Elle dirige déjà l'équipe de bénévoles de l'hôpital.

— Oh, mais ce serait si facile ! Tout ce qu'il faut, c'est faire un appel aux dons. Demandons aux gens de faire un don équivalent au prix d'un ouvrage, et on colle une étiquette avec leur nom sur le livre en remerciement de leur soutien. D'ailleurs, tu pourrais installer une table à l'anniversaire et lancer la campagne ce jour-là.

— Alors, quand commences-tu ?

Milena tressauta lorsqu'elle entendit le défi dans sa voix.

— J'aurais besoin de noms, dit-elle.

— Je peux t'aider.

— Seulement, je ne peux pas m'engager à long terme, dit-elle.

Et elle ne parlait pas seulement de la bibliothèque. Elle ne pouvait pas indéfiniment demeurer dans le Wyoming avec Jared. Elle ne cessait de se rappeler qu'elle aurait un jour à faire face à ses responsabilités, aussi sinistres soient-elles.

Son estomac se serra. « Un jour », c'était sans doute très bientôt.

Le regard de Jared devint indéchiffrable.

— Personne ne s'attend à un engagement à long terme de votre part, duchesse, dit-il d'une voix trop douce, ce qui la fit frémir.

— Je ne dis pas que je n'en suis pas capable. C'est juste que je vais devoir retourner à...

— Où ça ? dit-il, la voix fébrile.

— A la maison, dit-elle, nerveuse à cause du regard intense de Jared.

Elle redoutait qu'il lui pose plus de questions. Elle ne se sentait pas encore prête à y répondre.

— Si tu me donnes quelques noms de personnes qui seraient d'accord pour m'aider, dit-elle, j'organiserai la campagne.

— Bien, dit-il, en lui prenant son fleuret des mains.

Il le reposa sur le mur et se tourna vers elle.

— Tu aurais dû me dire que tu étais frustrée, Mimi. J'aurais pu t'aider.

Même s'ils avaient fait l'amour plusieurs fois la nuit précédente, le désir brut dans les yeux de Jared lui fit battre le cœur.

Elle rit, essayant de détendre l'atmosphère chargée d'émotions conflictuelles.

— Es-tu en train de me dire que tu aurais pu

m'aider à augmenter ma frustration ? Je pense que c'est déjà fait, plaisanta-t-elle.

— Moi ? demanda-t-il, d'un ton innocent qui contrastait avec la façon dont il la plaqua contre le mur. Je ne suis qu'un simple rancher du Wyoming. Comment pourrais-je frustrer une duchesse telle que toi ?

— C'est facile, railla-t-elle, essayant de garder les idées claires tandis que Jared avançait sa bouche vers la sienne. Toi et Roméo, vous avez beaucoup de points communs. Vous êtes tous les deux pleins d'arrogance...

— Tu es bien impertinente, mais te faire taire nous procure beaucoup d'amusement à tous les deux, répondit-il.

Puis il prit possession de sa bouche et l'emporta dans un baiser torride.

Elle perçut de la passion dans ce baiser, et une frustration égale à la sienne. Plus elle apprenait à connaître Jared McNeil, plus elle était certaine qu'elle ne rencontrerait jamais un homme comme lui. Elle avait envie de prendre autant de cet homme que possible durant le peu de temps qu'il lui restait. L'idée qu'elle ne ressentirait jamais la même chose pour un autre lui lacéra le cœur, telle la lame d'un fleuret.

Elle décida de ne penser qu'à l'instant présent.

Demain lui reviendrait en pleine figure bien assez tôt. Pour l'instant, elle pouvait se sentir désirée et rassurée dans les bras de son amant. Pour l'instant, elle pouvait croire qu'il la voulait pour ce qu'elle était. Et cela lui suffisait.

Elle tira sur la ceinture de Jared, impatiente d'être plus près de lui.

Il grogna et arrêta sa main.

— Quand serai-je rassasié de toi ? marmonna-t-il, avant de l'empoigner brusquement et de la jeter par-dessus son épaule.

Milena glapit.

— Mais qu'est-ce que tu fais ?

— Je fais mon devoir, déclara Jared en montant l'escalier à grandes enjambées. Je t'emporte dans mon lit pour m'occuper de ta frustration.

— Ton « devoir » ? répéta-t-elle, le sourcil froncé. Le devoir, c'est de changer une couche.

— C'est une question de point de vue, dit-il d'un ton doux en la laissant glisser le long de son corps.

Il l'embrassa encore, et même si elle pouvait ressentir l'évidence de son désir pour elle contre sa cuisse, elle était encore contrariée qu'il ait utilisé le terme *devoir*. Elle venait d'un monde où tout n'était que devoir, et c'était dans ce monde qu'elle allait retourner. Une angoisse la saisit. Elle descella ses lèvres des siennes.

— Je ne veux pas que tu fasses quoi que ce soit pour moi par devoir.

Jared la fixa pendant de longues secondes.

— Et si je considère qu'il est de mon devoir en tant qu'amant de remédier à ta frustration ?

La combinaison de séduction et de tendresse dans ses yeux coupa à Milena à la fois le souffle et l'envie de discuter.

Il afficha un demi-sourire paresseux.

— Quoi ? Serait-ce une première ? La duchesse n'a rien à répondre ?

Il passa son pouce sur sa lèvre inférieure.

— Voilà que tu recommences, dit-il. Tu te sous-estimes.

Une boule se forma dans la gorge de Milena.

— Comment ça ?

— Je vais te le montrer au lieu de te le dire, cette fois, dit-il, glissant la main sous sa chemise. Mais avant d'aller plus loin, je voudrais que tu répondes à une question.

Il se tourna vers son bureau, et elle aperçut son diadème en diamants en même temps qu'il s'en saisissait.

Le cœur de Milena s'arrêta. La panique lui glaça le sang.

382

Jared agita l'objet devant elle, son regard la transperçant avec la force d'un missile nucléaire.

— Léo m'a apporté ça quand je suis rentré ce soir, dit-il. Ça ne va avec aucune de mes tenues. Tu veux me dire ce que tu fabriques avec ?

9.

Milena eut l'impression que son esprit avait été enfermé et que quelqu'un en avait jeté la clé.

— Hum, c'est un, euh…

— Oui ? l'encouragea-t-il, attendant de toute évidence une réponse.

— Hum, c'est un accessoire, dit-elle. Comme un chapeau.

— Un chapeau, répéta-t-il, sceptique.

— Oui, c'est un accessoire féminin qu'on porte en soirée.

Elle se força à sourire, essayant de ne pas laisser paraître la terreur qui s'était emparée d'elle.

— Dans les soirées, hein ? dit-il en secouant la tête. Il faut que je te dise que je n'ai jamais vu aucune femme porter ça dans les barbecues auxquels j'ai assisté.

Milena ne trouva rien à répondre.

— J'ai vu des femmes porter un diadème pour

384

trois raisons différentes. Premièrement, si la femme en question est de sang royal.

Milena retint son souffle.

— Tu as un accent étrange de temps en temps, et tu aimes à donner des ordres, mais si tu étais vraiment de sang royal, je ne pense pas que tu aurais tenu une seule journée avec mes nièces. Donc, cette hypothèse est exclue.

Le regard de Jared s'adoucit.

— La seconde raison, continua-t-il, c'est si la femme en question le porte le jour de son mariage.

Milena jeta un coup d'œil au bijou et secoua la tête. C'était un diadème pour tous les jours. Celui de son mariage serait beaucoup plus élaboré.

— Je n'ai jamais été mariée.

— Il reste la troisième raison…

Il soupira, passant un doigt pensif sur les perles et les diamants.

— Les reines de beauté portent ce genre de truc.

Il la regarda, l'air expectatif, et elle le dévisagea avant de comprendre.

Il la prenait pour une reine de beauté ! Bonté divine !

Le fou rire se précipita dans sa gorge. Ses yeux la picotèrent tant elle se retenait de glousser.

— Je… Je ne sais que répondre.

— Ne nie pas, dit-il.

Milena eut l'estomac noué. Elle ne voulait pas lui mentir.

— Je ne peux pas nier que j'ai tenté d'échapper à l'image que certains ont de moi.

— L'image d'une belle femme, dit-il.

— Tout à fait.

Il posa le diadème sur le lit, puis se tourna vers elle et l'attira dans ses bras.

— Tu es belle, Mimi, mais toi et moi savons que tu recèles bien plus de qualités que ta plastique de rêve.

Milena baissa les yeux, bouleversée. Ce que Jared venait de dire lui donnait le sentiment d'être à la fois merveilleuse et horrible.

Personne n'avait jamais eu une telle confiance en elle, ou ne le lui avait dit en face. La force de cette déclaration l'ébranla. L'accent plein de conviction de Jared lui faisait soudain espérer qu'elle pourrait accomplir ce qu'elle voulait et devenir qui elle voulait.

Mais la confiance qu'il lui portait lui donnait aussi le sentiment d'en être indigne. Il méritait de connaître la vérité à son sujet…

Elle se mordit la langue pour ne pas tout lui avouer. Elle ne pouvait s'empêcher de penser que lorsqu'il

386

saurait qui elle était, il la verrait différemment. Or, cette idée lui était insupportable.

Malgré sa richesse et son statut social, elle avait recherché toute sa vie ce que Jared lui offrait. Saurait-il jamais à quel point elle avait besoin de lui ?

— Merci, dit-elle, réprimant une soudaine montée de larmes.

— De quoi ?

— Merci, tout simplement, dit-elle.

Et elle se mit sur la pointe des pieds pour poser les lèvres sur les siennes.

Plus tard, lorsque Jared apprendrait son identité et lui en voudrait de l'avoir trompé, se remémorerait-il cet instant ? Elle priait pour que ce soit le cas. Elle, en tout cas, elle s'en souviendrait toute sa vie.

A quelques jours à peine de la date fatidique, Jared s'attendait encore à ce que la fête du comté soit un fiasco.

Mimi cochait l'une après l'autre les choses à faire sur sa liste avec une efficacité impassible qui l'impressionnait beaucoup. La plupart des femmes auraient été anxieuses à l'idée de devoir divertir trois cents personnes, mais Mimi était très calme.

Il avait redouté le montant de la facture, mais par un inexplicable tournemain, elle avait réussi à convaincre des commerçants et des particuliers d'offrir presque toute la nourriture et la main-d'œuvre. Il l'avait surprise au téléphone un après-midi, en train de demander à un épicier de faire don de la limonade. Elle avait insisté pour que l'épicier lui fournisse une pancarte avec le nom du magasin pour l'afficher lors de la réception. A la fin de la conversation, c'était comme si le marchand était prêt à lui céder les clés de son établissement !

Mimi était très forte pour donner confiance aux gens… En dehors d'elle-même.

Le jour de l'anniversaire, il remarqua qu'elle fuyait le reporter du journal local. Après une chaude alerte, il la surprit se cachant derrière l'écurie, hors d'haleine.

— J'aurais peut-être dû te laisser acheter du champagne, dit-il. Roger est inoffensif.

Mimi secoua la tête, les yeux élargis d'inquiétude.

— Si ! Il est dangereux et armé : il a un appareil photo. Tu es maire, tu ne peux pas le renvoyer ?

Jared rit.

— Pas question. Cet anniversaire est un des rares événements de la région.

— Je te supplie de casser son appareil, insista Mimi.

Il aurait souri à cette requête ridicule, s'il n'avait

pas vu qu'elle était très sérieuse. Il eut le cœur serré en voyant le désespoir dans ses yeux clairs.

— Duchesse, le journal local ne paraît qu'à deux mille exemplaires, voyons. Ce n'est pas le *New York Times* !

Mimi porta une main à sa gorge et inspira.

— Je sais, mais… Tu ne comprends pas. C'est juste que…

Elle secoua la tête.

— Je vais rester en retrait, reprit-elle. Et je t'en supplie, quoi qu'il arrive, ne l'envoie pas dans ma direction !

Puis elle s'écarta et s'apprêta à disparaître.

Il lui étreignit la main et s'étonna de constater combien elle était froide.

— Mimi, tu as les mains glacées !

Elle se redressa illico, et il vit la transformation dans ses yeux même. Si ses mains restèrent froides, elle afficha un sourire sexy et haussa une épaule dans un geste coquin destiné à détourner son attention. Ce qui faillit marcher.

— Moi, les mains froides ? Eh bien, peut-être qu'après la réception, tu pourras m'aider à les réchauffer ?

Elle se hissa sur la pointe des pieds et déposa un baiser sur sa bouche.

— Excuse-moi, je dois aller m'occuper de la campagne de dons. Ciao.

Il la regarda s'éloigner, avant de rejoindre pensivement la foule rassemblée dans la cour où était dressée une grande tente.

Il avait le sentiment étrange qu'il devait la protéger. Elle avait l'air si vulnérable ! Ce serait inacceptable de laisser quoi que ce soit lui arriver. Tout son être se révoltait à l'idée qu'elle se sente en danger.

— Hé, Jared !

C'était la voix familière de son beau-frère, et il détourna son attention de Mimi.

— Jared, dit Bob en s'approchant, boitant toujours après son accident de voiture. Je sais que je t'ai déjà remercié, mais…

Jared l'interrompit d'un geste.

— Arrête. Tu m'as assez remercié. J'étais heureux de m'occuper de Katie et Lindsey, et d'ailleurs, Mimi et Helen ont fait le gros du travail.

Bob sourit.

— Elles parlent sans arrêt de Mimi. Elle leur a laissé essayer sa couronne de princesse ou quelque chose comme ça. D'où vient cette fille, au fait ?

— De l'est de l'Atlantique, bougonna-t-il, donnant à Bob la même réponse évasive que Mimi lui avait faite.

Cela le contrariait de ne pas en savoir plus. Il

connaissait chaque centimètre carré de son corps, mais presque rien de son histoire.

Il bavarda encore quelques instants avec Bob, puis un voisin vint se joindre à la conversation. Ensuite, un membre du conseil le complimenta sur le succès de la réception et tenta de le persuader de rester maire pour de bon. Comme il s'apprêtait à refuser sans équivoque, il entendit de l'agitation près de l'étang et vit une silhouette en chemise rose et pantalon taille basse sauter dans l'eau, ses cheveux noirs volant au vent.

Son cœur s'arrêta, mais il rejoignit sur-le-champ le bord de l'étang à grandes enjambées.

Pourquoi Mimi avait-elle sauté dans l'étang ? Elle avait pourtant une frousse bleue de l'eau ! Les gens se massaient sur la berge, lui cachant la vue. Marmonnant des « excusez-moi », il se fraya un chemin dans la foule.

Mimi était en train de se rapprocher de la berge, un petit enfant en pleurs dans les bras.

Il poussait un soupir de soulagement quand, du coin de l'œil, il vit Roger Johnson prendre cliché sur cliché. Il ne pouvait pas le blâmer, mais Mimi serait bouleversée si elle le voyait en train de la photographier. Il était temps d'agir !

Rejoignant le reporter, il lui agrippa l'épaule et lui prit l'appareil des mains.

Roger le regarda, bouche bée.

— Mais qu'est-ce que tu fais ? C'est la meilleure photo que j'aie jamais prise ! Je pourrais gagner un prix avec ça.

— Je suis navré, mais je dois protéger la pudeur de Mimi. L'eau a rendu sa chemise transparente.

— Je pourrai retoucher ça, argumenta Roger.

— Non.

— Non ? répéta Roger, incrédule. Tu bafoues le premier amendement, Jared. On pourrait te retirer ton titre de maire.

— Mais je t'en prie, dit Jared avec sincérité. Vas-y. Tu veux prendre ma place ?

Roger lui jeta un regard de pur dégoût.

— Ce n'est pas loyal.

— Je vais te dire. Je garde la pellicule et je laisse Mimi décider.

Le reporter fit la grimace.

— Qu'est-ce que je vais utiliser à la place de cette photo ?

Jared haussa les épaules.

— Je ne sais pas. Roméo est très photogénique.

Serrant l'appareil dans une main, il joua des coudes dans la foule.

— Quelqu'un aurait-il une serviette ou une couverture ? clama-t-il.

On lui tendit des couvertures de bébé. Il en lança

une à la femme qui prenait l'enfant des bras de Mimi, puis il s'agenouilla et tendit la main à cette dernière.

— Viens, chérie. Tiens-toi à moi.

Le regard de Mimi se riva au sien, et elle lui saisit la main. Ce geste de confiance le bouleversa. Dès qu'elle fut à pied sec, il plaça la couverture sur ses épaules pour l'emmener loin de la foule.

— Attendez ! Il faut que je vous remercie ! cria une femme.

Jared s'arrêta à contrecœur. Une jeune femme se hâtait vers eux, la petite fille trempée hissée sur sa hanche. Il la reconnut tout de suite.

— Mimi, voici Susan Carroll.

Les yeux de Susan étaient remplis de larmes.

— Je ne sais pas quoi dire. Je croyais que ma nièce la surveillait. Je me sens lamentable ! Dieu merci, vous l'avez vue !

— A cet âge, les enfants bougent très vite, dit Mimi. Je suis heureuse d'avoir pu vous aider.

— Je vous remercie infiniment, dit Susan. Je ne l'aurais pas supporté s'il lui était arrivé quelque chose. Je ne la laisserai plus jamais approcher de l'eau si je ne suis pas avec elle.

— Bonne idée, conclut Jared, voyant la foule se rapprocher. Mimi doit rentrer se changer.

Susan opina, et ils s'éloignèrent.

— Merci, dit Mimi à bout de souffle, comme ils passaient le seuil. Je n'en croyais pas mes yeux quand j'ai vu cette petite toute seule sur la berge. J'ai voulu crier, mais c'était comme si mes cordes vocales étaient gelées.

Jared hocha la tête. Il pouvait voir dans ses yeux qu'elle était submergée par le souvenir de la noyade de son frère.

— Tu as fait ce qu'il fallait. Susan a eu beaucoup de chance que tu sois là au bon moment.

Mimi chancela, et il la souleva pour la porter.

— Oh, fichtre ! dit-elle en enroulant ses bras autour de son cou. C'est insensé. Ce n'était pas si terrible, pourtant je n'ai plus de jambes.

— Mais si, c'était terrible ! Cette enfant aurait pu se noyer. Il y a juste un petit problème, ma chère : tu es devenue l'héroïne officielle du comté.

Elle le regarda, paniquée, avant de remarquer l'appareil photo. Le visage livide, elle en toucha la bandoulière.

— Tu as pris son appareil au reporter ?

Il opina.

— Je ne pouvais pas laisser cette petite se noyer, dit-elle.

— Bien sûr que non ! Tu as bien fait.

Empli d'un fort sentiment protecteur envers Mimi, il la serra doucement contre lui.

— Je suis en train de te mouiller, dit-elle en s'accrochant à lui.

— Tu crois que ça m'ennuie ? dit-il, percevant la raucité de sa propre voix.

Elle enfouit son visage dans le creux de son cou.

— Non, Dieu merci.

— Que veux-tu faire maintenant ? Rester à la maison ? Ou demander à un de mes ouvriers de t'emmener quelque part ?

Une demi-douzaine de scénarii jaillissaient dans son esprit.

Mimi soupira, son souffle lui chatouilla la peau.

— Pour l'instant, je ne veux pas y penser. Je veux que tu m'embrasses.

— Ça, je le peux, dit-il.

Et il prit sa bouche.

Mimi essaya de garder profil bas le reste de la journée, mais Jared put constater qu'il lui était impossible de passer inaperçue.

Même vêtue d'un simple jean et d'une chemise, avec les cheveux attachés en queue-de-cheval et des lunettes de soleil cachant ses yeux si particuliers, elle respirait la classe et la beauté. Les hommes se bousculaient autour d'elle, et les femmes semblaient fascinées par sa sophistication. Elle était à la fois l'incarnation du fantasme masculin et de l'idéal féminin.

Lorsque tout le monde fut parti et que le nettoyage fut achevé, elle s'affala sur le canapé de la véranda en prétendant ne faire qu'une courte sieste. Une heure plus tard, elle dormait si profondément qu'un tremblement de terre n'aurait pas suffi à la réveiller.

Agité et perturbé, Jared fit les cent pas dans son bureau et s'occupa de ses comptes. Regardant l'heure, il décida de passer un coup de fil à Jack Raven.

— Qu'est-ce qui me vaut l'honneur d'être appelé par le plus important rancher de la région ? demanda Jack. Tu te maries ? Tu as besoin d'un restaurant pour la réception ?

Jared roula des yeux, avant de se souvenir que Jack ramenait toujours tout à ses affaires.

— Aucune chance. J'ai besoin que tu me rendes un service. Je connais quelqu'un qui cherche un Jack Raven. Est-ce que tu as des cousins qui portent le même nom que toi ?

Jack éclata de rire.

— Seulement une bonne vingtaine. Je suis d'origine grecque. La moitié de mes cousins s'appellent Nick. L'autre moitié, Jack. Quel âge a le Jack que tu cherches ? Qui est ton ami ?

— Mon ami est une femme, révéla Jared à contrecœur.

— Elle est enceinte ?

— Non ! Elle cherche un homme proche de la trentaine.

— Ça ramène la liste à cinq. Il y a mon cousin Jack à Boston. Un autre vit en Virginie, deux à Chicago. Le plus proche vit à Denver, mais c'est un solitaire. Il a fait fortune dans l'immobilier et il n'assiste pas aux fêtes de famille. Il a des yeux d'une couleur étrange. Quant au Jack de Boston, c'est un vrai bourreau des cœurs et...

— Qu'est-ce que tu entends par « une couleur étrange » ?

— Eh bien, ses yeux sont bizarres. Ils sont très clairs, presque argentés.

La vision du visage de Mimi et de ses yeux si uniques se forma dans l'esprit de Jared, et il fut aussitôt en alerte.

— Merci, dit-il. Où habite au juste ce Jack de Denver ?

Milena dormit jusqu'au lendemain et se surprit à faire une sieste dans l'après-midi.

Le soir, Jared insista pour lui donner une leçon d'escrime. Tandis qu'ils s'exerçaient, elle sentit croître la tension entre eux. Il y avait toujours entre elle et lui une sensualité, une émotion latentes, une anticipation qui lui donnait des palpitations. Mais il y avait aussi le tic-tac de l'horloge qui lui rappelait que son temps avec Jared était compté.

Il fallait l'avouer, elle se trouvait des excuses pour rester. Et elle soupçonnait Jared de le savoir aussi, même si aucun d'eux n'avait abordé le sujet.

La tension entre eux était si palpable qu'elle pouvait à peine respirer.

Au milieu d'une manche, Jared attrapa son fleuret et le mit sur le côté avec le sien. Prenant son visage entre ses mains, il prit sa bouche dans un baiser avide qui lui fit perdre tout contrôle. Bientôt, leurs vêtements furent au sol, et ils firent l'amour à même le tapis. Puis il la porta jusqu'à son lit, et ils s'endormirent dans les bras l'un de l'autre.

Quand Milena se réveilla, elle découvrit Jared en train de la regarder dormir. Elle posa la main sur sa mâchoire puissante et voulut graver dans sa mémoire l'expression qu'il avait ce matin. Jamais elle n'oublierait combien elle se sentait protégée entre ses bras, invincible.

Il joua avec une mèche de ses cheveux.

— Fais tes valises. Je t'emmène à Denver cet après-midi.

Milena eut l'estomac noué. Jared était-il si pressé de se débarrasser d'elle ?

— Pourquoi ? demanda-t-elle prudemment.

— J'ai une autre piste concernant Jack Raven.

Elle le regarda, surprise.

— Comment t'y es-tu pris ?

— J'ai téléphoné à notre restaurateur local, et il m'a parlé d'un cousin qui porte le même nom que lui et qui vit à Denver.

Il passa son pouce sur sa joue.

— Apparemment, il a les mêmes yeux que toi.

Milena s'assit.

— Quoi ? Que sais-tu de lui ? Il a mes yeux ? Comment le sais-tu ? Comment…

Jared posa son index contre les lèvres de Mimi pour la faire taire.

— Je ne sais pas grand-chose, mais je t'en parlerai sur la route. Pour l'instant il faut que j'abatte tout le travail de la journée en quelques heures. Ce n'est qu'une hypothèse, mais ce type a l'âge qu'il faut, et je n'ai pas croisé beaucoup de gens avec les mêmes yeux que toi.

Le cœur de Milena cogna dans sa poitrine.

— Oh, Jared, s'il s'agit de mon frère, si c'est vraiment mon frère, ce serait fantastique ! Stupéfiant ! Tu te rends compte que je n'ai aucun souvenir de lui ? Je ne le connais qu'en photo. Si c'est lui…

Sa voix se brisa d'émotion et ses yeux s'embuèrent.

— Tu n'imagines pas à quel point cela compte pour moi.

— Modère ton enthousiasme, l'avertit Jared. Je ne voudrais pas que tu tombes de haut. Rien n'est sûr. Souviens-toi de cela, rien n'est sûr. Mais, ajouta-t-il tendrement, j'espère vraiment que tu ne seras pas déçue.

10.

Le bureau de Jack Raven à Denver n'était pas fait pour les visiteurs sans rendez-vous. Lorsque Jared et elle parvinrent jusqu'au bâtiment luxueux, Milena se demanda si la société Raven ne disposait pas d'un dispositif de sécurité plus important que celui du palais royal de Marceau. Dieu merci, Jared connaissait un membre du personnel qui put les aider à franchir les barrages.

— Vous aviez rendez-vous ? demanda la réceptionniste après que Jared eut décliné leurs identités.

— Non, dit Milena pour la énième fois à cette énième assistante.

— Nous sommes intéressés par le projet de développement immobilier au Costa Rica, dit Jared d'une voix douce.

Milena le regarda.

— Ah bon ?

Il lui prit la main et la serra doucement.

— Bien sûr. Tu te souviens, nous en avions discuté après avoir parlé de notre projet en Arizona ?

— Oh.

Milena hocha lentement la tête, d'un air entendu.

— Nous avons étudié tant de projets, dit-elle, que je ne me souvenais plus si nous parlions du Costa Rica ou du Mexique.

— Nous avons d'excellents concepteurs de projets qui pourraient vous aider, dit l'assistante.

— Nous préférons voir M. Raven, dit Jared sur un ton sans réplique.

L'assistante soupira et pressa une touche sur son téléphone.

— Mademoiselle Dean, je suis avec deux investisseurs potentiels, M. McNeil et Mlle Deerman. Ils insistent pour voir M. Raven.

Elle opina en écoutant, puis se tourna vers Milena et Jared.

— L'assistante personnelle de M. Raven va vous recevoir.

Milena fut si frustrée qu'elle faillit s'écraser le pied.

— Mais…

Jared lui serra la main et lui parla à l'oreille.

— Ça prendra peut-être plus qu'une visite. Si

nous insistions trop, ils pourraient nous montrer la porte.

Etouffant son impatience, elle se mordit la langue. Une jeune femme en tailleur strict sortit d'un bureau et vint à leur rencontre.

— Bonjour, je suis Haley Dean. Si vous voulez bien me suivre dans mon bureau. Je pourrai peut-être vous aider.

— Merci, dit Milena, impressionnée par le calme que dégageait la jeune femme.

Tous trois entrèrent dans une pièce décorée dans un camaïeu de bleu qui rappela à Milena les eaux qui entouraient l'île de Marceau.

— Je vous en prie, asseyez-vous. Si j'ai bien compris, vous êtes intéressés par le projet au Costa Rica ? demanda Mlle Dean en sortant un dossier d'un tiroir. Voici la brochure de présentation. Je serai heureuse de répondre à toutes vos questions éventuelles.

— J'apprécie votre empressement, dit Jared en s'enfonçant dans un fauteuil garni, et je suis sûr que vous connaissez le dossier sur le bout des doigts. Mais j'ai la fâcheuse manie de vouloir parler à celui qui a le pouvoir de décision. Que faut-il faire pour rencontrer Jack Raven ?

Haley Dean sourit.

— Aujourd'hui, il faudrait prendre un vol pour l'étranger.

Le cœur de Milena se serra de déception.

— Il n'est pas là ? dit-elle.

— Non, je suis navrée. C'est un homme très occupé. Parfois, je me dis que je passe plus de temps à réorganiser son emploi du temps qu'à toute autre tâche.

Milena vit sa chance de voir Jack Raven lui filer entre les doigts. Le désespoir s'empara d'elle. Elle jeta un coup d'œil autour de la pièce.

— Est-ce qu'il reviendra bientôt ?

— Eh bien, d'habitude, il passe deux ou trois jours au bureau par semaine, jusqu'à ce qu'il trouve une occasion de partir sur-le-champ.

Elle sourit et cliqua sur la souris de son ordinateur portable.

— C'est ce qui est arrivé aujourd'hui, poursuivit-elle. Le prochain rendez-vous que je peux vous donner est dans deux mois.

— Oh, ce sera trop tard ! dit Milena.

Jared lui prit la main pour la réconforter.

— Etes-vous sûre qu'il n'y a pas de date plus proche ? Nous pourrions peut-être prendre l'avion et le rencontrer ailleurs.

Le regard de Milena s'arrêta sur une plaque de

404

remerciement d'une organisation caritative, accrochée au mur.

— Euh, il me semble que j'ai déjà rencontré Jack. A une réception pour une œuvre de charité.

Haley Dean hésita et sembla se refroidir.

— Ah bon ? Où ça ?

— A New York, improvisa Milena.

Mlle Dean adressa à Milena et Jared un long regard dubitatif.

— Je communiquerai vos noms à M. Raven à son retour, et peut-être qu'il pourra vous voir plus tôt.

Milena étouffa un grognement de frustration.

— Oh, je doute qu'il se souvienne de moi. Il y avait tant de monde, dit-elle.

Ce n'était pas tout à fait faux. Elle l'avait bien vu lors d'une réception, pas pour une œuvre de charité, mais lorsqu'elle avait été baptisée.

— Je pense que vous vous sous-estimez, rétorqua l'assistante. Vous êtes très belle, et plutôt inoubliable, j'en suis sûre.

Milena regarda dans les yeux de Haley Dean. Elle y lut un éclair de possessivité, et quelque chose de plus profond. Soudain, elle comprit. Haley Dean se transformait en vraie tigresse quand il s'agissait de son patron. Ne serait-elle pas amoureuse de Jack ? Mieux valait ne pas se la mettre à dos !

Elle soupira et se tourna vers Jared.

— Eh bien, chéri, en se forçant à garder sa contenance malgré le sourcil arqué de Jared, je crois que nous sommes à la merci de Mme Dean.

— Mademoiselle, rectifia Haley. Je ferai mon possible, mais vous devez savoir que M. Raven n'a pas beaucoup de temps à consacrer aux entrevues.

Est-ce que ses yeux étaient semblables aux siens ? Y avait-il une chance pour qu'il soit son frère ?

Les questions brûlaient les lèvres de Milena. Mais elle ne voulait pas gâcher ses chances.

Jared lui lança un regard chargé de tendresse et d'amusement. Elle devinait qu'il savait combien tout cela était important pour elle.

— Vous pouvez me joindre sur mon portable à toute heure, annonça-t-il en tendant à Haley Dean sa carte de visite.

Résistant à l'envie de supplier ou d'exiger un rendez-vous, Milena laissa Jared la conduire hors du bâtiment. Il l'aida à grimper dans son pick-up puis s'installa derrière le volant.

— « Chéri » ? dit-il, faisant allusion au terme qu'elle avait employé quelques instants auparavant.

— Eh bien, il fallait que je fasse quelque chose. A mon avis, Haley Dean croyait que j'avais des vues sur Jack.

Jared écarquilla les yeux.

— Où diable es-tu allée pêcher ça ?

Elle agita la main.

— Intuition féminine. Je l'ai vu dans ses yeux. Elle est amoureuse de lui.

Jared resta bouche bée.

— Comment le sais-tu ?

— Je le sais, c'est tout. Je me suis dit que si je t'appelais chéri, elle pourrait se détendre et essayer de nous trouver un rendez-vous. Fichtre, je crois qu'il est plus facile de rencontrer la reine d'Angleterre.

— Tu as déjà vu la reine d'Angleterre ? demanda-t-il en mettant le contact.

Elle ouvrit la bouche pour dire oui, puis la referma.

— Une fois, lors d'une apparition publique. Alors, nous rentrons au ranch, maintenant ?

Il secoua la tête.

— Nous allons à l'opéra.

La surprise et le plaisir la saisirent.

— C'est vrai ? Tu ne fais pas semblant ?

Il secoua la tête et lui lança un regard.

— Je ne fais jamais semblant, dit-il, arrêtant le véhicule sur le parking. Je suis tel que tu me vois. Et toi ?

Son estomac se noua devant l'expression de Jared. Il avait peut-être posé sa question sur un ton anodin, mais il exigeait une réponse. Elle avait vu cette question dans ses yeux plusieurs fois, mais elle l'avait mise de côté. Elle ne pourrait pourtant pas se dérober indéfiniment. Le temps viendrait où Jared exigerait de connaître la vérité. Et elle ignorait comment agir, le moment venu.

— Tu sais l'essentiel sur moi, le rassura-t-elle. Il y a des choses que tu es seul à connaître.

— Je veux en savoir plus, dit-il, soudain très sérieux. Je veux savoir où tu es née. Où vit ta famille, ce qu'ils font, et comment tout cela t'a formée.

Elle se mordit la lèvre et retint son souffle.

Jared tendit la main et l'attira contre lui.

— Je connais ton corps, mais je veux connaître ton âme, Mimi. Je veux en savoir davantage.

Milena eut la gorge nouée par l'émotion. Elle voulait qu'il la connaisse. Elle voulait lui dire la vérité, mais elle avait si peur…

— Mimi ?

— J'ai peur.

— Pourquoi ?

— J'ai peur qu'une fois que tu connaîtras mon passé, tes sentiments pour moi ne changent. Cette idée m'est insupportable.

Il fronça les sourcils, intrigué.

— Ta famille est dans la mafia ou quelque chose comme ça ?

Elle eut un petit rire.

— Non, ils sont juste bizarres.

408

Elle chercha une manière de répondre à sa question sans tout lui dire.

— L'affaire familiale est très exigeante. Tout le monde doit y apporter sa contribution d'une manière ou d'une autre.

— Et, toi, comment y contribues-tu ?

Milena eut de nouveau l'estomac noué.

— Je ne l'ai pas encore apportée. Ce sera dans le futur.

Elle songea à l'homme que sa famille voulait qu'elle épouse et se sentit si oppressée qu'elle put à peine respirer.

— Tu n'as pas l'air ravi.

— Je n'ai pas le choix.

Il lui prit le menton pour qu'elle le regarde.

— On a toujours le choix, duchesse. Les choix peuvent ne pas être parfaits, les conséquences peuvent être lourdes, mais on a toujours le choix.

Dans le monde de Jared, songea-t-elle, elle aurait le choix. Dans le monde de Jared, sa vie pourrait être différente. Elle pourrait être plus qu'une princesse de pacotille. Pourtant, le sens de l'obligation familiale avait été instillé en elle depuis son plus jeune âge, et elle n'était pas certaine d'être assez forte pour couper les ponts avec sa famille. Elle n'était pas sûre de pouvoir vivre avec ce sentiment de culpabilité.

— Si nous changions de sujet, tu veux bien ?

Il opina lentement, mais elle savait que les questions reviendraient à un moment ou à un autre.

Comme Milena se plaignait de n'avoir rien à se mettre pour aller à l'opéra, Jared s'arrêta dans un centre commercial de Denver.

En deux temps trois mouvements, elle se choisit une robe, un sac et des chaussures. Jared se montra impressionné. Elle se contenta de sourire. Le shopping était l'un des rares talents qu'elle avait pu aiguiser au cours des années.

Après leur virée dans les boutiques, Jared l'emmena dans leur suite, au Brown's Palace, où elle s'extasia devant le décor d'époque et n'hésita pas à réquisitionner une des grandes salles de bains.

Elle voulait se montrer à lui sous son meilleur jour. Pour une fois dans sa vie — et une part secrète d'elle craignait que ce ne soit la seule —, elle voulait mettre Jared à genoux.

A sa grande surprise, ses mains tremblèrent quand elle appliqua son eye-liner. Elle ne se souvenait pas avoir été aussi anxieuse avant un rendez-vous galant. Son cœur battait la chamade. Elle appliqua une couche de rouge à lèvres, en mit à côté, et pesta contre sa maladresse. Ayant réparé les dégâts, elle

410

se brossa les cheveux et inspecta son reflet dans le miroir. Elle était comme avant son départ de Marceau, quelques semaines auparavant. Pourtant, elle avait changé. Oui, beaucoup changé...

Prenant une inspiration pour se calmer, elle lissa sa robe de soie rose et sortit de la salle de bains. A l'entrée du salon, elle se trouva nez à nez avec Jared.

Ouahou !

Elle resta bouche bée devant lui. Jusqu'à présent, elle l'avait vu en vêtements de tous les jours, et c'est tout. Elle ne s'était pas préparée à le voir en smoking. Le rancher avait disparu. A sa place, un homme sophistiqué, sûr de lui, beau à se damner. La seule chose qui empêcha Milena de tomber à la renverse était le fait que Jared n'avait pas cligné des yeux depuis qu'il l'avait vue.

— Bonté divine, marmonna-t-il. J'ai déjà un mal fou à tenir les hommes à distance quand tu portes un jean et des lunettes. Si tu t'étais habillée ainsi à l'anniversaire du comté, tu aurais provoqué une émeute.

— Je prends ça comme un compliment, dit-elle en souriant. Toi aussi, tu es fabuleux.

Il regarda son costume.

— Tu croyais que j'allais porter un survêtement ?

— Je ne sais pas ce que je croyais, mais c'est la première fois que je te vois en smoking, et…

— Et ?

— Eh bien, monsieur McNeil, vous êtes d'une beauté à couper le souffle.

— C'est vrai ? dit-il, l'air très content de lui.

Il passa la main sur sa nuque, et posa les lèvres sur son cou.

Elle se noya dans la sensation de ce baiser, savourant le parfum subtil de son après-rasage. Son odeur, ses baisers lui faisaient perdre la raison.

Jared se redressa et inspira fort.

— Il vaudrait mieux que nous partions avant que je ne sois trop tenté de t'enlever cette robe.

Milena posa les doigts sur les lèvres de Jared pour prévenir une nouvelle tentative de baiser. Il attrapa sa main et aspira son pouce dans sa bouche. Elle fut immédiatement envahie par une onde de chaleur.

— Quand commence le spectacle ? demanda-t-elle à bout de souffle.

Il jura et la tira vers la porte.

— Ne me regarde pas comme ça, dit-il.

— Comment ? demanda-t-elle, ayant du mal à marcher droit.

— Comme si tu étais d'accord pour que je te

prenne là, tout de suite, habillée ou pas, marmonna-t-il en pressant le bouton de l'ascenseur.

— Ah. Dans ce cas, il vaut mieux que je ne croise pas ton regard, dit-elle en entrant dans l'ascenseur. Parce que tu lis en moi comme dans un livre ouvert.

Il émit un râle de frustration et la prit dans ses bras, posant le front contre le sien.

— Tu vas m'achever, dit-il.

— Je ne veux pas t'achever, protesta-t-elle. Je veux juste que tu sois… troublé.

Il roula des yeux et attira son bassin contre le sien, pour lui montrer à quel point il la désirait.

— Si tu voulais me troubler, c'est réussi.

Il ne la lâcha que quand les portes de l'ascenseur s'ouvrirent et que les gens attendant dans le hall s'avancèrent.

Les joues rouges, et pas seulement d'embarras, elle laissa Jared la guider jusqu'au Centre des Arts tout proche, où l'on donnait *Carmen*.

Ils prient place dans un balcon privé.

— Très bonnes places ! Je suis contente de ne pas avoir à te partager, dit-elle. Comment as-tu réussi à les obtenir en si peu de temps ?

— J'ai quelques relations.

Elle s'adossa dans son fauteuil et sourit devant

sa façon de ne pas chercher à l'impressionner par sa position sociale ou ses relations.

Jared la regarda.

— Pourquoi souris-tu ? demanda-t-il.

— Je me disais que tu étais très différent des hommes que j'ai connus. Ils essaient souvent de m'impressionner par leur titre, les gens qu'ils fréquentent ou…

— Eh bien, tu connais mon titre : rancher.

Milena songeait à un autre genre de titres, mais elle n'avait pas l'intention de le préciser.

— Et maire, dit-elle.

Il poussa un long soupir.

— Intérimaire, précisa-t-il. Et je n'ai accepté le poste que sous la contrainte.

— Tu es aussi un oncle. Et un frère.

Il opina.

— Et un amant, murmura-t-elle. Mon amant.

Les yeux de Jared s'assombrirent.

— Je t'avais pourtant dit de ne pas me regarder comme ça.

— Je ne peux pas m'en empêcher.

Il ferma les yeux, secoua la tête.

— La soirée va être très, très longue.

Il s'enfonça dans son siège et glissa le bras autour de ses épaules.

*
**

Les rôles de Carmen et Don José auraient pu être interprétés par les meilleurs chanteurs du monde, Jared n'aurait pu s'empêcher de toucher ou de regarder Mimi. Ses éclats de rire résonnaient en lui et le touchaient au cœur. Il aimait sa façon de s'appuyer contre lui, comme si la confiance qu'elle lui portait était instinctive et totale. Toutefois, savoir que Mimi ne lui faisait pas confiance sur tous les plans était comme une épine qu'il n'arrivait pas à retirer. Cela le contrariait terriblement.

Il ignorait depuis quand, mais, à un moment de leur relation, il s'était attaché à elle plus qu'il ne l'avait voulu. Et c'était une sacrée mauvaise nouvelle. Car, aussi sûr que le vent soufflait sur le Wyoming, Mimi s'en irait bientôt.

A cette seule idée, il avait la nausée.

L'idée qu'elle le quitterait sous peu lui procurait une sensation étrange. Il luttait contre le besoin d'avoir plus de rires avec elle, plus de discussions, plus d'occasions de l'aider à s'affirmer... Plus de Mimi. Elle s'était parfois montrée pénible et avait apporté sa part de chaos dans sa vie, mais elle l'avait aussi illuminée, et il n'était pas encore prêt à retourner à une vie tranquille, sans elle.

Suivant une impulsion importune, il se pencha sur elle et l'embrassa.

Elle haleta de surprise, puis céda à son baiser. Il caressa son visage, savourant la texture de ses cheveux soyeux et de sa peau de velours sous ses doigts. Sa bouche était douce et réceptive. Elle le prit par surprise en glissant la langue entre ses lèvres, l'invitant à faire de même.

Son pouls s'accéléra tandis que Mimi poursuivait la caresse sexy de sa langue sur la sienne. Lorsqu'il lui rendit sa caresse, elle inclina la tête et aspira sa langue dans sa bouche, comme si elle ne pouvait pas être rassasiée de lui. Le désir afflua subitement dans son aine.

— Tu es en train de m'exciter, murmura-t-il, bouche contre bouche.

— C'est toi qui as commencé, rétorqua-t-elle, aspirant sa lèvre inférieure.

Il posa les yeux sur sa poitrine quand ses seins se pressèrent contre son torse. Il savait ce que c'était de les avoir dans ses mains, dans sa bouche.

— Je croyais que cela te plairait de voir un opéra.

— Quel opéra ? demanda Mimi, glissant les mains sous sa veste pour caresser son torse.

Jared crut suffoquer. La force de son excitation lui donnait des palpitations dans tout le corps. Il voulait posséder Mimi. Il voulait connaître tous ses secrets, toutes ses peurs. Il la voulait nue, jambes enroulées autour de lui, pendant qu'il pénétrerait son intimité.

Quand il aventura sa main sur sa cuisse, il lui fut très difficile de ne pas la prendre sur ses genoux. Il arracha sa bouche à la sienne et inspira pour, espérait-il, reprendre ses esprits. Au lieu de cela, il respira son parfum épicé par le désir. Il arrêta sa main quand elle s'aventura sur le haut de sa cuisse.

— On va nous arrêter pour outrage aux bonnes mœurs si nous continuons.

Elle leva vers lui des yeux presque noirs de désir.

— Je ne veux pas m'arrêter. Jamais.

Le torse de Jared se contracta. Comment pouvait-elle à la fois émouvoir son cœur et son corps ?

— Tu ne veux pas voir la fin de l'opéra ?

Le lent mouvement de tête négatif de la jeune femme mit à mal sa retenue. C'était fini. Il ne résista plus. Il se leva, aida Mimi à faire de même, et ils gagnèrent le couloir.

L'air frais du soir n'aida pas Jared à se reprendre. Ils parcoururent les quelques dizaines de mètres jusqu'à l'hôtel en silence, main dans la main. Dès qu'ils furent seuls dans l'ascenseur, ils se jetèrent dans les bras l'un de l'autre.

Sur les lèvres de Mimi, il goûta la passion et le désespoir, un sentiment qui le déchirait lui aussi. Il posa ses lèvres jusqu'à son cou, puis sur le haut de ses seins. Il ne savait pas ce qui le faisait agir de la sorte. L'idée qu'elle allait bientôt lui filer entre les doigts ? Ou une envie primaire et sauvage de la posséder, comme elle avait commencé à le posséder, lui ?

Mimi fit glisser la bretelle de sa robe, dénudant son sein pour l'offrir à sa vue et à sa bouche.

Cette invitation audacieuse lui donna envie de la prendre là, contre la paroi de la cabine d'ascenseur. Il posa la bouche sur son téton, l'aspira. Il le sentit se durcir sous sa langue, une sensation qui lui fit perdre la tête.

Le gémissement émis par Mimi vibra en lui. Ce qui lui restait de retenue disparut comme des gouttes d'eau sur une plaque chauffante. Il glissa la main sous sa robe puis sous la soie de son slip. Elle était si excitée, si gonflée de désir, si douce ! Il enfouit un doigt en elle et la sentit se contracter.

— Jared, dit-elle, comme une supplique.

Les portes de l'ascenseur s'ouvrirent.

Remettant rapidement la robe de Mimi en place,

418

il la devança pour la protéger des regards indiscrets. A la minute où il referma la porte de la suite, ils se jetèrent de nouveau l'un sur l'autre.

Il fit tomber sa robe. Elle lui desserra sa cravate, et se débattit avec les boutons de sa chemise. Elle laissa échapper une litanie rauque de jurons de frustration, de la voix la plus sexy qu'il ait jamais entendue. Il l'aida en ouvrant sa chemise d'un coup sec, faisant voler les boutons.

Mimi cligna des yeux et posa les mains sur lui.

— Tu n'y vas pas de main morte !

— Je suis motivé, marmonna-t-il, le contact de ses paumes le rendant encore plus fou que d'habitude.

— Je me demandais…, commença Mimi.

Elle ouvrit son pantalon et referma la main autour de son membre dressé.

Jared crut exploser. Il respira, et ne put s'empêcher de remuer sous sa caresse.

— Quoi donc ?

Les yeux assombris par l'envie, elle se mordit la lèvre.

— Je me demandais comment ce serait si j'étais sur toi.

Tout de suite, une image de Mimi, ses cheveux lui chatouillant le torse, les seins pressés contre lui tandis qu'elle le chevauchait, assaillit Jared.

La puissance de son désir fut si grande qu'il la ressentit jusqu'au tréfonds de lui. Il voulait Mimi, de toutes les manières possibles. Même si la fin de leur relation était imminente, et si la chute serait rude. Tout homme sensé aurait pris son plaisir et barricadé son cœur, mais pour lui la demi-mesure était impossible à présent.

— Tu ne dis rien, remarqua Mimi.

— Tu as mis mon cerveau hors service.

Ses lèvres se soulevèrent en un petit sourire qui le toucha au cœur.

— J'essaie de te faire tomber à la renverse.

— Oh, duchesse, ça fait longtemps que vous avez réussi !

Il l'embrassa et fit disparaître son soutien-gorge et son slip. Puis ce furent son pantalon et son caleçon qui disparurent, il ignorait par quel prodige. Ils poursuivirent leur baiser tout en gagnant le grand lit.

Ils se caressèrent mutuellement, et pour une fois il s'offrit à elle sans limite. Elle soupira contre son torse pendant qu'elle en explorait chaque centimètre carré. Il se savait musclé, mais elle lui en faisait prendre conscience d'une manière totalement nouvelle.

Mimi pressa sa bouche ouverte contre son cou et ondula lentement. Elle était douce, et calme, à

420

l'exception de sa respiration. Ce silence, pourtant, était le plus bruyant qu'il ait jamais connu. Elle ne disait pas en mots qu'elle l'admirait, mais ses mains le lui criaient. Elle n'annonçait pas combien elle le désirait, mais la façon dont son corps cherchait le sien le lui chantait, encore et encore. Elle n'avouait pas qu'elle l'aimait, mais ses yeux le clamaient.

Et quand elle monta sur lui, ses cheveux tombant en cascade sur son visage, il riva ses yeux aux siens et sut qu'il ne serait plus jamais le même.

11

Milena se réveilla de bonne heure et contempla le visage de Jared. Ses traits masculins étaient à peine adoucis par le sommeil. Elle se souvint comment il l'avait possédée pendant la nuit. Et comment elle l'avait possédé.

Son cœur se serra. Qui aurait cru qu'une « princesse inutile » puisse avoir un tel effet sur un tel homme ? Il ne s'agissait pas seulement d'une attirance physique. C'était comme si ce qui se passait entre eux était si fort que cela devait trouver un moyen d'expression unique… Mais c'était temporaire.

Cette pensée désagréable était comme un dard empoisonné dans ce moment de félicité. Soudain trop agitée pour rester immobile, elle sortit sans bruit du lit, un peu surprise de ne pas réveiller Jared. D'habitude, il se levait avant elle.

Elle passa dans la salle de bains, mit un jean et un T-shirt et revint dans le salon, l'esprit obnubilé par Jared. Elle songeait à tout ce qu'il lui avait apporté. Jamais elle n'avait osé rêver se sentir aussi sûre d'elle, aussi capable. Grâce à lui ! Elle voulait lui donner quelque chose en retour.

Mais Jared semblait n'avoir besoin de rien, et il n'était pas du genre à s'extasier devant une montre en or. Elle y réfléchissait tout en jouant avec les rideaux de la fenêtre, quand son regard s'arrêta sur des pots de fleurs colorées. Une idée saugrenue lui vint à l'esprit. Elle l'écarta, puis y revint. Il trouverait sans doute cela idiot, s'avisa-t-elle, mais ce n'était pas sûr.

Suivant son impulsion, elle enfila ses baskets et alla prendre l'ascenseur.

La boutique de cadeaux était fermée. Un détail. Cela lui prit quelques minutes, mais elle réussit à convaincre le réceptionniste d'ouvrir la boutique rien que pour elle. Elle fit son achat, paya en liquide et se dirigea vers l'ascenseur, trois roses à la main.

Un accent familier attira son attention, et elle jeta un regard furtif vers la réception par-dessus son épaule. Là, elle crut que son cœur allait cesser de battre.

Deux hommes discutaient avec le jeune employé qui venait de l'aider. A son grand désarroi, elle reconnut l'un des individus. C'était un garde de la sécurité de

Marceau. Ils étaient ici pour venir la chercher ! Pour ramener la princesse prodigue au bercail !

Tout en elle se révoltait contre cette perspective. Portant une main à sa gorge, elle trembla si fort qu'elle se demanda si le sol ne bougeait pas. La panique s'empara d'elle. Il fallait qu'elle aille retrouver Jared tout de suite ! Ensuite, elle disparaîtrait.

Elle pressa le bouton de l'ascenseur et remercia le ciel que les portes s'ouvrent aussitôt.

Une fois à l'intérieur, elle ferma les yeux pour ne pas s'évanouir. Le doux parfum des roses se mêlait dans sa gorge à celui des regrets. Elle n'était pas prête à retourner à Marceau ! Certes, elle était partie depuis presque un mois, mais cela avait passé aussi vite qu'un battement de cils. Et elle était résolue à rencontrer Jack Raven. Comment pourrait-elle y parvenir si on la forçait à rentrer chez elle ?

La tête lui tournait. Elle essaya de trouver une explication pour Jared, mais son esprit confus ne pouvait pas aligner deux mots à la suite. L'ascenseur atteignit son étage, et elle sortit, trempée de sueurs froides.

Jared entendit quelqu'un trifouiller la poignée de la porte, puis une voix féminine proféra un juron. Reconnaissant la voix à travers la porte, il sourit.

Mimi. Il l'avait entendue partir et avait pensé à la suivre, mais il s'était dit qu'elle ne serait pas partie longtemps, puisque toutes ses affaires étaient là.

Curieux et amusé, il ouvrit la porte. Elle pestait contre sa clé magnétique et tenait des roses dans sa main. Elle s'interrompit et posa les yeux sur lui. Il se sentit fondre.

— Des roses ?

— Elles sont pour toi, dit-elle, en les lui donnant avant de refermer la porte.

Il contempla les trois roses rouges, plus ému qu'il n'aurait pensé par ce cadeau romantique. Son cœur se gonfla d'amour, tandis que son corps se tendait de désir. Il secoua la tête, cherchant une réponse appropriée.

— C'est la première fois que l'on m'offre des fleurs. Je... euh...

— Voilà ce que j'espérais. Je voulais te donner quelque chose que personne ne t'ait jamais offert.

— C'était déjà le cas, dit-il, touchant un des pétales soyeux, qui lui rappela la peau de Mimi. Tu m'as donné... toi.

— Ça ne me semblait pas suffisant.

— Si, dit-il en souriant. Mais ces fleurs sont ravissantes aussi.

Il la regarda et remarqua soudain son air tendu. Elle était livide. Les fleurs l'avaient distrait, mais maintenant, il ne voyait plus que le désarroi de Mimi.

— Qu'est-ce qui se passe ? s'enquit-il.

Elle inspira et se mordit la lèvre.

— Je ne sais pas comment t'expliquer ça.

Jared éprouva une angoisse sourde. Il y avait rarement de bonne nouvelle après ce genre de préambule.

— Je ne peux pas t'aider si tu ne me parles pas.

Les yeux de Mimi brillaient de colère. Elle replaça des mèches de cheveux derrière ses oreilles d'un geste rageur tout en arpentant la pièce.

— Ils m'ont retrouvée, dit-elle d'un ton amer. J'ai vu des gens à la réception, et je sais qu'ils me recherchent. Ils vont sans doute arriver d'une minute à l'autre. Ou alors, ils vont m'attendre dans le hall. Jared, je ne suis pas prête à retourner chez moi. Pas encore !

Elle avait l'air d'un animal en cage.

— Qu veux-tu que je fasse ?

— Je n'en ai aucune idée ! Je ne sais pas ce qu'il faut faire.

Elle se tourna vers lui.

— Ils doivent savoir que je suis avec toi, sinon ils n'auraient jamais pu retrouver ma trace jusqu'ici. Je ne peux pas retourner au ranch, mais je ne suis pas prête non plus à rentrer chez moi : je veux voir Jack Raven. Il faut que je disparaisse encore quelques jours.

Jared ignora les nœuds d'angoisse qui se formaient dans sa gorge et dans son ventre.

— Tu peux aller à Colorado Springs. Ce n'est pas très loin, mais assez pour que tu aies un peu de temps devant toi et facilement accès à Denver.

Mimi posa les index sur ses tempes, comme si elle essayait de réfléchir malgré la panique qui se lisait sur son visage.

— Il me faudrait un véhicule. Et je n'ai presque plus d'argent, murmura-t-elle.

L'ombre de Jennifer, son ex-fiancée, erra dans l'esprit de Jared, mais il s'efforça de la chasser. Mimi semblait sur le point de pleurer.

— Je peux te donner de l'argent, et tu peux prendre mon pick-up.

La seconde offre lui causait une appréhension particulière qu'il essaya de chasser.

Elle le regarda, surprise.

— Tu me laisserais conduire ton pick-up ?

— Oui, dit-il avec un haussement d'épaules. Tu me le ramèneras, n'est-ce pas ?

— Bien sûr !

— Mais je pense qu'il est temps que tu me dises la vérité sur ta famille.

Mimi se détourna, et ses épaules s'affaissèrent.

— Il le faut vraiment ? demanda-t-elle.

Elle agita la main.

— Tu n'as pas besoin de me répondre. Je sais qu'il le faut.

Soupirant, elle se tourna vers lui et le regarda.

— Est-ce que tu veux bien faire une dernière chose pour moi avant que je ne te dise tout ?

— Quoi donc ? dit-il, songeant qu'elle n'avait pas idée de tout ce qu'il était prêt à accomplir pour elle.

— Tu veux bien m'embrasser ?

De nouveau, des nœuds se formèrent dans les entrailles de Jared. Cela avait tout d'une scène d'adieu. Il avait toujours su que ce moment viendrait un jour. Seulement, il ne s'attendait pas à ce que ce soit comme si le ciel lui tombait sur la tête. Détestant la boule douloureuse dans sa gorge, il déglutit.

— Bien sûr, duchesse, dit-il.

Et il la prit dans ses bras.

Son cœur battit à se rompre dans sa poitrine. Cette fois, Mimi prenait sa bouche comme s'il n'y avait pas de lendemain. Etait-ce le cas ? Ses lèvres étaient douces et passionnées, pleines de désir. Il y goûta le goût métallique du désespoir, mais tenta de se concentrer sur l'ardeur vibrante de Mimi. Leur baiser se prolongea, comme si aucun d'eux ne voulait y mettre un terme. Enfin, ils reprirent leur souffle.

Elle posa les mains sur son visage et le regarda droit dans les yeux.

— Je veux que tu te souviennes de ce que tu ressens en ce moment, de la façon dont tu me regardes, parce que tu ne me regarderas plus jamais ainsi, dit-elle.

Jared eut du mal à respirer, tant la pression dans sa poitrine était forte.

Elle recula d'un pas et se reprit avec effort. Il brûlait de la prendre de nouveau dans ses bras.

Elle soupira et détourna le regard.

— Mon nom de famille est Dumont. Nous vivons sur une petite île de la Méditerranée appelée Marceau, au large de la France.

— D'accord, dit Jared.

Le nom et le pays lui étaient vaguement familiers, même s'il ne pouvait pas les situer. Cela expliquait l'accent étrange qui ressortait parfois chez Mimi.

— Alors, tu ne t'appelles pas Deerman ?

— Non. Et mon prénom est Milena.

Elle s'interrompit, et il lut la peur dans son regard.

Rien de dramatique jusque-là, pourtant. Elle n'appartenait pas à la mafia et ne prétendait pas venir de la planète Mars. S'était-elle fait une montagne d'un rien ?

— Bon, dit-il. Ta famille et toi vivez dans une île de la Méditerranée. Rien qui me paraisse grave.

Elle grimaça.

— Ma famille ne se contente pas de vivre à Marceau, dit-elle. Nous… Nous y régnons.

L'esprit de Jared se mit à fonctionner à toute vitesse.

— Vous y *régnez* ?

Elle opina.

— Ma mère est la reine Anne Catherine. Mon frère aîné, Michel, est l'héritier du trône. Mon autre frère, Auguste, est le chef des armées. Nicolas est médecin et conseiller auprès du ministère de la Santé. Enfin, Alexandre possède une entreprise de yachts et partage son temps entre la Caroline du Nord et Marceau.

Jared fixa la jeune femme. A quoi s'était-il attendu, il l'ignorait. Mais sûrement pas à ça !

— Notre destin à chacun est de remplir un rôle dans la royauté, d'une manière ou d'une autre.

Jared avait l'impression que son esprit était comme une roue qui tourne à vide dans la neige.

— Alors, tu es princesse ?

Elle soupira et hocha affirmativement la tête.

Il se gratta la tête, essayant de relier entre eux les éléments qu'elle venait de lui révéler.

— Si ce n'est pas indiscret, quel est ton rôle ? demanda-t-il.

Le visage de Mimi devint impénétrable.

— Mon rôle est d'épouser un comte italien, de porter ses enfants et de fournir de beaux clichés à la presse.

Le cœur de Jared s'arrêta.

— Tu es fiancée ?

Elle secoua la tête.

— Ma mère souhaite que j'épouse cet homme. Pour le bien de Marceau, dit-elle avec une pointe de fatalisme.

— Mais ce n'est pas ce que tu veux !

— Je ne suis pas censée faire ce que je veux.

Malgré ses propres émotions, Jared ne put refréner une vague de sentiment protecteur envers la jeune femme. Il la prit par les épaules.

— Mimi — Milena, rectifia-t-il. Si tu ne fais pas ce que tu veux, personne ne le fera à ta place.

— Mais je suis née pour servir. Pour faire mon devoir.

— Dois-tu vraiment servir ton pays de cette façon ?

Elle ouvrit la bouche, hésita.

— J'ai toujours cru que oui… Jusqu'à ce que je te rencontre.

Elle ferma les yeux.

— Je ne peux pas réfléchir à ça maintenant, dit-elle. Il faut que je parte, sinon je n'aurai plus l'occasion de voir mon frère.

Jared pouvait presque percevoir son tourment bouillonner en elle. Il se maudit de se sentir aussi impuissant.

— Si tu as besoin de quoi que ce soit, appelle-moi.

Les yeux de Milena lancèrent des éclairs.

— Ne dis pas ça !

— Comment ?

— Ne dis pas ça ! Je ne le mérite pas. Je t'ai menti, et je ne suis pas digne de ta générosité, dit-elle, les yeux embués. Je ne mérite pas que tu me prêtes ton pick-up. Je ne mérite rien de ta part. Parce que je ne peux rien t'offrir en retour, dit-elle, avalant un sanglot.

Jared serra les dents pour refouler les émotions inopportunes qui l'assaillaient. Il avait l'impression que sa poitrine lui faisait plus mal que lorsqu'il s'était brisé les côtes en jouant au football américain à l'université. Quant à Mimi — Milena —, elle était sur le point de faire une crise d'hystérie, si ce n'était pas déjà le cas. Il fallait qu'il trouve quelque chose pour atténuer les émotions intenses qui les balayaient tous deux.

— Ecoute, il faut que tu te reprennes, si tu dois conduire mon pick-up.

Elle renifla et le regarda, déroutée.

— Tu n'as pas l'habitude de conduire sur autoroute, et ta famille me tuera s'il t'arrive quoi que ce soit au volant de mon véhicule. Si tu veux vraiment du temps avant de retourner dans ta prison dorée, alors tu dois te concentrer.

Elle renifla encore.

— Sur quoi ?

— Sur le fait de rassembler tes affaires, de suivre mes indications et d'atteindre ton objectif.

Elle cligna des yeux, et il la vit se redresser sous ses yeux.

— Tu as raison. Je ne vais pas encore m'apitoyer sur mon sort de princesse inutile. Ce serait vraiment stupide !

Il fronça les sourcils.

— Princesse inutile ?

Elle afficha une moue dégoûtée en se dirigeant vers la chambre.

— C'est le surnom que je me donne, expliqua-t-elle.

Pendant que Milena emballait ses affaires à la

hâte, Jared repoussa les émotions intempestives qui bataillaient en lui, sortit des billets de banque de son portefeuille et nota les indications nécessaires pour se rendre à Colorado Springs. Quand elle revint dans la pièce, il décrocha la clé du pick-up de son trousseau.

Croisant malgré lui le regard de Milena, il essaya de ne pas être affecté par l'agitation qu'il lut dans ses yeux.

— Suis mes indications et ne dépasse pas la vitesse autorisée. Si la police t'arrête, la carte grise est dans la boîte à gants. Voici mon portable, dit-il en lui tendant son téléphone.

Elle écarquilla les yeux.

— Mais tu vas en avoir besoin !

— Tu en auras bien plus besoin que moi, dit-il simplement. Tu voyages dans un pays étranger, sans guide. J'ai noté le numéro de mon pager et de la maison au cas où tu aurais des ennuis.

— C'est bien ce à quoi tu t'attends, n'est-ce pas ? A ce que je me retrouve dans le pétrin. C'est ce que j'ai fait jusqu'à présent, dit Milena en soupirant.

— Laisse-moi te dire une chose, duch… princesse. Tu n'as pas le temps de t'apitoyer sur toi-même. Si les chiens de chasse de Marceau sont à tes trousses, tu ferais mieux de déguerpir.

434

Les yeux brillant de larmes retenues, elle se mordit la lèvre et leva le menton.

— Il n'y a pas de place pour les froussards au Wyoming, murmura-t-elle.

— C'est vrai, dit-il, déterminé à garder un ton léger, même s'il avait l'impression d'avoir dans la gorge une boule de la taille d'une balle de tennis.

Il lui effleura le menton de l'index.

— Et une fois que tu as vécu au Wyoming, tu ne peux jamais l'oublier complètement.

— Merci pour tout, Jared.

Il fourra les mains dans ses poches pour s'empêcher de la toucher. S'il le faisait, il savait qu'elle s'effondrerait. Elle avait besoin d'autre chose que d'une étreinte. Il ouvrit la porte et lui tendit son Stetson.

— Cache tes cheveux sous ce chapeau et prends l'ascenseur de service.

Milena planta le couvre-chef sur sa tête et fila dans le couloir.

— Je te revaudrai ça, dit-elle en lui envoyant un baiser.

Durant les vingt minutes suivantes, Jared s'ordonna de cesser de penser à Milena Dumont.

Avant de faire ses valises, il appela un loueur de

voitures et commanda un véhicule pour un mois. S'il ne revoyait pas Milena et son pick-up d'ici là, cela lui donnerait le temps d'acheter un autre pick-up. Idiot ! Il avait su qu'il avait dit adieu à son pick-up à la minute même où il lui avait confié la clé.

Un sentiment de vide le rongea quand il quitta la pièce. Il inspira, essayant d'attraper les derniers effluves du parfum de Milena.

« Bon, ça suffit. Cesse de te torturer. »

Il referma la porte derrière lui. La descente en ascenseur jusqu'au hall lui donna l'occasion de se rappeler ce qu'il avait ressenti en prenant Milena dans ses bras hier soir. La mâchoire serrée, il paya sa note d'hôtel et se dirigea vers la sortie.

— Excusez-moi. Etes-vous Jared McNeil ?

Deux hommes se trouvaient en travers de son chemin.

— Qui le demande ? dit-il d'un ton péremptoire.

Mais l'accent de l'homme l'avait trahi. Il avait l'air d'un garde du corps haut de gamme.

— Pardonnez-moi, dit l'homme avec un hochement de tête. Mon nom est Henri Newport, et voici Jean Huguenot. Nous recherchons cette jeune femme.

Henri brandit une photo de Milena.

Jared se raidit, mais il avait joué au poker assez

souvent pour avoir le réflexe de cacher sa réaction. Il dissimula la tension en lui par un sifflement.

— Elle est mignonne, dit-il sur un ton anodin. Qui est-ce ?

Son interlocuteur eut l'air choqué.

— C'est la princesse Milena Dumont de Marceau. Mais vous devez déjà le savoir, poursuivit-il en plissant les yeux. J'exige que vous nous disiez où elle se trouve en cet instant, ou vous pourriez le regretter.

— J'aimerais vous aider, mais je ne peux pas, dit-il en haussant les épaules. Toutefois, je ne serais pas contre un rendez-vous avec elle, si vous pouvez m'organiser une entrevue. Je ne crois pas avoir jamais été présenté à une princesse.

Henri bafouilla.

— Vous l'avez déjà rencontrée ! Le réceptionniste nous a dit que vous étiez avec elle hier soir.

Jared rit.

— Si seulement ! J'avais un rendez-vous galant avec une escort girl hier soir, dit-il avec un clin d'œil. La femme qui m'accompagnait avait de longs cheveux noirs, mais ce n'était pas une princesse, si vous voyez ce que je veux dire.

Jean fronça les sourcils.

— Vous en êtes sûr ? Vous êtes tout à fait certain

de ne pas avoir rencontré la princesse Milena ? Elle a été...

Henri l'interrompit d'un coup de coude.

— Nous sommes inquiets pour sa sécurité et sa santé.

Dans ces paroles de sollicitude, Jared ne perçut que l'oppression. Cela lui évoqua un filet jeté sur la tête de Milena, une porte de cellule se refermant sur elle.

— Désolé, les gars, mais je vous ai dit que je n'ai jamais de ma vie été présenté à une princesse.

Et il ne mentait pas, songea-t-il en laissant en plan les deux hommes qui le suivaient des yeux, interloqués. Il n'avait pas été officiellement présenté à Milena. Il lui avait fait l'amour, mais mieux valait pour tout le monde qu'il trouve un moyen de l'oublier.

12.

Deux semaines plus tard, Jared montait les marches du perron après une dure journée.

Il était tard, et il avait sauté le repas du soir une fois de plus. Son objectif avait été simple : travailler suffisamment dur et longtemps pour ne pas penser à Milena, et encore moins se languir d'elle. Quand il ouvrit la porte d'entrée, une douleur désormais familière se réveilla dans sa poitrine, et il poussa un soupir : jusque-là, il n'avait pas atteint son objectif.

Il caressa Léo avant de faire un crochet par la cuisine, où il se prépara un sandwich et sortit une bière du réfrigérateur. N'étant pas d'humeur à s'asseoir sous la véranda ni à regarder la télévision, il décida de manger son en-cas tardif en montant l'escalier avant de se précipiter sous la douche.

Son esprit indocile erra tandis qu'il engloutissait son sandwich sans le savourer. Que faisait Milena ce soir ? Avait-elle réussi à passer les barrages au siège de la société Raven ? Etait-elle retournée à Marceau ? Avait-elle embouti son pick-up ?

Il avala une longue gorgée de bière et fit la grimace. Milena ne faisait plus partie de sa vie. Tout en lui se rebellait à cette idée, mais il fallait bien qu'il se fasse une raison.

Avalant la fin de son sandwich, il traversa sa chambre en direction de la salle de bains sans prendre la peine d'allumer la lumière.

Il avait pourtant lutté de toutes ses forces pour ne pas être pris dans les filets de Milena. Il avait bien pressenti qu'elle apporterait le chaos dans sa vie, mais il n'avait pas pu lui résister. Sous ses dehors de petite fille riche battait le cœur d'une guerrière décidée à dépasser ses propres limites. Elle avait voulu apprendre l'escrime, avait relevé le défi qu'il lui avait lancé d'aller nager et lui avait maintes fois tenu tête. Malgré sa peur de l'eau, elle avait sauté dans l'étang et sauvé un enfant de la noyade. Elle n'avait aucune expérience en matière de sexe, pourtant elle avait fait tomber toutes ses défenses et embrasé son lit. Milena était la femme la plus excitante qu'il ait jamais rencontrée, et depuis son départ c'était comme si la lumière dans sa vie s'était éteinte.

Il ôta ses vêtements avec fatalisme.

Combien de temps cela prendrait-il pour qu'il

redevienne comme avant ? Combien de temps avant qu'il arrête de la chercher dans le lit au réveil ? Avant qu'il cesse de penser à elle à chaque minute de la journée et de se demander dans quelles aventures elle s'était embarquée à l'heure qu'il était ?

Milena lui avait fait confiance. Elle lui avait offert son corps, avait partagé avec lui des confidences qu'elle n'avait partagées avec personne d'autre, même pas sa famille. Il avait l'étrange sentiment que leur rencontre avait été écrite. C'était peut-être fou, mais c'était comme s'il était né pour entrer dans sa vie, et elle dans la sienne. Elle l'avait fait sortir de sa déprime, l'avait fait rire, l'avait fait se sentir vivant.

Il ouvrit les robinets de la douche et se plaça sous le jet d'eau en jurant dans sa barbe. Il n'y avait que lui pour s'amouracher d'une princesse ! Quoi de plus improbable ?

Il se tint sous le jet, savourant le contact de l'eau brûlante sur sa peau, et essaya de penser à autre chose qu'à Milena. Les prochaines saillies de Roméo. Le fait qu'il avait réussi à trouver un candidat au poste de maire. Le prochain achat de taureau reproducteur, la reconstruction de l'étable. Peut-être que s'il parvenait à s'emplir l'esprit de ces éléments, il s'endormirait en rêvant du ranch au lieu de Milena ?

Il sortit à contrecœur, se sécha, enroula la serviette

autour de sa taille et se dirigea vers un tiroir pour y prendre un caleçon.

— Surprise, dit une voix féminine derrière lui.

Jared se figea sur place et secoua la tête, certain de rêver. Bon sang. Voilà qu'il entendait des voix, maintenant !

Se tournant pour confirmer sa folie, il découvrit Milena assise sur le lit.

Son cœur tressauta et il cligna des yeux à plusieurs reprises.

Une apparition, se dit-il en avançant vers le lit. Quand il tendrait la main, il ne sentirait que l'air sous ses doigts.

Il tendit la main, et Milena le regarda avec incertitude.

— Jared ?

Elle leva la main et la referma sur la sienne.

Jared regarda leurs doigts entremêlés, incrédule.

— Tu n'as pas l'air très heureux de me voir, dit-elle, tirant pour dégager sa main.

Aucun risque qu'il la lâche, se dit-il en resserrant son étreinte.

— Je suis… étonné.

Il secoua la tête, la fixant, s'imprégnant de la vision de ce visage, de ces yeux, de cette femme qui l'avait hanté sans relâche.

— Je ne m'attendais pas à te revoir, dit-il.

Milena se renfrogna.

— Je t'avais dit que je ramènerais ton pick-up. Tu ne m'as pas crue ?

Un éclair de fierté passa dans les yeux de l'apparition, et Jared rit. Si c'était une illusion, elle était vraiment bien imitée.

— Je n'y comptais plus depuis que Henri et Jean m'ont coincé dans le hall de l'hôtel.

Elle ouvrit de grands yeux.

— Oh, non ! Ils ne t'ont pas fait de mal ?

— Non. J'ai inventé une histoire de femme qui te ressemblait mais qui n'était pas toi, et je ne leur ai pas trop laissé l'occasion de discuter.

Il s'affala sur le lit.

— Alors, tu as ramené le pick-up, dit-il.

Il se prépara à l'idée qu'elle pourrait de nouveau disparaître de sa vie dans quelques minutes.

— La bonne nouvelle, c'est que je ne l'ai pas abîmé. Mais j'ai changé sa couleur.

— Sa couleur ?

— Oui, il n'est plus vert maintenant. Il est noir. Je craignais que les gens du palais ne recherchent un véhicule vert. Mais je n'ai rien pu faire pour la plaque d'immatriculation, à part mettre de la boue dessus.

Impressionné par son ingéniosité, il eut un hochement de tête admiratif.

— Astucieux.

— Ça ne te dérange pas que ton camion ait été repeint ? demanda-t-elle.

Elle pouvait bien le peindre en mauve avec des pois roses si cela lui donnait l'occasion de la regarder une nouvelle fois.

— Non ! Et Jack, alors ?

Elle fit la moue.

— J'ai essayé de le voir de nombreuses fois, mais il était soit absent, soit indisponible. J'ai même essayé de m'habiller en femme de ménage, mais les gardes m'ont démasquée et mise dehors. Ils m'ont menacée de porter plainte si je recommençais, dit-elle, indignée.

— Je suis désolé, Milena. Je ne sais pas quoi te dire. Peut-être qu'une fois à Marceau…

— Je voulais t'en parler, l'interrompit-elle, en serrant sa main et en se mordant la lèvre, signes de nervosité. J'ai eu beaucoup de temps pour réfléchir, et il faut que je te dise que…

Jared sentit son cœur se serrer, et il secoua la tête.

— Tu n'as pas à me dire quoi que ce soit. Je sais que tu dois repartir.

— Justement. Je ne rentre pas. Je veux rester avec toi.

Au moment où son cœur se gonflait de joie, son esprit écarta les paroles de Milena : c'était tout simplement impossible ! Mais incapable de se retenir une minute de plus, il la prit dans ses bras.

— Chérie, tu n'as pas idée de ce que cela signifie pour moi, mais je sais que tu dois rentrer chez toi. J'ai fait quelques recherches sur Marceau pendant ton absence. Tu es importante pour ta famille et pour ton pays.

— Et que fais-tu de ce que je veux, moi ? Tu m'as toujours dit que j'avais le choix.

— Oui, mais…

— Es-tu en train de me dire que tu ne veux pas de moi ?

— Non, bien sûr que non !

— Jared, j'ai pris une décision. Je renonce à mon titre pour vivre avec toi.

Il ne put que la dévisager. C'était comme si son cœur, ses poumons, son cerveau avaient cessé de fonctionner. Il s'était tellement préparé à l'idée qu'il ne la reverrait jamais. Est-ce qu'il rêvait ou quoi ?

La lèvre de Milena trembla.

— Tu ne dis rien, observa-t-elle.

Elle baissa la tête et se couvrit le visage de ses mains.

— Je viens de comprendre que j'ai été un peu présomptueuse, dit-elle avec un rire forcé qui ressemblait à un sanglot. J'étais si concentrée sur mes envies que je n'ai pas pensé à ce que toi tu voulais. Et tu ne veux peut-être pas de moi…

Jared se força à articuler les mots.

— Tu sais que je te veux.

Elle ne le regardait toujours pas.

— Mais peut-être pas de la même façon que moi ?

— Comment me veux-tu, Milena ? demanda-t-il, lui relevant le menton pour qu'elle le regarde.

— Je te veux pour toujours, murmura-t-elle.

Jared crut que son cœur allait exploser.

— Ah, bon sang ! dit-il, en se pinçant l'arête du nez.

Elle laissa retomber ses mains.

— C'est bien ce que je craignais, gémit-elle. Tu penses que je suis une source d'ennuis. Que j'étais amusante pour un temps, mais pas pour…

Il lui couvrit la bouche.

— Tu veux bien te taire une minute, pour que je puisse reprendre mon fichu souffle ? Je ne m'attendais pas à te revoir, et voilà que tu es sur mon lit, à me parler de rester avec moi pour toujours ! J'ai l'impression de vivre une expérience surnaturelle,

446

comme si j'étais hors de mon corps — et je ne veux pas que ça se termine, dit-il avec fermeté.

Il se leva du lit, l'esprit comme embourbé.

— Il faut que je réfléchisse, dit-il. Je ne peux pas te laisser abandonner ton titre.

Il secoua la tête. Cette idée était impensable.

— Mais…

Il leva une main pour lui enjoindre de se taire, puis la passa dans ses cheveux mouillés.

— Il doit y avoir un autre moyen. Il doit y avoir…

Il soupira.

— Ta famille, reprit-il. Je crois que tu n'as pas réfléchi à tout ça.

Milena se leva d'un bond.

— Si, au contraire. Tu m'as dit un jour de ne pas lutter contre mon destin. Mon destin, c'est d'être à tes côtés. Je n'ai jamais autant accompli de choses, je ne me suis jamais sentie plus utile qu'auprès de toi. Tu as fait de moi quelqu'un de meilleur.

Sa réaction enflammée le toucha au cœur.

— Oh, ma chérie ! Tu as toujours été une personne extraordinaire. Tu ne le savais pas, voilà tout.

— C'est toi qui me l'as fait découvrir. Il faut que je reste auprès de toi, Jared. Je n'ai jamais été aussi sûre de quoi que ce soit de toute ma vie.

Elle avait peur, mais elle était déterminée. Il le voyait dans ses yeux. Il lui prit la main.

— Comment peux-tu tourner le dos à ta famille ?

Les yeux de Milena se voilèrent de tristesse.

— Je n'y tiens pas, mais je ne peux pas me sacrifier et épouser un homme que je n'aime pas, uniquement pour le bien de Marceau.

Elle le regarda dans les yeux et lui caressa le visage.

— J'ai toujours su, continua-t-elle, que l'amour devait être quelque chose de magique et d'enivrant. Mais tu m'as appris que c'est bien plus que ça.

Il la prit dans ses bras et l'embrassa. C'était un baiser plein de promesses, des promesses faites avec son cœur, des promesses qu'il tiendrait. Il n'arrivait pas à croire que Milena était revenue. Il ignorait comment ils allaient sortir de cette épreuve, mais ils devaient trouver un moyen. Pour l'instant, le feu couvait entre eux et son pouls s'accélérait, et il ne pouvait plus penser à quoi que ce soit d'autre qu'à elle. Il songerait à la famille royale demain.

Milena fit l'amour à Jared avec la force d'une tornade.

Il aurait dû être exténué, mais il resta éveillé toute

la nuit, à essayer de discerner la meilleure façon de gérer la situation. Milena avait beau affirmer qu'elle allait faire une croix sur sa famille, il ne pouvait pas l'accepter. Il *devait* y avoir une meilleure solution. Quand l'aube arriva, il était parvenu à une conclusion.

Accoudé sur le côté, il caressait les cheveux de Milena en se demandant si tous deux étaient assez forts pour faire face à ce qui les attendait.

Elle battit des paupières, sourit et lui toucha le menton. Il attrapa sa main et la porta à ses lèvres.

— Bonjour, beauté. Nous allons à Marceau.

Le sourire de Milena disparut aussitôt.

— J'espérais que nous irions plutôt à Las Vegas… Dans une de ces petites chapelles où on se marie en moins d'une heure.

Il rit et secoua la tête.

— Ne me tente pas.

Elle s'assit, et les draps tombèrent, révélant sa poitrine nue.

— C'est pourtant ce que je comptais faire.

Sentant l'excitation monter en lui, il réprima un gémissement.

— Tu as réussi. Tu es une tentation ambulante pour moi. J'aimerais te céder en permanence. Je veux être ton époux.

Il prit une inspiration prudente, car il sentait qu'il vivait le moment le plus important de sa vie.

— Veux-tu être ma femme ?

Les yeux de Milena s'embuèrent, et elle se jeta à son cou.

— Oui, oui, oui ! Allons à Las Vegas et marions-nous, avant que quelqu'un puisse nous en empêcher.

Jared fut envahi par une vague d'euphorie, tempérée par la certitude qu'ils avaient devant eux une route semée d'embûches.

— Est-ce que tu me fais confiance ?

— Oui, dit-elle, reculant pour le regarder dans les yeux.

— Alors, il faut aller à Marceau.

La terreur se peignit sur son visage.

— Ma famille nous rendra les choses impossibles. C'est pour ça que je veux renoncer à mon titre.

— D'accord, mais tu oublies ce que je t'ai dit. Ne lutte pas contre ton destin. Et ta destinée, c'est aussi d'être une fille, une sœur, une tante, et une princesse. Tu n'as pas à choisir entre tous ces rôles et celui d'épouse.

Elle laissa échapper un soupir de soulagement, mais son regard était toujours teinté d'incertitude.

— Mais ma famille n'acceptera jamais cela !

— Si nous allons à Marceau et que nous leur exposons notre projet, ils ne pourront pas dire qu'ils n'en auront pas eu l'occasion. Je ne veux pas que tu aies le moindre regret. Je peux tout supporter, sauf tes regrets.

— Je ne regretterai jamais d'être ta femme.

Dieu ! Il espérait bien que non.

— Alors, c'est la meilleure chose à faire.

— Si tu le dis, concéda-t-elle, sceptique. Mais prends assez d'antiacides pour nous deux.

Jared observa avec intérêt le paysage quand la limousine fit le trajet de l'aéroport au palais. Marceau était une île magnifique avec ses plages de sable blanc, ses montagnes et ses eaux azur. Pour la plupart des gens, c'était un paradis qu'il faudrait être fou pour vouloir quitter.

Milena, qui enfonçait ses ongles dans la paume de sa main en lui récitant l'arbre généalogique de sa famille, était l'exception.

— Mon père s'appelait Jules. Ma mère s'appelle Anne Catherine, mais tu peux l'appeler Votre Majesté. Je ne peux pas prédire lequel de mes frères posera le plus de problèmes, mais Michel est un candidat probable. Il est l'aîné, et comme c'est le premier sur la liste des héritiers du trône, il a des tendances à l'autoritarisme. Sa femme, Maggie, a contribué à l'adoucir, mais il se sent toujours responsable pour tout. Il a un fils, Max, d'un précédent mariage. Auguste s'occupe des armées. Nicolas est un électron libre. Il est médecin, alors on pourrait croire qu'il va adopter une position anticonformiste, mais il est très protecteur quand il s'agit de sa famille. Il est marié à une Américaine, Tara. Je croise les doigts pour qu'Alexandre et Sophia soient en Caroline du Nord en ce moment.

Jared retira doucement les ongles de Milena de sa paume et lui caressa la main pour la réconforter.

— Est-ce qu'ils vont me faire passer un test ? dit-il en souriant.

— Comment peux-tu sourire dans un moment pareil ?

— Parce que je suis avec la femme que j'aime.

Elle ferma les yeux, et se détendit un peu. Elle inspira, puis plongea les yeux dans les siens.

— Promets-moi, dit-elle, que tu ne les laisseras pas te faire changer d'avis sur moi.

Jared la regarda, surpris, et la serra contre lui.

— Aucun risque.

— D'accord, dit-elle. Nous sommes presque arrivés.

La limousine s'engagea dans une allée bordée de massifs de fleurs colorées. Le palais, plusieurs fois centenaire, se dressait comme une femme belle et fière. Lorsque le chauffeur s'arrêta, un portier apparut immédiatement.

— Bienvenue chez vous, Votre Altesse, dit-il avec une courte révérence en ouvrant la portière de Milena.

— Merci, Marc. Voici Jared McNeil.

— Bienvenue à Marceau, monsieur McNeil, dit Marc, saisissant les bagages avant que Jared puisse le faire.

Milena prit le bras de Jared et le regarda.

— Prêt ?

— Quand tu le seras.

— Dans ce cas, je pense toujours que Las Vegas était une bonne idée.

Il la poussa vers l'avant.

— Allons ! Ce ne sera peut-être pas aussi terrible que tu le penses.

Ils se dirigèrent vers la porte d'entrée, où quatre hommes les attendaient. Ils étaient vêtus de tenues diverses allant du costume trois pièces au jean, ils avaient tous les mêmes yeux argentés et ils affichaient la même mine renfrognée.

Même Jared aurait dû être intimidé par ces quatre princes en colère, chacun d'eux faisant au moins sa taille. Mais la force de ses sentiments pour Milena le rendait intrépide. Ce qui pouvait constituer une grave erreur. Si c'était le cas, il le découvrirait très bientôt, songea-t-il.

— Bienvenue à la maison, Milena, dit un des hommes. Mère t'attend.

Milena se raidit.

— Je viens à peine d'arriver ! Je veux m'assurer que mon invité soit bien reçu.

— Nous nous en chargeons, dit son frère d'un ton doucereux. File.

Jared réprima une grimace. Prendre la défense de Milena n'était pas le meilleur choix pour l'instant.

Elle se raidit davantage.

— Je ne suis certes pas prête à filer. Jared, j'aimerais te présenter mes frères : Michel, Auguste, Nicolas et Alexandre. Ils répondent tous au nom de Votre Altesse, dit-elle avec un sourire forcé.

— Vos Altesses, dit Jared en essayant d'avancer le bon pied. Je suis ravi de faire votre connaissance.

Chacun des hommes répondit par un hochement de tête, mais aucun ne dit mot.

Milena soupira.

— Où sont vos épouses ?

— Nous avons pensé qu'il valait mieux les laisser à la maison.

— Je ne suis pas de votre avis, dit-elle avec un doux sourire. Elles vous rendent plus civilisés.

Celui qu'elle avait présenté comme étant Nicolas se détendit un peu et lui décocha un regard amusé.

— Je ne peux qu'approuver, mais mère t'attend.

— Oui, mais Jared me civilise, moi.

Jared sentit quatre regards inquisiteurs s'abattre sur lui.

— Nous aimerions connaître son secret, dit Nicolas d'un ton placide.

Il avança vers Milena et l'embrassa.

— Va faire ton *mea culpa*, dit-il. Pendant ce temps, nous allons discuter avec ton nouvel ami.

— Je ne vous fais aucune confiance, dit-elle sans détour.

— Tu as peur qu'il ne s'en sorte pas avec nous ? la taquina Nicolas.

Jared faillit répondre par lui-même, mais il préféra garder son énergie. Il en aurait sans doute besoin pour plus tard.

Milena ouvrit de grands yeux.

— Très bien, je vais aller voir mère, mais si vous manquez de respect à mon invité, je ne vous parlerai plus jamais, à aucun de vous.

— Quelle terrible menace ! railla Nicolas en arquant les sourcils.

— Je suis sérieuse. Vous devriez le remercier. Sans lui, je ne serais pas là mais à Las Vegas.

Elle se tourna vers Jared et posa avec audace la bouche sur la sienne.

Jared calma ses ardeurs d'une pression de la main sur son épaule, même s'il savait qu'elle l'embrassait pour faire passer un message à ses frères, en même temps qu'elle prenait des forces pour affronter sa mère.

— Ne t'inquiète pas pour moi, lui murmura-t-il. Je peux les gérer, et dix autres encore.

— Ma mère en vaut bien dix autres, le prévint-elle.

Il sourit et replaça une mèche de ses longs cheveux.

— Alors, acquittons-nous de cette corvée pour que tu puisses m'emmener à la plage.

Milena sourit enfin, d'un véritable sourire qui le fit fondre.

— Rendez-vous est pris, dit-elle.

Et elle emprunta le couloir d'un pas décidé.

Jared garda le regard rivé sur elle jusqu'à ce qu'elle disparaisse de son champ de vision, puis il se tourna vers les quatre princes courroucés et joignit les mains.

— Et maintenant, montrez-moi le chevalet de torture.

Alexandre, le benjamin, fut à deux doigts d'éclater de rire.

456

— Il n'y a pas de chevalet, mais il paraît que vous aimez l'escrime, alors mes frères et moi avons pensé que vous apprécieriez un duel.

— Je suis partant, dit Jared.

— Alors, par ici, dit Alexandre.

Tous les quatre ouvrirent la voie et descendirent l'escalier.

Pourvu qu'il arrive à oublier le décalage horaire ! se dit Jared. Sinon, il avait la désagréable impression qu'il allait finir avec un fleuret dans le ventre.

— Nous voulions tous combattre contre vous, expliquait le plus jeune prince, mais nous savions que le temps ne nous permettrait pas de faire un marathon d'escrime. Alors nous avons tiré à la courte paille, et c'est Michel qui a gagné.

Jared acquiesça et les suivit le long d'un couloir où un beagle gambada vers eux en aboyant et en agitant la queue.

— Elvis, mon coquin, dit Michel en se penchant pour caresser le chien. C'est le chien de mon fils Max.

Jared s'accroupit pour donner une petite tape à l'animal qui se tortillait.

— Elvis ?

— C'est mon fils qui a choisi ce nom, dit Michel. Il fait tourner les conseillers du palais en bourrique.

— Votre fils, ou le chien ? demanda Jared.

Michel lui décocha un regard de côté.

— Elvis. Vous préférez le fleuret ? demanda-t-il alors qu'il pénétraient dans une salle d'escrime bien équipée.

— Oui.

— Nous avons plusieurs vestiaires. Choisissez votre arme, et allez vous habiller pour que nous puissions commencer.

Conscient que quatre regards étaient braqués sur lui, Jared saisit deux fleurets, en choisit un, attrapa une tenue et se dirigea vers un vestiaire.

Il devrait se tenir sur ses gardes, et pas seulement pour l'escrime. Les frères de Milena le mettaient à l'épreuve et, à en juger par leur mine, ils espéraient bien le voir repartir sans leur sœur. Cela ne l'amusait pas de devoir les contrarier dès le début, mais s'ils étaient aussi futés que Milena, ils verraient vite que son amour pour elle était solide comme de la pierre.

Quelques minutes plus tard, il se tenait face à Michel, son masque en place. Il fit un salut, et les fleurets se mirent à voleter.

— Comment avez-vous rencontré ma sœur ? demanda Michel, remportant d'entrée un point.

D'instinct, Jared pensa à protéger Milena. Elle avait suffisamment souffert du manque de consi-

458

dération de ses frères. Inutile de les renforcer dans leurs convictions.

— Son pick-up est tombé en panne un soir, près de mon ranch. Elle était seule, sans beaucoup d'argent. Alors je lui ai proposé de dormir dans une de mes chambres d'amis pour la nuit. Quand mon employée de maison s'est foulé la cheville le lendemain, Milena s'est proposée pour s'occuper des filles de ma sœur.

Michel sursauta, et Jared toucha le torse du prince de la pointe du fleuret, reprenant l'avantage,

— Milena a proposé de *s'occuper d'enfants* ?

— Elle a fait du bon travail, elle sait très bien changer une couche, et tout le reste.

Jared entendit un grondement de rires sur les côtés.

— Faisons une pause, dit Michel en levant la main.

Il repoussa son masque et baissa la tête, incrédule.

— Milena a changé des couches ?

— Mais oui, dit Jared, retirant son masque.

Il risqua un regard vers les autres frères. En voyant les degrés variés d'étonnement sur leurs visages, il réprima un sourire.

— Elle a également sauté dans un étang pour sauver une fillette de la noyade pendant une fête qu'elle avait organisée, et lancé une campagne de dons pour la bibliothèque de la ville. Elle a aussi pris des leçons d'escrime avec moi, car il semble que les cours qu'elle avait pris plus jeune avaient été brusquement interrompus. C'est bien ça, Nicolas ?

Un silence total emplit la pièce. Nicolas adressa à Jared un regard dubitatif, tandis que les trois autres le fixaient, visiblement sous le choc.

Michel marcha vers lui.

— Elle a plongé pour sauver un enfant ?

Jared opina.

— Tout à fait.

— Une campagne pour la bibliothèque ? répéta Auguste.

— La bibliothèque municipale manquait de livres. Milena a un don pour motiver les gens, et elle sait remarquablement organiser une action. Mais vous la connaissez depuis plus longtemps que moi et vous le savez très bien, dit-il, marquant un point sans faire usage de son arme.

Les points les plus importants qu'il marquerait aujourd'hui n'impliquaient pas forcément son fleuret...

— Vous dites lui avoir donné des leçons d'escrime, continua Nicolas. Que lui avez-vous enseigné d'autre ?

— A croire en elle, je l'espère, dit Jared.

460

— Avez-vous couché avec elle ? demanda abruptement Michel.

Une tension dangereuse satura l'air.

Jared choisit ses mots avec précaution.

— C'est à Milena de décider si elle veut parler avec vous de cette question, et quand elle voudra en parler. Ce ne serait pas convenable pour moi de le faire à sa place.

— Je suis l'aîné de la famille, dit Michel, le regard dur. J'ai le droit de savoir.

— Je ne vais pas argumenter avec vous, dit Jared. C'est peut-être votre droit de savoir, mais c'est mon droit de ne pas vous répondre.

Michel était loin d'être calme lorsqu'il reprit sa position de combat.

— Reprenons le duel, dit-il.

Ils se saluèrent et recommencèrent à croiser le fer.

— Mes frères et moi pensons que vous n'êtes pas l'homme qu'il faut pour Milena, dit Michel. Que vous faut-il pour vous ranger à notre opinion ?

Jared eut l'estomac noué. Il avait tenu à laisser le bénéfice du doute aux frères de Milena. Il comprenait leur désir de la protéger, elle en valait vraiment la peine.

— Je ne suis pas sûr de saisir, dit-il, heurtant le fleuret de Michel.

— Pour être clair, combien faut-il pour que vous disparaissiez pour toujours ? ajouta-t-il en frôlant la tête de Jared.

— Tout l'or du monde ne suffirait pas, rétorqua Jared, en position d'attaque.

Michel réussit à esquiver le coup.

— Tout a un prix.

— Désolé pour vous que vous n'ayez pas encore rencontré d'homme qu'on n'achète pas, dit Jared, l'attaquant de plus belle.

Michel annonça une somme.

Jared secoua la tête et prit un coup juste en dessous du cœur.

Michel donna une somme plus élevée.

Le fleuret de Jared frappa celui de Michel avec fracas.

— Vous perdez votre temps. Vous pourriez m'offrir tout votre royaume, ma réponse serait la même.

— Vous n'êtes pas assez bien pour elle, dit Michel. Elle mérite d'épouser un homme de son rang. Elle changera d'avis et regrettera de vous avoir épousé.

Impassible, Jared continua à ferrailler.

— Vous devez comprendre qu'elle est changeante. On ne peut pas compter sur elle pour prendre une décision aussi importante que…, poursuivit l'aîné des princes.

La fureur enflamma Jared, et il attaqua avec tant

462

de force qu'il fit voler le fleuret de son adversaire dans les airs. Il serra le poing, brûlant d'envie de donner à celui-ci la correction qu'il méritait.

Au lieu de cela, il jeta son arme au sol.

— Insultez-moi tant qu'il vous plaira, mais laissez votre sœur tranquille. Je me fiche que vous répondiez au nom de Votre Majesté, Votre Altesse, ou que vous soyez milliardaire. Vous avez beau être son frère, si vous insultez Milena, je vous arracherai les yeux avec un grand plaisir.

Il retira son masque et son gant avec dédain.

— J'en ai assez de ce « thé entre amis », dit-il, et il se dirigea vers le vestiaire.

— Jared, l'appela Nicolas.

Prenant une inspiration, il se retourna et inclina la tête sur le côté.

— Venez prendre une bière avec nous, dit Nicolas.

Michel s'avança vers lui, la main tendue.

— Ce duel était un test, expliqua-t-il. Désagréable, mais nécessaire. Je suis de votre avis, Milena est une femme exceptionnelle.

— Plus que vous ne l'imaginez ! dit Jared, reprenant espoir en comprenant qu'il avait été piégé.

Il ne pouvait pas leur reprocher de protéger leur sœur. Toutefois, cela lui laissait un goût amer dans la bouche.

— Allez, venez, laissez-nous nous faire pardonner, dit Auguste en lui tendant la main.

— S'il vous plaît, dit Alexandre. Sinon, ma femme m'en voudra toute ma vie.

Nicolas grimaça.

— La mienne aussi.

Michel poussa un long soupir.

— Idem pour moi.

Jared commençait à retrouver un peu de son sens de l'humour.

— Si j'en juge à la façon dont vous avez surprotégé Milena, j'aurais cru que vous auriez choisi des épouses totalement dociles et faciles à vivre.

Les frères Dumont échangèrent un regard.

— C'est un défaut fatal chez les Dumont, dit Nicolas. Nous sommes attirés par les femmes de caractère. Mais ne riez pas, dit-il en pointant l'index sur Jared. Si vous vous êtes entiché de Milena, c'est que vous avez le même défaut que nous.

13.

— Non, mère, rien de ce que vous pourrez dire ne me convaincra d'épouser le comte Ferrar, dit Milena pour la cinquantième fois en reposant sa tasse de thé.

— Mais il apporterait tant à Marceau ! dit la reine Anne Catherine pour la cinquante et unième fois. Les conseillers du palais pensent que c'est le parti idéal.

Milena perdait patience. Non, en fait, elle était déjà à bout de patience avant que cette entrevue ne commence.

— Les conseillers se trompent. S'ils sont à ce point fous du comte Ferrar, je suggère qu'ils l'épousent eux-mêmes !

— Inutile de te montrer impertinente, dit Anne Catherine.

— Inutile de me parler encore de ce comte. Il est hors sujet.

— Milena, tu as mené une vie très protégée. Tu devrais écouter les conseils de ton entourage.

— Je ne suis plus une petite fille à présent.

— Ta disparition nous a tous terrifiés, dit la reine.

Devant l'expression fatiguée du visage toujours gracieux de sa mère, Milena se mordit la lèvre.

— Je suis vraiment navrée si je vous ai fait peur, mais je ne regrette pas d'avoir disparu. Cela m'a donné une chance d'accomplir des choses qu'on ne m'avait pas permis de faire jusqu'à présent. J'ai appris beaucoup sur moi-même, sur mes capacités, et sur ce que je veux.

— Et tu crois « vouloir » ce rancher, dit sa mère avec dédain.

Milena fut irritée par le ton de sa voix.

— Je ne le crois pas, j'en suis sûre. Et je l'aurai.

— Tu dis cela comme si tu n'avais pas besoin de consulter tes frères, les conseillers ou moi.

— Je veux bien vous consulter tous, mais cela ne me fera pas changer d'avis. Je vais épouser Jared, mère. Rien ne pourra m'arrêter. Nous pouvons nous marier à Marceau ou à Las Vegas. A vous de choisir.

Sa mère cligna des yeux, incrédule, puis secoua la tête.

— Cet homme n'est pas du tout préparé à épouser

466

une princesse. Il n'a aucune idée de ce que l'on attend de toi, et par conséquent de lui.

— Maggie l'ignorait aussi, tout comme Sophia et Tara.

— Certes, mais ce sont des fem...

La reine s'interrompit en prenant conscience du sexisme de sa remarque.

— Pourquoi es-tu si convaincue que ce Jared est l'homme qu'il te faut ?

— Parce qu'il me fait croire que je peux réaliser des choses. Il veut que je sois moi-même. Il m'aime pour moi, pas pour mon rang. Mais il respecte ma famille. Même après que je lui ai avoué à quel point nous étions bizarres.

Anne Catherine ouvrit de grands yeux horrifiés.

— Tu lui as dit que les Dumont étaient bizarres ?

— Bien sûr. Voilà pourquoi je ne voulais pas revenir. Je voulais me marier à Las Vegas, mais Jared a insisté pour que nous venions ici. Il avait deviné que même si elle est parfois pénible, ma famille est très importante pour moi.

Sa mère se pinça l'arrête du nez.

— Je deviens trop âgée pour ces choses-là.

Milena éprouva un élan de compassion pour Anne Catherine et tendit la main vers elle. Leur relation avait été mouvementée au cours des années, mais elle n'oublierait jamais tous les soirs où sa mère, toute reine qu'elle était, lui avait lu des histoires quand elle était enfant.

— Mère, quel que soit l'homme que j'épouse, il doit être assez fort pour m'aimer et accepter mon statut. Or, Jared est l'homme le plus solide que je connaisse.

— Mais vivre au Wyoming, quelle idée ! protesta sa mère.

— Jared va engager un contremaître pour l'aider au ranch, comme ça nous pourrons revenir à Marceau plus souvent. Il trouve que notre île est magnifique.

— Eh bien, c'est évident ! dit Anne Catherine avec fierté.

Puis elle laissa échapper un soupir.

— Je le rencontrerai, concéda-t-elle à contrecœur.

— Merci, dit Milena, contournant la table pour aller embrasser sa mère sur la joue.

Celle-ci toussota devant ce geste de tendresse spontané.

— Je ne te promets rien.

— Vous allez l'adorer, promit Milena.

* *
*

Milena avait eu raison : la reine adora Jared.

En fait, elle pensait tant de bien de lui qu'elle le persuada de construire sur l'île un nouveau ranch, plus petit, avec un des descendants de Roméo. Le ranch de Marceau répondrait à deux besoins : il donnerait à Jared une raison de revenir à Marceau, et cela créerait des emplois.

L'idée d'un mariage express à Las Vegas était rejetée par tous. Mais Milena réussit à abaisser la durée des fiançailles de un an à quatre mois. Quatre mois durant lesquels Jared et elle ne purent — sur l'exigence de sa mère — se voir seuls plus d'un quart d'heure.

Si elle avait su que sa mère avait prévu une surveillance aussi soutenue, enrageait Milena, elle aurait insisté pour Las Vegas. Et elle soupçonnait que Jared aurait été prompt à accepter !

Le matin de leur mariage, la cathédrale était emplie de hauts dignitaires et de célébrités venues du monde entier. La cérémonie était retransmise par satellite sur les téléviseurs du monde entier. Son frère aîné Michel s'apprêtait à la mener à l'autel.

— Tu es très belle, Milena, lui dit celui-ci en lui tapotant la main. Je te trouve bien calme. Ça ne te dérange pas, tout ce cirque médiatique ?

— Jared m'a aidée à relativiser, répondit-elle, impatiente de voir son fiancé.

Son cœur battait la chamade.

— Comment a-t-il fait ?

— Il m'a dit que si les caméras étaient trop insupportables, il me suffisait de le regarder et de me souvenir que nous n'avions pas à inviter le monde dans notre suite nuptiale.

Michel rit.

— Dieu merci, non.

Il la fixa, cherchant son regard.

— Tu as trouvé un homme bien.

— Oui, c'est vrai.

Elle n'en revenait toujours pas de la rapidité avec laquelle Jared avait été accepté dans la famille.

— Et il a trouvé une femme formidable, dit Michel.

Le compliment la toucha au plus profond d'elle. Elle ne put réprimer un sourire.

— C'est vrai aussi.

L'orgue joua les premières notes de la marche nuptiale, indiquant qu'il était temps pour la future mariée de remonter la nef.

— C'est l'heure, dit-elle, si impatiente qu'elle aurait pu sautiller au lieu de marcher.

Milena entra dans la cathédrale bondée sous les murmures d'approbation et les flashes de centaines d'appareils photo. Elle distingua d'un côté ses frères en costume d'apparat et de l'autre ses belles-sœurs en tenue de demoiselles d'honneur, essuyant une larme. Puis elle riva son regard à celui de Jared, et l'amour qu'elle lut dans ses yeux lui fit oublier tout le reste.

Vingt minutes plus tard, ils étaient déclarés mari et femme. Dix longues heures après, elle s'attaquait au costume de Jared dans l'intimité d'une charmante maison d'invités qui surplombait l'océan.

— Je rêve de t'ôter ces vêtements depuis que je t'ai vu ce matin, dit-elle, se hâtant de faire tomber sa veste et d'ouvrir sa chemise.

Jared l'aida en dégageant ses bras.

— Cela aurait fourni des images croustillantes si tu l'avais fait pendant la cérémonie, plaisanta-t-il.

Elle rit.

— Inoubliables.

— C'est toi qui es inoubliable, dit-il en lui caressant les cheveux.

Elle posa les lèvres sur son torse et soupira.

— Tu te rends compte que je vais passer chaque nuit de ma vie avec toi, maintenant ?

Il opina.

— Te voilà prise au piège.

Il la prit dans ses bras et la porta dans la chambre luxueuse. Elle regarderait la décoration plus tard, quand elle serait moins excitée !

Tandis que Jared lui enlevait sa robe, elle sentit son cœur se gonfler d'amour.

— Je suis consciente de tout ce que tu fais pour moi, murmura-t-elle, au bord des larmes. Tu me donnes à croire que je suis capable de tout réussir, et tu m'as même promis de m'aider à retrouver Jack une fois que l'agitation autour de notre mariage sera retombée.

Il hocha la tête.

— Et moi, qu'est-ce que je t'apporte ? demanda-t-elle.

Jared était si fort ! Elle avait du mal à croire qu'il puisse avoir besoin d'elle pour quoi que ce soit.

Il lui prit la main et la posa sur son torse, et elle put sentir son cœur battre.

— Tu illumines ma vie.

Et alors que Milena tendait ses lèvres à son époux, elle sut que la lumière qui brillait entre eux ne s'éteindrait jamais.

Le nouveau visage
de la collection Or

◆

AMOURS D'AUJOURD'HUI

Afin de mieux exprimer sa modernité et de vous séduire encore davantage, votre collection Or a changé de couverture et de nom depuis le 1er mars 1995.

Rassurez-vous, les romans, eux, ne changent pas, et vous pourrez retrouver dans la collection **Amours d'Aujourd'hui** tous vos auteurs préférés.

Comme chaque mois, en effet, vous y attendent des héros d'aujourd'hui, aux prises avec des passions fortes et des situations difficiles...

COLLECTION
AMOURS D'AUJOURD'HUI :
Quand l'amour guérit des blessures de la vie...

Chère lectrice,

Vous nous êtes fidèle depuis longtemps?
Vous venez de faire notre connaissance?

C'est pour votre plaisir que nous avons
imaginé un rendez-vous chaque mois
avec vos auteurs préférés, vos
AUTEURS VEDETTE dans les
collections Azur et Horizon.

Les AUTEURS VEDETTE vous
donneront rendez-vous pour de
nouveaux livres vedette.

Pour les reconnaître, cherchez
l'étoile ... Elle vous guidera!

Éditions Harlequin

HARLEQUIN

LE FORUM DES LECTEURS ET LECTRICES

CHERS(ES) LECTEURS ET LECTRICES,

VOUS NOUS ETES FIDÈLES DEPUIS LONGTEMPS?

VOUS VENEZ DE FAIRE NOTRE CONNAISSANCE?

SI VOUS AVEZ DES COMMENTAIRES, DES CRITIQUES À
FORMULER, DES SUGGESTIONS À OFFRIR, N'HÉSITEZ
PAS… ÉCRIVEZ-NOUS À:

> LES ENTERPRISES HARLEQUIN LTÉE.
> 498 RUE ODILE
> FABREVILLE, LAVAL, QUÉBEC.
> H7R 5X1

C'EST AVEC VOS PRÉCIEUX COMMENTAIRES QUE NOUS
ALLONS POUVOIR MIEUX VOUS SERVIR.

DE PLUS, SI VOUS DÉSIREZ RECEVOIR UNE OU
PLUSIEURS DE VOS SÉRIES HARLEQUIN PRÉFÉRÉE(S)
À VOTRE DOMICILE, NE TARDEZ PAS À CONTACTER LE
SERVICE D'ABONNEMENT; EN APPELANT AU
(514) 875-4444 (RÉGION DE MONTRÉAL) OU 1-800-667-4444
(EXTÉRIEUR DE MONTRÉAL) OU TÉLÉCOPIEUR
(514) 523-4444 OU COURRIER ELECTRONIQUE:
AQCOURRIER@ABONNEMENT.QC.CA OU EN ÉCRIVANT À:

> ABONNEMENT QUÉBEC
> 525 RUE LOUIS-PASTEUR
> BOUCHERVILLE, QUÉBEC
> J4B 8E7

MERCI, À L'AVANCE, DE VOTRE COOPÉRATION.

BONNE LECTURE.

HARLEQUIN.

VOTRE PASSEPORT POUR LE MONDE DE L'AMOUR.

<u>COLLECTION</u>
<u>HORIZON</u>

Des histoires d'amour romantiques qui vous mènent au bout du monde!

Découvrez la passion et les vives émotions qu'apportent à la Collection Horizon des auteurs de renommée internationale!

Captivantes, voire irrésistibles, ces histoires d'amour vous iront assurément droit au coeur.

Surveillez nos trois nouveaux titres chaque mois!

69 **L'ASTROLOGIE EN DIRECT**
TOUT AU LONG
DE L'ANNÉE.

(France métropolitaine uniquement)
Par téléphone 08.92.68.41.01
0,34 € la minute (Serveur JET MULTIMÉDIA).

Composé et édité par les
éditions Harlequin
Achevé d'imprimer en août 2006

BUSSIÈRE
GROUPE CPI

à Saint-Amand-Montrond (Cher)
Dépôt légal : septembre 2006
N° d'imprimeur : 61486 — N° d'éditeur : 12293

Imprimé en France